Padre Rico Padre Pobre

Parte II

El Cuadrante del FLUJO DE DINERO

Guía de "Padre Rico" hacia la libertad financiera

ROBERT T. KIYOSAKI

CON SHARON L. LECHTER C.P.A.

Time & Money Network Editions

Título original
"The Cashflow Quadrant, Rich Dad's Guide to Financial Freedom"

Traducción al castellano:
Ricardo Sanz
Correción literaria:
Cecilia Larrosa de Mazzeo - Iris M. Mier

Es traducción autorizada de la edición redactada en idioma inglés publicada por:
TechPress, Inc.,
6611 N. 64th. Place
Paradise Valley, Arizona 85235, U.S.A.
Tel. (602) 998-6971

Adaptación de diseño de portada para la edición en castellano:
Ruff's Graph Diseño y Producción gráfica.
(con autorización de TechPress, Inc.)

Edita:
Time & Money Network Editions
Av. Rivadavia 6351, torre 2 piso 20 "D" (1406)
Buenos Aires, Argentina
tel/fax: (5411) 4631-1280
Editorial dedicada a la difusión del network marketing, e-commerce y desarrollo personal.
Edición realizada bajo licencia de GoldPress, Inc., con derechos exclusivos para América Latina, España y el mundo.

ISBN 987-97024-7-6: TIME & MONEY NETWORK EDITIONS
ISBN 0964-3856-2-7: GoldPress, Inc.
Impreso en Argentina - Printed in Argentina

Dedicatoria del libro

"El hombre nace libre, y en todas partes halla cadenas. De los demás se cree el amo, y es de sí mismo el más esclavo".

Jean Jacques Rousseau

Mi padre rico solía decir,
"Nunca se puede tener libertad verdadera sin libertad financiera."
Y continuaba, "La libertad puede no tener costo, pero tiene un precio."
Este libro está dedicado a aquellas personas dispuestas a pagar ese precio.

A nuestros amigos

El éxito extraordinario de *Padre Rico Padre Pobre* nos ha traído aparejado miles de nuevos amigos por todo el mundo. Sus palabras afectuosas y amistad nos inspiraron para escribir *El Cuadrante del FLUJO de DINERO*, que en realidad, es una continuación de *Padre Rico Padre Pobre*.

Por ello, a nuestros amigos, tanto a los viejos como a los nuevos, por su apoyo fervoroso que va más allá de nuestros sueños irrefrenables, queremos decirles gracias.

Indice

Parte III Como llegar a ser un "D" e "I" exitoso

INTRODUCCIÓN

¿En qué cuadrante está usted? ¿Es ése el apropiado?

¿Es usted libre, financieramente? Si su vida financiera ha llegado a una bifurcación en el camino, *El Cuadrante del FLUJO DE DINERO* fue escrito para usted. Si quiere asumir el control de lo que hace hoy en día, a fin de cambiar su destino financiero, este libro lo ayudará a orientar su rumbo. Este es *El Cuadrante del FLUJO DE DINERO*:

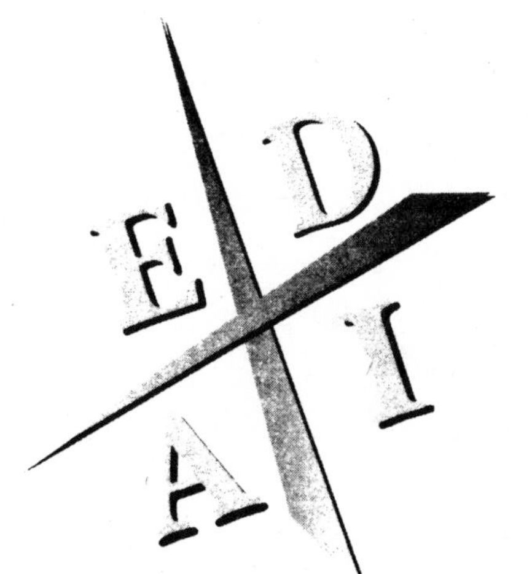

Las letras en cada cuadrante representan:

E = empleado
A = autoempleado
D = dueño de empresa
I = inversionista

Cada uno de nosotros se ubica por lo menos en uno de los cuatro cuadrantes anteriores. El origen de nuestro dinero en efectivo determina en cuál de ellos estamos. Muchas personas dependen de un sueldo y por lo tanto son empleados, mientras que otras son autoempleados o independientes. Los individuos que son empleados o autoempleados, se ubican a la izquierda del *Cuadrante del FLUJO de DINERO*. El lado derecho del CUADRANTE es para los individuos cuyo dinero en efectivo proviene de sus propios negocios e inversiones.

El Cuadrante del FLUJO DE DINERO trata acerca de las cuatro clases diferentes de personas que hacen al mundo de los negocios, quiénes son, y qué es lo que hace que los individuos de cada cuadrante sean únicos. Lo ayudará a definir en qué lugar del Cuadrante se encuentra usted hoy, así como a trazar el curso en dirección hacia donde desea situarse en el futuro, mientras elige su propio camino hacia la libertad financiera. Si bien ésta se puede encontrar en cualquiera de los cuatro cuadrantes, las destrezas de un "D" o un "I" lo ayudarán a alcanzar más rápidamente sus metas financieras. Un "E" exitoso podría convertirse igualmente en un "I" triunfador.

"¿QUÉ DESEAS SER CUANDO SEAS GRANDE?"

En muchos aspectos, este libro es la segunda parte de mi libro, *Padre Rico Padre Pobre*. Para todos aquellos que pudieran no haberlo leído, Padre Rico Padre Pobre trata acerca de las diferentes lecciones referentes al dinero y a las elecciones de vida que mis dos padres me enseñaron. Uno fue mi padre verdadero y el otro el padre de mi mejor amigo. Uno era altamente instruido y el otro había abandonado los estudios secundarios. Uno era pobre y el otro rico.

Cada vez que me hacían la pregunta, "¿Qué quieres ser cuando seas grande?", y mi padre instruido aunque pobre me recomendaba, "Ve a la escuela, obtén buenas calificaciones y luego consigue un empleo estable y seguro," me estaba recomendando una elección de vida que se asemejaba a algo así:

Consejo de padre pobre

Padre pobre me estaba recomendando que eligiera convertirme o bien en un "E" –empleado- con un excelente salario, o en un "A" –profesional autoempleado- con muy buenos honorarios, tal como doctor en medicina, abogado o contador. A mi padre pobre le preocupaba mucho tener un sueldo fijo, beneficios y seguridad laboral. Por esta razón él era un funcionario del gobierno muy bien remunerado; era el número uno en el área de educación del Estado de Hawai.

Mi padre rico pero sin formación, por el contrario, me dio un consejo diferente. Me recomendó, "Ve a la escuela, gradúate, desarrolla negocios y conviértete en un inversionista exitoso."

Él me estaba recomendando una elección de vida que se asemejaba al gráfico siguiente:

Consejo de padre rico

Este libro trata sobre el proceso mental, emocional y educacional por el que fui transitando al seguir el consejo de mi padre rico.

PARA QUIÉN ES ESTE LIBRO

Este libro está escrito para las personas que estén listas para cambiar de cuadrante. En especial, es para los individuos que normalmente se sitúan en las categorías "E" o "A", y están evaluando poder llegar a ser "D" o "I". Es para quienes estén dispuestos a dejar de lado la seguridad laboral para comenzar a lograr seguridad financiera. No es una elección de vida fácil, pero el premio al final del viaje hace que valga la pena. Se trata del viaje hacia la libertad financiera.

Cuando tenía doce años, padre rico me contó una historia que me ha guiado hacia una gran riqueza y libertad en lo financiero. Esa fue la manera que utilizó padre rico para explicar la diferencia entre el lado izquierdo del *Cuadrante del FLUJO de DINERO*, o sea los cuadrantes "E" y "A", y el lado derecho, o cuadrantes "D" e "I". A saber:

"Había una vez un pueblecito pintoresco. Era un buen lugar para vivir salvo por un problema. El pueblo no tenía agua a menos que lloviera. A fin de solucionar este problema de una vez y para siempre, los pobladores más antiguos decidieron realizar un contrato a fin de ser provistos de agua a diario. Dos personas se ofrecieron en forma voluntaria para realizar la tarea, y los antiguos pobladores los contrataron a ambos. Pensaron que un poco de competencia mantendría los precios bajos y aseguraría una reserva de agua.

"La primera de las dos personas a la que se adjudicó el contrato, Ed, corrió inmediatamente a comprar dos baldes de acero galvanizado y comenzó a correr de aquí para allá por el camino hacia el lago, el cual estaba a una milla de distancia. Inmediatamente comenzó a ganar dinero trabajando desde la mañana hasta el crepúsculo acarreando agua del lago con sus dos baldes. Él los vaciaba en el enorme tanque contenedor de concreto que el pueblo había construido. Cada mañana tenía que levantarse antes que el resto del pueblo se despertara, a fin de asegurarse que habría suficiente cantidad de agua para cuando el pueblo la requiriera. Era un trabajo duro, pero estaba muy feliz por estar ganando dinero y por tener uno de los contratos exclusivos para este negocio.

"El segundo adjudicatario, Bill, desapareció por un tiempo. Nadie lo vio durante meses, lo cual hizo muy feliz a Ed ya que no tenía competencia. Ed estaba ganando todo el dinero.

"En vez de comprar dos baldes para competir con Ed, Bill había trazado un plan de negocios, creó una corporación, encontró cuatro inversionistas, contrató un presidente para hacer el trabajo, y regresó seis meses después con un equipo de construcción. Al cabo de un año, su equipo había construido una tubería de acero inoxidable de gran tamaño que conectaba el pueblo con el lago.

"Al momento de celebrar la inauguración, Bill anunció que su agua era más pura que la de Ed. Bill sabía que habían existido quejas debido a suciedad en el agua de Ed. Bill también anunció que podía proveer al pueblo con agua las veinticuatro horas del día, siete días a la semana. Ed sólo podía entregar agua los días hábiles... él no trabajaba los fines de semana. Luego Bill anunció que él cobraría un 75 por ciento menos que Ed, por esta agua de mejor calidad y fuente más fiable. El pueblo lo ovacionó y de inmediato corrieron hacia los grifos conectados a la tubería de Bill.

"A fin de competir, Ed bajó de inmediato sus precios un 75 por ciento, compró dos baldes más, les puso tapas y comenzó a acarrear cuatro baldes por viaje. A fin de prestar un mejor servicio, contrató a sus dos hijos para que lo ayudaran por la noche y los fines de semana. Cuando sus muchachos salían de la escuela les decía, 'Vengan pronto porque algún día este negocio será de ustedes.'

" Por alguna razón, sus hijos nunca regresaban después de la escuela. Ed tuvo empleados en forma eventual, y tuvo problemas gremiales. El gremio demandaba mayores salarios, mejores beneficios, y quería que sus miembros sólo acarreasen un balde por vez.

"Por otra parte, Bill se dio cuenta de que si este pueblo necesitaba agua, otros también podrían necesitarla. Volvió a trazar el plan de su negocio, y salió a vender su sistema de distribución de agua pura, de alta velocidad, gran caudal y bajo costo, por todos los pueblos del mundo. Él gana apenas un centavo por balde de agua entregada, pero entrega miles de millones de baldes de agua todos los días. Más allá de que trabaje o no, miles de millones de personas consumen miles de millones de baldes de agua, y todo ese dinero ingresa en su cuenta bancaria. Bill había desarrollado una tubería que le entregaba dinero a él, al mismo tiempo que agua a los pueblos.

"Bill vivió feliz por siempre, y Ed trabajó duro por el resto de su vida y tuvo problemas financieros para siempre. Fin."

Esta historia acerca de Bill y Ed me ha guiado durante años. Me ha asistido en el proceso de toma de decisiones en mi vida. Frecuentemente me pregunto,

"¿Estoy construyendo una tubería o acarreando baldes?"

"¿Estoy trabajando duro o estoy trabajando en forma inteligente?"

Y las respuestas a esas preguntas me han liberado financieramente.

Y de esto trata este libro. Es acerca de lo que conlleva convertirse en un "D" o en un "I". Es para las personas que están cansadas de acarrear baldes y están listas para construir tuberías para que el efectivo fluya dentro de sus bolsillos... y no fuera de ellos.

Este libro está dividido en tres partes:

Primera parte: La primera parte de este libro trata sobre las diferencias esenciales entre las personas ubicadas en los cuatro cuadrantes. Es acerca de por qué ciertas personas tienden a ciertos cuadrantes y a menudo se quedan atascados en ellos sin darse cuenta. Lo ayudará a identificar en qué parte del Cuadrante está usted hoy, y dónde quiere estar dentro de cinco años.

Segunda parte: La segunda parte de este libro trata sobre el cambio personal. Es acerca de quién tiene que ser usted, más que de qué tiene que hacer.

Tercera parte: La tercera parte de este libro define siete pasos que lo pueden conducir hacia el lado derecho del Cuadrante. Compartiré más secretos de mi padre rico acerca de las habilidades requeridas para ser un "D" e "I" exitoso. Lo ayudará a elegir su propio camino hacia la libertad financiera.

A través del *Cuadrante del FLUJO de DINERO* sigo remarcando la importancia de la inteligencia financiera. Si usted quiere operar sobre el lado derecho del cuadrante, el lado "D" e "I", se necesita ser más inteligente que lo requerido si elige quedarse del lado izquierdo como "E" o "A".

Para ser un "D" o "I" debe poder controlar la dirección en que circula el flujo de su dinero. Este libro está escrito para las personas que estén listas para efectuar cambios en su vida. Está así mismo orientado a las personas que estén dispuestas a dejar atrás la seguridad laboral para comenzar a construir sus propias tuberías, a fin de alcanzar la libertad financiera.

Estamos en los albores de la Era de la Información, la cual nos ofrecerá más oportunidades de recompensa financiera que nunca antes. Los individuos que posean las habilidades de los cuadrantes "D" e "I", serán quienes puedan identificar y aprovechar tales oportunidades. Para tener éxito en la Era de la Información, una persona necesitará información referente a los cuatro cuadrantes. Desafortunadamente, nuestras escuelas están todavía en la Era Industrial y aún preparan estudiantes tan sólo para el lado izquierdo del Cuadrante.

Si usted está en busca de nuevas respuestas para adentrarse en la Era de la Información, entonces este libro está escrito para usted, para asistirlo en su viaje hacia esta nueva era. No tiene todas las respuestas... pero compartirá las profundas e inspiradoras retrospectivas personales que me han guiado, mientras me trasladaba del lado "E" y "A", al lado "D" e "I" del *Cuadrante del FLUJO de DINERO*.

Si usted está listo para comenzar su viaje, o si ya va camino hacia la libertad financiera, este libro está escrito para usted.

PARTE I

El Cuadrante del FLUJO DE DINERO

CAPÍTULO I

"¿Por qué no consigues un empleo?"

En 1985, mi esposa Kim y yo nos hallábamos sin hogar. No teníamos empleo y apenas nos quedaba algo de dinero de nuestros ahorros; nuestras tarjetas de crédito estaban al límite; vivíamos en un viejo Toyota marrón con asientos reclinables que hacían las veces de camas. Al cabo de una semana, la dura realidad de quiénes éramos, lo que estábamos haciendo y el rumbo que tomaban las cosas, comenzaba a desmoronarnos.

Nuestra carencia de hogar duró otras dos semanas más. Una amiga, al darse cuenta de nuestra desesperada situación financiera, nos ofreció un cuarto en su sótano. Vivimos allí durante nueve meses.

Mantuvimos nuestra situación en calma. La mayor parte del tiempo, mi esposa y yo aparentábamos estar tranquilos. Cuando nuestros amigos y familiares se enteraban de nuestros apremios, la primera pregunta era siempre, "¿Por qué no consiguen un empleo?"

Al principio tratábamos de dar una explicación, pero la mayor parte de las veces no lográbamos clarificar nuestros motivos. Es difícil explicar por qué uno podría no querer tener un empleo, ante alguien que lo valoriza.

En forma eventual, hicimos algunos trabajos pequeños y ganamos algunos pocos dólares aquí o allá. Pero sólo lo hicimos para llenar el estómago y cargar gasolina en el automóvil. Aquellos pocos dólares extra eran tan sólo el combustible que nos mantenía en dirección hacia nuestro verdadero objetivo. Debo admitir que, en lo personal, hubo momentos en los que me asaltaron terribles dudas; la idea de un trabajo seguro y estable, con un salario, resultaba atractiva. Pero debido a que la seguridad de un empleo no era lo que estábamos buscando, continuamos insistiendo, viviendo cada día al borde del abismo financiero.

Ese año, 1985, fue el peor de nuestras vidas, como así también uno de los más largos. Aquellos que dicen que el dinero no es importante obviamente no han estado mucho tiempo sin él. Kim y yo a menudo peleábamos y discutíamos. El temor, la inseguridad y el hambre hacen saltar el fusible emocional del ser humano, y a menudo peleamos con la persona que más nos ama. Aún así, el amor nos mantuvo unidos y nuestra relación de pareja se fortaleció debido a la adversidad. Sabíamos hacia dónde nos dirigíamos; lo que en realidad no sabíamos, era si alguna vez llegaríamos allí.

Sabíamos que siempre podríamos conseguir un empleo bien remunerado, seguro y garantizado. Ambos éramos graduados universitarios con buenas aptitudes laborales y una sólida ética de trabajo. Pero no estábamos tras la seguridad de un empleo. Estábamos en busca de la libertad financiera.

En 1989, éramos millonarios. Si bien a la vista de algunas personas habíamos alcanzado el éxito económico, aún no habíamos logrado nuestros sueños. No habíamos alcanzado aún una auténtica libertad financiera. Eso nos tomó hasta 1994. Desde ese entonces y por el resto de nuestras vidas, nunca más volvimos a trabajar. A menos que ocurriera algún desastre financiero imprevisto, ambos éramos económicamente libres. Kim tenía 37 años, y yo 47.

NO SE REQUIERE DINERO PARA GANAR DINERO

Comencé este libro relatando lo que es carecer de hogar y no tener nada, porque a menudo escucho a la gente decir: "Se necesita dinero para ganar dinero."

No estoy de acuerdo. No fue necesario el dinero para pasar de carecer de un hogar en 1985, a ser rico en 1989, y libre financieramente en 1994. No teníamos dinero cuando comenzamos, y estábamos endeudados.

Tampoco es necesario una buena educación formal. Tengo un título universitario, y honestamente puedo decir que lograr la libertad financiera no tuvo ninguna relación con lo que aprendí en la universidad. No lo asocio para nada con mis años de estudio de cálculo, trigonometría esférica, química, física y literatura francesa e inglesa.

Mucha gente exitosa ha abandonado la escuela sin haber alcanzado un título universitario. Personas como Thomas Edison, fundador de General Electric; Henry Ford, fundador de Ford Motor Co.; Bill Gates, fundador de Microsoft; Ted Turner, fundador de CNN; Michaell Dell, fundador de Dell Computers; Steve Jobs, fundador de Apple

Computer; y Ralph Lauren, fundador de Polo. Un nivel universit... ra las profesiones tradicionales, pero no hace a la manera en que es... tuvieron gran riqueza. Ellos desarrollaron sus propios negocios exitosos, y ... lo que Kim y yo nos estábamos esforzando.

ENTONCES ¿QUÉ SE REQUIERE?

Frecuentemente me preguntan, "si el dinero no hace al dinero, y las escuelas no enseñan cómo convertirse en financieramente libre, entonces ¿qué se requiere?

Mi respuesta es: se requiere de un sueño, mucha determinación, una gran voluntad de aprender rápidamente, y la habilidad para usar correctamente el capital que Dios nos ha dado, así como saber desde qué sector del *Cuadrante del FLUJO de DINERO* generar sus ingresos.

¿QUÉ ES *El Cuadrante del FLUJO DE DINERO*?

El diagrama siguiente es *El Cuadrante del FLUJO DE DINERO:*

Las letras en cada cuadrante representan:

E = empleado
A = autoempleado
D = dueño de empresa
I = inversionista

¿A PARTIR DE QUÉ CUADRANTE GENERA USTED SU INGRESO?

El Cuadrante del FLUJO DE DINERO representa los distintos métodos, mediante los cuales se generan el ingreso o el dinero. Por ejemplo, un empleado gana dinero obteniendo un empleo y trabajando para alguien más o para una compañía. Los auto-empleados, trabajadores independientes, ganan dinero trabajando para sí mismos. Los propietarios de empresas poseen negocios que generan dinero, y los inversionistas ganan dinero a partir de sus diversas inversiones –en otras palabras, dinero que genera más dinero.

Los diversos métodos de generación de ingresos requieren distintos encuadres mentales, diferentes aptitudes técnicas, procesos educativos distintos, y diferentes tipos de persona. Los distintos cuadrantes atraen a diferentes tipos de personas.

Si bien el dinero es siempre el mismo, la forma en que se lo gana puede ser sustancialmente diferente. Si usted comienza a observar las cuatro distintas iniciales de cada cuadrante, probablemente se preguntará en qué cuadrante se genera la mayor parte de su ingreso.

Cada cuadrante es distinto. Generar ingresos a partir de los diferentes cuadrantes requiere de distintas aptitudes y una personalidad diferente, incluso aunque la persona que se encuentre en cada cuadrante sea la misma. Cambiar de un cuadrante a otro es como jugar golf por la mañana y acudir al ballet por la noche.

USTED PUEDE OBTENER INGRESOS EN CUALQUIERA DE LOS CUATRO CUADRANTES

La mayoría de nosotros tenemos el potencial para generar ingresos provenientes de cualquiera de los cuatro cuadrantes. El cuadrante que elijamos usted o yo a fin de obtener nuestro ingreso principal, no tiene demasiada relación con lo que hayamos aprendido en la escuela; esto tiene más que ver con quiénes somos en relación a la esencia de nuestros valores, fortalezas, debilidades e intereses. Son estas diferencias esenciales las que nos atraen o nos repelen de los cuatro cuadrantes.

No obstante, y sin importar lo que "hagamos" profesionalmente, aún así podemos trabajar en los cuatro cuadrantes. Por ejemplo, un doctor en medicina podría elegir generar ingresos como un "E", empleado, e ingresar al plantel de un gran hospital, o trabajar para el gobierno en el servicio de salud pública, o ser médico del ejército, o unirse al plantel de una compañía de seguros que necesite un doctor en su equipo.

Este mismo doctor también podría decidir generar ingresos como un "A", alguien que se auto-emplea, y dar comienzo a una práctica privada, instalando una oficina, contratando personal y haciéndose de una lista privada de clientes.

O bien, este doctor podría decidir convertirse en un "D" y ser propietario de una clínica o laboratorio, y tener a otros doctores en su equipo. Probablemente, este doctor emplearía a un gerente para que se hiciera cargo de la organización. En este caso, el doctor sería propietario de su empresa, pero no tendría que trabajar en ella. También podría decidir tener una empresa que no tuviera nada que ver con la medicina, y al mismo tiempo practicar la medicina por otro lado. En este caso, estaría generando ingresos tanto como un "E" y como un "D".

"Estas cosas requieren dinero," decía padre rico. "Por esta razón el dinero es importante para mí. El dinero es importante, pero no quiero pasar mi vida trabajando por él."

ELIGIENDO LOS CUADRANTES

Una razón por la que mi esposa y yo nos concentramos en los cuadrantes "D" e "I" mientras carecíamos de hogar, se debió a que yo tenía más entrenamiento y educación en aquellos cuadrantes. Fue debido a las enseñanzas de mi padre rico, que conocí las ventajas financieras y profesionales de cada cuadrante. Para mí, los cuadrantes del lado derecho, "D" e "I", ofrecían las mejores oportunidades para el éxito y la libertad financiera.

Además, a los 37 años de edad, ya había experimentado el éxito y el fracaso en los cuatro cuadrantes, lo cuál me permitió cierto nivel de comprensión acerca de mi propio temperamento, gustos, aversiones, fortalezas y debilidades. Yo sabía en qué cuadrante estaría mejor.

LOS PADRES SON MAESTROS

Cuando yo era joven, era mi padre rico quien a menudo se refería al *Cuadrante del FLUJO de DINERO*. Él me explicaría la diferencia entre alguien que hubiera alcanzado el éxito sobre el lado izquierdo versus el lado derecho. Pero por ser joven, cierto es que no prestaba mucha atención a lo que me decía. No comprendía la diferencia entre la perspectiva de un empleado y la de un empresario, propietario de negocios. En la escuela, simplemente trataba de sobrevivir.

Sin embargo, escuchaba sus palabras, y pronto ellas comenzaron a cobrar significado. El hecho de tener dos figuras paternas dinámicas y exitosas a mi alrededor le dio sentido a lo que cada uno de ellos decía. Pero fue lo que ellos estaban haciendo lo que me permitió comenzar a apreciar las diferencias entre el lado "E-A" del Cuadrante y el lado "D-I". Al principio las diferencias eran sutiles, pero luego se tornaron evidentes.

Por ejemplo, una lección dolorosa que experimenté como adolescente, fue simplemente comparar cuánto tiempo disponían uno y otro padre para pasar conmigo. A medida que se acrecentaba el éxito y el predominio de ambos padres, era obvio que uno de ellos tenía cada vez menos tiempo para pasar con su esposa y sus cuatro hijos. Mi verdadero padre estaba siempre de viaje, en reuniones, o yéndose de prisa hacia el aeropuerto para asistir a más reuniones. Cuanto más éxito tenía, menos eran las veces que podíamos cenar juntos como una familia. Los fines de semana, los pasaba en casa, en su pequeña oficina atestada, sumergido en sus papeles de trabajo.

Por otra parte, mi padre rico, tenía cada vez más tiempo libre a medida que su éxito se acrecentaba. Una de las razones por las que aprendí tanto acerca del dinero, finanzas, negocios y la vida, es simplemente porque mi padre rico tenía cada vez más tiempo libre para sus hijos y para mí.

Otro ejemplo es que ambos padres obtenían más y más dinero a medida que se tornaban más exitosos, pero mi verdadero padre, el instruido, también se endeudaba cada día más. Eso lo hacía trabajar más arduamente, y encontrarse de repente en un grupo impositivo de mayores aportes. Su banquero y contador le aconsejaría entonces comprar una casa más grande por el así llamado "crédito fiscal". Mi padre seguiría el consejo, comprando una casa más grande, y pronto estaría trabajando más intensamente que nunca a fin de obtener más dinero para pagar la casa nueva... y esto lo llevaría aún más lejos de su familia.

Mi padre rico era diferente. El ganaba más y más dinero, pero pagaba menos en impuestos. El también tenía banquero y contadores, pero no recibía los mismos consejos que mi padre altamente instruido.

LA RAZÓN PRINCIPAL

Sin embargo, el motivo decisivo que me llevaría a no quedarme en el lado izquierdo del Cuadrante fue lo que le sucedió a mi padre pobre pero altamente instruido, en el momento culminante de su carrera.

A comienzos de la década del 70, yo ya había egresado de la universidad y me estaba entrenando como piloto naval en Pensacola, Florida, en mi camino hacia Vietnam. Mi padre instruido era entonces Superintendente de Educación en el Estado de Hawai, y miembro del equipo del gobernador. Una tarde, mi padre me telefoneó a mi cuarto en la base.

"Hijo," me dijo. "Voy a renunciar a mi empleo y a postularme como vice- gobernador del estado de Hawai para el Partido Republicano."

Tragué saliva y entonces dije, "¿Vas a renunciar a tu cargo público, en contra de tu jefe?"

"Así es," me contestó.

"¿Por qué?" le pregunté. "Los Republicanos no tienen posibilidades en Hawai. El Partido Demócrata y los sindicatos de trabajadores son demasiado fuertes."

"Lo sé, hijo. También sé que no tenemos una actitud ganadora. El Juez Samuel King será candidato a gobernador, y yo seré su compañero de fórmula."

"¿Por qué?" pregunté nuevamente. "¿Por qué ir en contra de tu jefe si sabes que vas a perder?"

"Porque mi conciencia no me permite hacer ninguna otra cosa. Me molestan los juegos que están llevando a cabo estos políticos."

"¿Estás diciendo que son corruptos?" le pregunté.

"No quiero decir eso," dijo mi padre verdadero. Era un hombre tan honesto y moral que rara vez hablaba mal de alguien. El siempre era diplomático. Sin embargo, pude notar en su voz que estaba enojado y molesto cuando dijo, "Sólo diré que mi conciencia me incomoda cuando veo lo que no está a la vista de la gente. No podría convivir conmigo mismo si me hiciese el ciego y no hiciera nada. Mi trabajo y mi sueldo no son tan importantes como mi conciencia."

Después de un largo silencio, me di cuenta de que mi padre había tomado una decisión. "Buena suerte," le dije con serenidad. "Estoy orgulloso de ti por tu coraje, y orgulloso de ser tu hijo."

Como era de esperar, mi padre y el pasaje Republicano se estrellaron. El gobernador reelecto envió a decir por todas partes que mi padre nunca más tendría un empleo en el gobierno para el estado de Hawai... y nunca lo tuvo. A la edad de 54 años, mi padre comenzó a buscar empleo y yo estaba camino a Vietnam.

Mi padre, en su mediana edad, estaba buscando un empleo nuevo. Pasó de trabajos con grandes títulos y sueldo bajo, a otros trabajos con grandes títulos y sueldo bajo. Empleos donde él era el director ejecutivo de Servicios XYZ, una organización sin fines de lucro, o director a cargo de Servicios ABC, también sin fines de lucro.

Era un hombre de nivel, brillante y dinámico que nunca más sería bienvenido en el único mundo que conocía, el mundo de empleados gubernamentales. Intentó dar comienzo a varias empresas pequeñas. Por un tiempo fue consultor, inclusive compró una franquicia famosa, pero todo fracasó. A medida que envejecía y sus fuerzas disminuían, también decaían sus ganas de comenzar nuevamente; su falta de voluntad era más pronunciada después de cada fracaso en los negocios. Él fue un "E" exitoso intentando sobrevivir como un "A", un cuadrante en el que no tenía ni entrenamiento ni experiencia, y para el cuál no tenía corazón. Él amaba el mundo de la educación pública, pero no pudo encontrar la forma de regresar a él. La proclama acerca de su empleo en el gobierno estatal había sido silenciosamente lanzada. En algunos círculos, esto es lo que se llama "estar en la lista negra."

De no haber sido por el Seguro Social y el Seguro Médico Estatal, los últimos años de su vida hubieran sido un total desastre. Murió frustrado y un poco enojado; sin embargo, murió con una conciencia limpia.

¿Qué me hizo seguir adelante en lo más oscuro de esas horas? Fue la memoria obsesiva de mi padre instruido sentado en casa, esperando a que sonara el teléfono, tratando de tener éxito en el mundo de los negocios, un mundo del que no sabía nada.

Me inspiró ese hecho, y la memoria placentera de ver a mi padre rico tornarse más feliz y más exitoso a medida que pasaban sus años. A la edad de 54 años, en vez de decaer, mi padre rico prosperaba. Años atrás ya se había vuelto rico, pero ahora se estaba convirtiendo en mega rico. Aparecía permanentemente en los periódicos como el hombre que estaba comprando Waikiki y Maui. Sus años de construir negocios en forma metódica e invertir estaban saldados, y él iba camino a convertirse en uno de los hombres más ricos de las Islas.

LAS PEQUEÑAS DIFERENCIAS SE CONVIERTEN EN GRANDES DIFERENCIAS

Como mi padre rico me había explicado el Cuadrante, yo podía ver mejor las pequeñas diferencias que se convierten en grandes si medimos en años el tiempo que una persona pasa trabajando. Debido al Cuadrante, supe que era mejor no hacer tanto hincapié en lo que yo quería hacer, sino más en quién quería convertirme a medida que transcurrían mis años de trabajo. En las horas más oscuras, fue este conocimiento profundo, y las lecciones de mis dos poderosos padres, lo que me mantuvo andando.

ES MÁS QUE EL CUADRANTE

El Cuadrante del FLUJO DE DINERO es más que dos líneas y algunas letras.

Si usted mira bajo la superficie de este simple diagrama, encontrará mundos completamente distintos, así como formas diferentes de mirar al mundo. Como una persona que ha contemplado el mundo desde ambos lados, el izquierdo y el derecho del CUADRANTE, honestamente puedo decir que el mundo se ve muy distinto dependiendo del lado en que uno esté... y acerca de esas diferencias trata este libro.

Un cuadrante no es mejor que otro... cada uno de ellos tiene fortalezas y debilidades. Este libro se escribe para permitirle a usted echar un vistazo a los distintos cuadrantes, como así también al desarrollo personal necesario para ser financieramente exitoso en cada uno de ellos. Tengo la esperanza de que usted irá profundizando su percepción para elegir el camino de vida financiero más adecuado para usted.

Muchas de las aptitudes necesarias para tener éxito en el lado derecho del Cuadrante no se enseñan en la escuela, lo que explicaría la razón por la que personas como Bill Gates de Microsoft, Ted Turner de CNN, y Thomas Edison, dejaron la escuela a temprana edad. Este libro identificará las aptitudes, así como el temperamento personal esencial, que son necesarios para alcanzar el éxito en el lado "D" e "I" del Cuadrante.

En primer lugar, ofrezco un panorama amplio de los cuatro cuadrantes, y luego un enfoque más preciso sobre el lado "D" e "I". Ya hay muchos libros escritos que tratan sobre lo necesario para tener éxito en el lado "E" y "A".

Después de leer este libro, algunos de ustedes podrían querer hacer un cambio en la forma de generar sus ingresos, y algunos estarán felices de permanecer donde están. Usted podría elegir operar en más de un cuadrante, y probablemente en los cuatro. Todos somos diferentes, y un cuadrante no es más importante o mejor que otro. En cada barrio, pueblo, ciudad y nación en el mundo, se necesita gente que opere en los cuatro cuadrantes a fin de asegurar la estabilidad financiera de la comunidad.

Asimismo, a medida que crecemos y adquirimos distintas experiencias, cambian nuestros intereses. Por ejemplo, noto que mucha gente joven, ni bien sale de la escuela, suele estar feliz por haber conseguido un empleo. Sin embargo, después de un par de años, algunos de ellos deciden que no les interesa ascender por la pendiente corporativa, o pierden interés en el tipo de negocio en el cuál se encuentran. Estos cambios de edad y de experiencia hacen que a menudo una persona busque nuevos caminos de crecimiento, desafío, recompensa financiera y felicidad personal. Espero que este libro ofrezca algunas ideas frescas para alcanzar esas metas.

En síntesis, este libro no trata acerca de vivir sin hogar, pero sí de cómo encontrar un hogar... un hogar en un cuadrante -o cuadrantes.

CAPÍTULO 2

Diferentes cuadrantes... diferentes personas

Mi padre altamente instruido solía decir: "No puedes enseñarle habilidades nuevas a un perro viejo."

En varias ocasiones, en un esfuerzo por mostrarle algunas nuevas perspectivas financieras, me había sentado junto a él poniendo lo mejor de mí a fin de explicarle *El Cuadrante del FLUJO DE DINERO*. Cerca ya de los sesenta años de edad, él se daba cuenta de que muchos de sus sueños no se verían realizados. El figurar en la "lista negra" parecía ir más allá de las paredes del gobierno del estado. Ahora él "se ponía a sí mismo en la lista negra".

"Lo intenté, pero no funcionó," dijo.

Mi padre se estaba refiriendo a sus intentos de tener éxito en el cuadrante "A" con su negocio propio como consultor independiente, y como un "D", cuando invirtió gran parte de los ahorros de su vida en una famosa franquicia de helados que fracasó.

Como era inteligente, comprendía conceptualmente las distintas aptitudes técnicas requeridas por cada uno de los cuatro cuadrantes. Sabía que podía aprenderlas si lo quería. Pero había algo más que lo estaba reteniendo.

Un día conversé con mi padre rico, almuerzo mediante, acerca de mi padre instruido.

"Tú padre y yo somos diferente clase de personas en esencia," dijo padre rico. "Si bien ambos somos seres humanos, y ambos tenemos miedos, dudas, creencias, fortalezas y debilidades, respondemos o manejamos esas similitudes esenciales... de manera diferente."

"¿Puedes señalarme las diferencias?" pregunté.

"No en un almuerzo" dijo padre rico. "Pero es la forma en que respondemos a aquellas diferencias lo que hace que permanezcamos en uno u otro cuadrante. Cuando tu padre trató de cruzar del cuadrante "E" al cuadrante "D", pudo comprender el proceso intelectualmente, pero emocionalmente no lo pudo manejar. Cuando las cosas no fueron del todo bien, y comenzó a perder dinero, no supo qué hacer para solucionar los problemas... por lo que volvió al cuadrante en el que se sentía más cómodo."

"El cuadrante 'E', y algunas veces el 'A'," afirmé.

Padre rico asintió con su cabeza. "Cuando el miedo a perder dinero y fracasar produce demasiado dolor en nuestro interior --un miedo que ambos tenemos-- él elige buscar la seguridad, y yo elijo buscar la libertad."

"Y esa es la diferencia esencial," dije haciendo señas al mesero para que trajera nuestra cuenta.

"Aún así todos somos seres humanos," reafirmó padre rico, "cuando se trata de dinero y de las emociones que éste involucra, todos respondemos de forma diferente. Y suele suceder que la forma en la que respondemos a aquellas emociones, es lo que determina el cuadrante que elegimos para generar nuestros ingresos."

"Diferentes cuadrantes... diferentes personas."

"Correcto," dijo padre rico mientras nos poníamos de pie y nos dirigíamos hacia la puerta. "Y si vas a tener éxito en cualquier cuadrante, necesitas tener más que simples conocimientos técnicos. También necesitas conocer las diferencias esenciales que hacen que la gente busque distintos cuadrantes. Conócelas, y la vida te será mucho más fácil."

Estábamos estrechándonos la mano cuando el encargado del estacionamiento acercó el auto de mi padre rico.

"Oh, una última cosa," dije apurado. "Mi padre ¿puede cambiar?"

"Oh, seguro," dijo padre rico. "Cualquiera puede cambiar. Pero cambiar de cuadrante no es como cambiar de empleo o de profesión. Cambiar de cuadrante a menudo implica un cambio en la esencia de quién eres, cómo piensas, y de qué manera miras al mundo. El cambio es más fácil para algunas personas que para otras, simplemente porque algunos le dan al cambio la bienvenida y otros pelean contra él. Y cambiar de cuadrante muchas veces es una experiencia de cambio de vida. Es un cambio tan profundo como la antigua historia de la oruga que se convierte en mariposa. No sólo cambiarás tú, sino que también cambiarás tus amistades. Mientras se mantiene la amistad con los viejos amigos, es más difícil para las orugas hacer las mismas cosas que hacen las mariposas. De manera que los cambios son grandes cambios, y no demasiada gente elige realizarlos."

El encargado cerró la puerta, y mientras mi padre rico se alejaba conduciendo, yo me quedé pensando en las diferencias.

¿CUÁLES SON LAS DIFERENCIAS?

¿Cómo puedo determinar si las personas pertenecen a los cuadrantes "E, A, D o I" sin saber mucho acerca de ellas? Una de las maneras es escuchando lo que dicen.

Una de las mayores habilidades de mi padre rico era la capacidad de "leer" en las personas, pero él además pensaba que no se puede "juzgar a un libro por su tapa." Padre rico, al igual que Henry Ford, no contaba con una excelente educación, pero ambos hombres sabían cómo "contratar a" y "trabajar con" gente que sí la tenía. Padre rico siempre me explicó que una de sus habilidades principales era rodearse de gente inteligente y trabajar en equipo.

Ya desde que tenía 9 años, padre rico comenzó a explicarme las habilidades necesarias para tener éxito en los cuadrantes "D" e "I". Una de ellas era ir más allá del aspecto externo de una persona y comenzar a mirar en su interior. Padre rico solía decir, "Si escucho las palabras de una persona, comienzo a ver y sentir su alma."

Por eso, con 9 años de edad, comencé a sentarme junto a mi padre rico cuando él contrataba personal. A partir de estas entrevistas aprendí a prestar más atención a los valores esenciales que a las palabras. Valores que mi padre rico decía que provenían de sus almas.

PALABRAS DEL CUADRANTE "E"

Una persona proveniente del cuadrante "E", empleado, podría decir:

"Estoy en busca de un empleo estable y seguro, con buen sueldo y excelentes beneficios."

PALABRAS DEL CUADRANTE "A"

Quien provenga del cuadrante "A", autoempleado, podría decir:

"Mis honorarios son u$s 35 la hora."

O "Mi comisión normal es del 6 % sobre el precio total."

O "Parece que no puedo encontrar gente que quiera trabajar y hacer las cosas bien."

O "Llevo más de 20 horas en este proyecto."

PALABRAS DEL CUADRANTE "D"

Alguien que opere desde el cuadrante "D", dueño de empresas, podría decir: "Estoy buscando un nuevo presidente para que dirija mi compañía."

PALABRAS DEL CUADRANTE "I"

Un individuo que opere desde el cuadrante "I", o inversionista, podría decir: "¿Mi flujo de dinero se basa en una tasa interna de rentabilidad o en una de rendimiento neto?"

LAS PALABRAS SON HERRAMIENTAS

Una vez que mi padre rico sabía quién era en esencia la persona a la que estaba entrevistando, al menos en ese momento, él sabía lo que ellos en realidad estaban buscando, lo que él tenía para ofrecer y qué palabras usar cuando les hablaba. Él siempre decía que "las palabras son herramientas poderosas."

Papá rico siempre nos recordaba esto a su hijo y a mí. "Si quieres liderar personas, entonces necesitas ser un maestro de la palabra."

Por ello, una de las aptitudes necesarias para ser un gran "D" es ser un maestro de la palabra, sabiendo qué palabras surten efecto en cada clase de persona. Él nos entrenó para, antes que nada, escuchar cuidadosamente las palabras que utilizaba una persona, a fin de que supiéramos qué palabras emplear y cuándo aplicarlas, en orden de responderles en la forma más efectiva.

Padre rico explicaba, "Una palabra puede estimular a un tipo de persona, mientras que a otro, esa misma palabra podría anularla."

Por ejemplo, la palabra "riesgo" podría estimular a una persona en el cuadrante "I", mientras que podría provocar pánico a alguien en el cuadrante "E".

Padre rico recalcaba que para ser grandes líderes, primero teníamos que ser maestros en el arte de escuchar. Si uno no escucha qué palabras utiliza una persona, no podrá sentir su alma. Si uno no escucha a su alma, nunca sabrá con quién estuvo conversando.

DIFERENCIAS ESENCIALES

La razón por la que decía, "Escucha sus palabras, siente sus almas," se debe a que detrás de las palabras que una persona elige están los valores esenciales y diferencias sustanciales de ese individuo. Lo que sigue son algunas generalidades que distinguen a las personas de un cuadrante de aquellas que se sitúan en otro diferente.

1. El "E" (empleado). Cuando escucho la palabra "seguridad" o "beneficios", percibo de quién se trata en esencia. La palabra "seguridad" es una palabra que se utiliza a menudo como respuesta a la emoción del miedo. Si una persona tiene miedo, la necesidad de seguridad es entonces una frase que por lo general utiliza en forma frecuente alguien que proviene del cuadrante "E".

Cuando se trata del dinero y los empleos, existen muchas personas que sencillamente odian el sentimiento de temor que trae aparejado la inseguridad económica... de ahí el deseo de seguridad.

La palabra "beneficio" se relaciona con personas a quienes también les gustaría alguna clase de recompensa adicional implícita -una compensación extra asegurada y concreta, tal como beneficios médicos o un plan de retiro. La cuestión es que ellos quieren sentirse seguros y verlo por escrito. La inseguridad no los hace felices; la seguridad sí. Su proceso interior dice, "Te daré esto... pero a cambio promete darme aquello." Quieren satisfacer su temor con algún grado de seguridad, por lo que buscan estabilidad y acuerdos firmes y concretos cuando llega el momento de emplearse. Son certeros cuando dicen, "No me interesa el dinero." Para ellos, la idea de seguridad es más importante que el dinero. Y "empleado" puede ser tanto el presidente como el conserje de una compañía. No pasa tanto por lo que hacen, sino por el acuerdo contractual que tienen con la persona u organización que los contrata.

2. El "A" (autoempleado). Estas son las personas que quieren: "Ser su propio patrón." O les agrada: "Hacerlo por cuenta propia."

Yo llamo a este grupo los "hágalo-usted-mismo."

A menudo, cuando se trata del aspecto monetario, a un "A" empedernido no le gusta que su ingreso dependa de otra persona. Dicho de otra forma, si los "A" trabajan mucho, esperan obtener una remuneración acorde por su trabajo. A ellos no les gusta que el dinero que ganan sea estipulado por alguien más o por un grupo de personas que podrían no trabajar tan intensamente como ellos. Si trabajan mucho, páguenles bien. Ellos también comprenden que si no trabajan intensamente, entonces no merecen que se les pague mucho. Cuando de dinero se trata, tienen almas tremendamente independientes.

LA EMOCIÓN DEL MIEDO

Entonces, mientras que el "E", o empleado, a menudo va a responder al temor de no tener dinero mediante la búsqueda de "seguridad", el "A" va a responder de forma diferente. Las personas en este cuadrante no responden al temor mediante la búsqueda de seguridad, sino tomando el control de la situación y resolviéndola por su cuenta. Por eso yo llamo a los "A" el grupo de los "hágalo-usted-mismo". Cuando se trata de temor y riesgo financiero, ellos quieren "tomar el toro por las astas."

Uno encuentra en este grupo a los "profesionales" bien instruidos que pasan años estudiando, tales como doctores, abogados y dentistas.

También en el grupo "A" están las personas que hicieron cursos especializados además de, o en lugar de, la escuela tradicional. En este grupo están los vendedores a comisión directa -por ejemplo los agentes de bienes raíces- así como los propietarios de pequeños negocios tales como comerciantes minoristas, tintoreros, restauradores, consultores, terapeutas, agentes de viajes, mecánicos de automóviles, plomeros, carpinteros, predicadores, electricistas, peluqueros estilistas, y artistas.

La canción favorita de este grupo sería o bien "Nadie lo hace mejor," o "Lo hice a mi manera."

Los trabajadores independientes son, por lo general, "perfeccionistas" acérrimos. A menudo quieren hacer las cosas excepcionalmente bien. Su mente no concibe que alguien pueda hacer las cosas mejor que ellos, de manera que realmente no confían en nadie para hacerlo como a ellos les gusta... en la forma en que ellos creen que es "la correcta." En muchos aspectos son verdaderos artistas con estilo y métodos propios para hacer las cosas.

Y por eso nosotros los contratamos. Si uno contrata a un neurocirujano, uno quiere que ese neurocirujano haya tenido años de entrenamiento y experiencia, pero lo más importante que uno quiere, es que este neurocirujano sea un perfeccionista. Lo mismo vale para un odontólogo, peluquero estilista, consultor de marketing, plomero, electricista, lector de cartas de tarot, abogado o instructor corporativo. Usted, como cliente que contrata a esta persona, quiere a alguien que sea el mejor.

Para este grupo, el dinero no es lo más importante en relación a su trabajo. La independencia, la libertad de hacer las cosas a su manera, y que se los respete como expertos en su área, son mucho más importantes que el dinero en sí. Cuando se los contrata, es mejor decirles lo que usted desea que se realice, y dejar que ellos solos lo hagan. No necesitan ni quieren que se los supervise. Si usted interfiere demasiado, simplemente se marcharán y le dirán que contrate a otro. Su independencia está para ellos en primer lugar: no el dinero.

A menudo a este grupo le cuesta contratar gente para que haga lo que ellos hacen, sencillamente porque en su mente nadie está a la altura de la circunstancia. Por eso este grupo suele decir: "Es muy difícil encontrar buenos ayudantes en estos días."

Además, si este grupo entrena alguien para hacer lo que ellos hacen, la persona recién entrenada a menudo renuncia para "trabajar por su cuenta," y "ser su propio jefe," y "hacer las cosas a su manera," y "tener oportunidad para expresar su individualidad."

Existen muchas personas del tipo "A" que dudan en contratar y entrenar a otras personas, ya que una vez entrenadas, a menudo acaban convirtiéndose en sus competidores. Esto hace que ellos terminen trabajando mas intensamente y haciendo las cosas por su cuenta.

D

3. ***"D" (dueño de empresas)***. Este grupo de personas casi podría considerarse el opuesto de "A". A aquellos que son verdaderos "D" les gusta rodearse de gente inteligente proveniente de las cuatro categorías, "E, A, D, e I." A diferencia del "A" a quien no le gusta delegar tareas (porque nadie puede hacerlo mejor que él), al verdadero "D" le gusta delegar. El lema verdadero de un "D" es "¿Por qué hacerlo tú mismo cuando puedes contratar a alguien que lo haga por ti, y que pueda hacerlo mejor?"

Henry Ford encajaba en este esquema. Una historia popular cuenta que un grupo de autodenominados intelectuales se propuso condenar a Ford tildándolo de "ignorante". Decían que él en realidad no sabía mucho. Entonces Ford los invitó a su oficina y los desafió a que le hiciesen cualquier clase de preguntas, y él las contestaría. De manera que este panel conformado por los industriales más poderosos de los Estados Unidos, comenzó a hacerle preguntas. Ford las escuchó, y cuando terminaron, simplemente alzó varios teléfonos en su escritorio y llamó a algunos de sus brillantes asesores, y pidió que le dieran al panel las respuestas solicitadas. Finalizó informando al panel que él prefería contratar gente inteligente que hubiese ido a la escuela, y de esta manera poder obtener cualquier respuesta, para que así él pudiera tener su mente despejada para realizar tareas más importantes. Tareas tales como "pensar". Una de las citas atribuidas a Ford es la siguiente: "Pensar es la más difícil de las tareas. Por eso hay tan poca gente que se ocupa de ello."

LIDERAZGO ES SACAR A RELUCIR LO MEJOR DE CADA PERSONA

El ídolo de mi padre rico era Henry Ford. Él me había hecho leer libros acerca de personas como Ford y John D. Rockefeller, el fundador de Standard Oil. Papá rico nos estimulaba permanentemente a su hijo y a mí para que aprendiéramos tanto la esencia del liderazgo como las aptitudes técnicas para los negocios. Mirando retrospectivamente, ahora comprendo que muchas personas pueden tener lo uno o lo otro, pero para ser un "D" exitoso, en realidad se necesita tener las dos cosas. También me doy cuenta ahora de que ambas capacidades pueden aprenderse. Existe tanto una ciencia como un arte de los negocios y el liderazgo. Para mí, ambas son un aprendizaje de por vida. Siendo niño, papá rico me dio un libro para chicos titulado *Sopa de piedras*, escrito por Marcia Brown en 1947, y que aún se consigue en las principales librerías. Él me había hecho leer este libro para comenzar mi entrenamiento como líder en los negocios.

Papá rico decía que el liderazgo "es la habilidad de sacar a relucir lo mejor de cada persona." Y por eso nos entrenó, a su hijo y a mí, en las aptitudes técnicas necesarias para alcanzar el éxito en los negocios, aptitudes técnicas tales como la lectura de estados financieros, marketing, ventas, contabilidad, administración, producción y negociación, y siempre remarcó que aprendiéramos a trabajar con las personas y a liderarlas. Padre rico decía siempre que "las aptitudes técnicas para los negocios son fáciles... lo difícil es trabajar con personas." Hoy en día, a fin de no olvidarme, aún leo *Sopa de piedras*, debido a que en lo personal tengo tendencia a ser un tirano, en vez de un líder, cuando las cosas no van como yo quiero.

DESARROLLO EMPRESARIAL

A menudo escucho las palabras, "Voy a iniciar mi negocio propio." Muchas personas tienden a creer que el camino hacia la seguridad financiera y la felicidad es "hacer algo propio," o "desarrollar un producto nuevo que nadie ha desarrollado." Entonces salen a toda prisa para dar inicio a su propio negocio. En muchos casos, éste es el camino que toman:

Muchos se lanzan a comenzar un negocio de tipo "A" y no uno de tipo "D".

Una vez más, no es que uno sea necesariamente mejor que el otro. Ambos tienen diferentes fortalezas y debilidades, riegos y recompensas. Pero muchas personas que quieren comenzar un negocio de tipo "D" inician uno de tipo "A", y quedan atascados en el camino hacia el lado derecho del Cuadrante.

Muchos empresarios nuevos quieren hacer esto:

Pero en lugar de eso, se lanzan a hacer lo siguiente (y se atascan ahí):

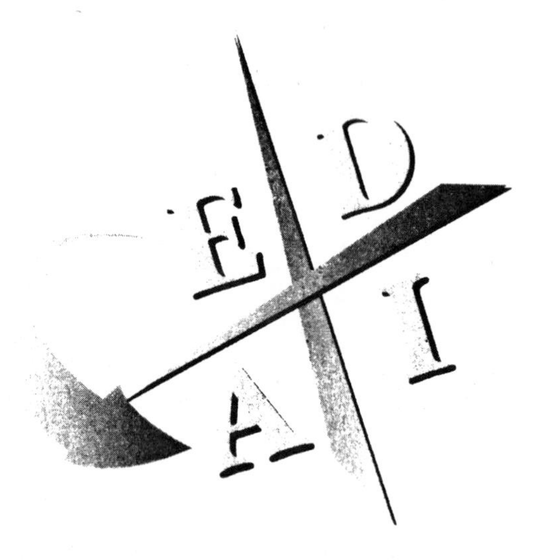

Entonces muchos intentan hacer esto :

Pero en realidad sólo unos pocos que lo intentan lo logran. ¿Por qué? Porque las aptitudes humanas y las técnicas necesarias para tener éxito en cada cuadrante, a menudo son diferentes.
Uno debe aprender la actitud mental y las aptitudes requeridas en cada cuadrante a fin de lograr un éxito verdadero en él.

LA DIFERENCIA ENTRE UN NEGOCIO DE TIPO "A" Y UN NEGOCIO DE TIPO "D"

Aquellos que son verdaderos "D" pueden dejar su negocio por el término de un año o más y regresar para encontrarlo más rentable y funcionando mejor que cuando lo dejaron. En un verdadero negocio de tipo "A", si el "A" se va por un año o más, lo más probable... es que a su regreso su negocio ya no exista.

¿Entonces dónde reside la diferencia? Para decirlo de manera simple, un "A" posee un trabajo. Un "D" posee un sistema y contrata entonces a personas competentes para operarlo. O dicho de otra forma: en muchos casos el "A" es el sistema. Ese es el motivo por el cual él no se puede ir.

Tomemos el caso de un odontólogo. Un odontólogo pasa años en la facultad aprendiendo a convertirse en un sistema en sí mismo. Usted, cliente, tiene un dolor de muela. Va a ver a su odontólogo. Él arregla su muela. Usted paga y se va a su casa. Usted está feliz y le cuenta a todos sus amigos acerca del gran odontólogo. En la mayoría de los casos, puede que el odontólogo mismo haga todo el trabajo. El problema surge cuando el odontólogo se va de vacaciones –e igual lo hace su ingreso.

Los "D", dueños de empresas o empresarios, pueden irse de vacaciones para siempre porque ellos poseen un sistema, no un trabajo. Aunque el "D" esté de vacaciones, aún así el dinero ingresa.

Ser un "D" exitoso requiere:

A. Ser el dueño o controlar los sistemas.

B. La habilidad de liderar a las personas.

A fin de que los "A" evolucionen para llegar a "D", necesitan convertir en un sistema tanto lo que ellos son como lo que saben... y muchos no pueden hacer eso... o a menudo están muy atados al sistema.

¿PUEDE UNO HACER UNA HAMBURGUESA MEJOR QUE McDONALD'S?

Mucha gente viene a pedirme asesoramiento sobre cómo dar inicio a una compañía, o a preguntarme cómo comenzar a ganar dinero a partir de un producto o idea nueva.

Por lo general, los escucho durante 10 minutos aproximadamente, tiempo a partir del cuál puedo determinar a qué apuntan. ¿A un producto o a un sistema de negocio? En esos 10 minutos, a menudo escucho palabras como las que siguen, (recuerde la importancia de saber escuchar bien y de permitir que las palabras lo encaminen a los valores esenciales del alma de una persona):

"Sin lugar a dudas, éste es mejor producto que el que hace la compañía XYZ."

"Busqué por todas partes y nadie tiene este producto."

"Le daré la idea de este producto; lo único que quiero es el 25 por ciento de las ganancias."

"He estado trabajando en esto (producto, libro, instrumentación musical, invención) desde hace años."

Por lo general, estas son las palabras de una persona que opera desde el lado izquierdo del Cuadrante, el lado "E" o "A".

Es importante ser gentil cuando pasa esto, porque estamos tratando con valores esenciales y a menudo con ideas que han estado latentes durante años... ideas que tal vez se han transmitido durante generaciones. Si no soy gentil o paciente, podría dañar la frágil y sensible aparición de una idea, y lo que es más importante, a un ser humano listo para evolucionar hacia otro cuadrante.

LA HAMBURGUESA Y EL NEGOCIO

Dado que es necesario que sea gentil, en este punto de la conversación a menudo uso el ejemplo de la "hamburguesa de Mc Donald's" a fin de aclarar ideas. Después de escuchar los temas planteados, pregunto en forma pausada, "¿Puede usted hacer personalmente una hamburguesa de mejor calidad que McDonald's?

De hecho, el 100 por ciento de las personas con las que he conversado acerca de su idea o producto nuevo ha dicho "sí." Todos pueden preparar, cocinar y servir una hamburguesa de mejor calidad que McDonald's.

En este punto, les hago la siguiente pregunta: "¿Puede usted construir un sistema de comercialización mejor que el de McDonald's?

Algunas personas ven la diferencia de inmediato, y otras no. Y yo diría que la diferencia reside en que si la persona está encasillada en el lado izquierdo del Cuadrante, se enfoca en la idea de una hamburguesa mejor, mientras que si está en el lado derecho del Cuadrante, la idea es el sistema de negocio.

Pongo todo mi empeño en explicar que hay por ahí muchos empresarios ofreciendo productos o servicios de calidad muy superior respecto de los que brindan las corporaciones multinacionales mega-ricas, así como miles de millones de personas que pueden hacer una hamburguesa mejor que la de McDonald's. Pero sólo McDonald's tiene el sistema que ha vendido miles de millones de hamburguesas.

VEAMOS EL OTRO ASPECTO

Si la gente puede comenzar a ver el otro lado, entonces sugiero que vayan a McDonald's, compren una hamburguesa, se sienten y observen el sistema que entrega esa hamburguesa. Que imaginen los camiones que entregan la hamburguesa cruda, el ganadero que abasteció la carne, el distribuidor que la compró, y los avisos de TV con Ronald McDonald. Que adviertan el entrenamiento de jóvenes sin experiencia para decir las mismas palabras: "Hola, bienvenidos a McDonald's," así como el decorado de la franquicia, las oficinas regionales, las panaderías que hornean los bollos, y los millones de kilos de papas fritas que tienen exactamente el mismo sabor en todo el mundo. Luego, que incluyan a los corredores de bolsa que hacen dinero para McDonald's en Wall Street. Si pueden comenzar a comprender el "cuadro completo", entonces tienen una oportunidad para moverse hacia el lado "D" o "I" del Cuadrante.

La realidad es que hay nuevas e ilimitadas ideas, miles de millones de personas con servicios o productos para ofrecer, millones de productos; pero tan sólo unas pocas personas que saben cómo construir sistemas de negocios excelentes.

Bill Gates de Microsoft no construyó un gran producto. Él compró el producto de algún otro y construyó un poderoso sistema global alrededor de ese producto.

---

4. ***El "I" (inversionista).*** Los inversionistas ganan dinero a partir de dinero. Ellos no tienen que trabajar porque su dinero está trabajando para ellos. El cuadrante "I" es el lugar favorito de los ricos. En última instancia, si algún día alguien quiere ser rico, deberá entrar al cuadrante "I", sin importar en qué cuadrante esté obteniendo su dinero. Es en el cuadrante "I" donde el dinero se convierte en fortuna.

El Cuadrante del FLUJO DE DINERO

Ese es *El Cuadrante del FLUJO DE DINERO*. El Cuadrante simplemente marca las diferencias sobre cómo se genera el ingreso, ya sea como "E" (empleado), "A" (autoempleado), "D" (dueño de empresa) o "I" (inversionista). Las diferencias están resumidas a continuación:

TOP Y DOP

Muchos de nosotros hemos escuchado que los secretos para alcanzar riqueza y fortuna son:

1. TOP – Tiempo de Otras Personas.
2. DOP – Dinero de Otras Personas.

TOP y DOP se encuentran sobre el lado derecho del Cuadrante. En su mayoría, las personas que trabajan en el lado izquierdo del Cuadrante son las OP (Otras Personas) cuyo tiempo y dinero se utiliza.

Una de las principales razones por la cual Kim y yo nos tomamos tiempo para construir un negocio de tipo "D", más que uno de tipo "A", fue que percibimos el beneficio a largo plazo de utilizar "el tiempo de otras personas." Uno de los inconvenientes de ser un "A" exitoso es que, sencillamente, el éxito equivale a trabajar más intensamente. Dicho de otra forma, un buen trabajo deriva en más trabajo arduo y por mayor cantidad de horas.

Al diseñar un negocio de tipo "D", el éxito implica simplemente expandir el sistema y contratar más gente. En otras palabras, uno trabaja menos, gana más y disfruta de más tiempo libre.

Este libro hace hincapié en las aptitudes y encuadre mental requeridos del lado derecho del Cuadrante. Según mi experiencia, para tener éxito del lado derecho del Cuadrante se requiere una actitud mental distinta y aptitudes técnicas diferentes. Creo que a las personas que sean lo suficientemente flexibles como para hacer un cambio en su actitud mental, les será fácil encontrar el proceso para lograr la seguridad financiera o la libertad. Para otros, el proceso podría ser demasiado difícil... porque muchos están congelados en un cuadrante, en una actitud mental.

Como mínimo, usted descubrirá por qué algunas personas trabajan menos, ganan más, pagan menos impuestos, y se sienten más seguros que otros financieramente. Se trata sencillamente de saber cuándo y desde qué cuadrante trabajar.

UNA GUIA HACIA LA LIBERTAD

El Cuadrante del FLUJO DE DINERO no es un conjunto de reglas. Es sólo una guía para todos aquellos que deseen utilizarla. Nos guió a Kim y a mí desde la lucha hasta la seguridad financiera, y luego hacia la libertad financiera. No queríamos pasar cada día de nuestras vidas teniendo que levantarnos para ir a trabajar por dinero.

LA DIFERENCIA ENTRE UN RICO Y CUALQUIER OTRA PERSONA

Hace unos pocos años, leí un artículo en el cual se decía que el ingreso obtenido por la mayor parte de la gente rica, provenía en un 70 por ciento de inversiones, o cuadrante "I", y menos de un 30 por ciento, de salarios, o cuadrante "E". Y si esas personas ricas eran "E", lo más probable es que fueran empleados de su propia corporación.

Sus ingresos se asemejaban a lo siguiente:

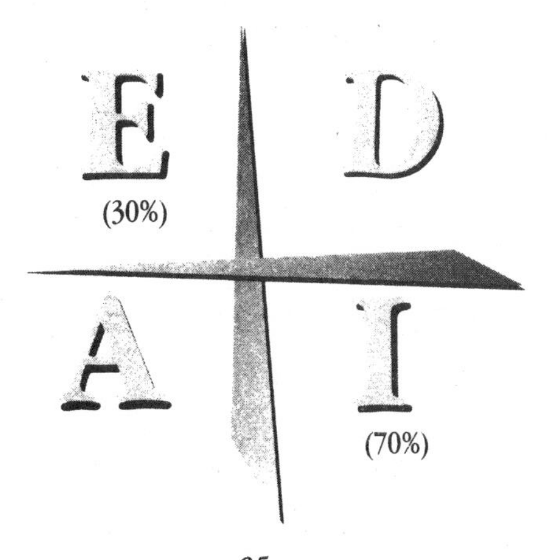

En cuanto al resto de las personas —correspondientes a las clases media y pobre, en su mayor parte reciben al menos el 80 por ciento de sus ingresos de sueldos obtenidos en los cuadrantes "E" y "A", y menos del 20 por ciento restante, de sus inversiones o cuadrante "I".

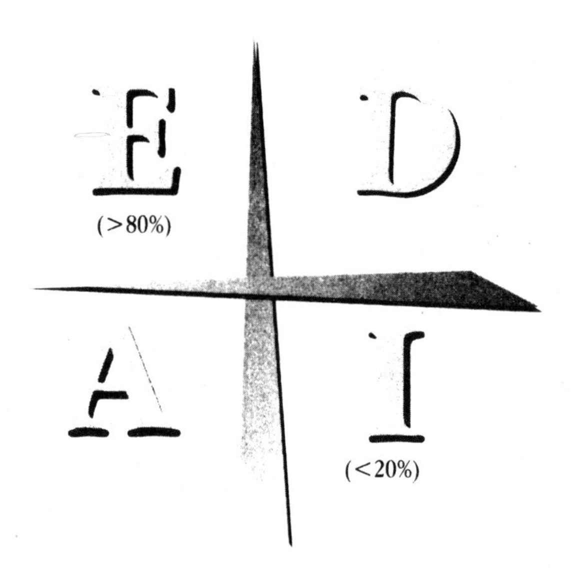

LA DIFERENCIA ENTRE TENER MUCHO DINERO Y SER RICO

En el capítulo uno mencioné que, en 1989, mi esposa y yo éramos millonarios, pero no fuimos libres financieramente sino hasta 1994. Hay una diferencia entre ser millonario y ser rico. En 1989, nuestro negocio nos rendía mucho dinero. Estábamos ganando más y trabajando menos porque nuestro sistema de negocio estaba creciendo sin más esfuerzo físico de nuestra parte. Habíamos logrado lo que mucha gente consideraría el éxito financiero.

Todavía necesitábamos convertir el flujo de dinero proveniente de nuestro negocio en una cantidad aún mayor de activos tangibles que produjeran un flujo de dinero adicional. Habíamos convertido nuestro negocio en un éxito, y ahora debíamos concentrarnos en hacer crecer nuestros activos hasta el punto en el cual el flujo de dinero proveniente de todas nuestras inversiones fuera mayor que nuestros gastos.

Nuestro diagrama se veía así:

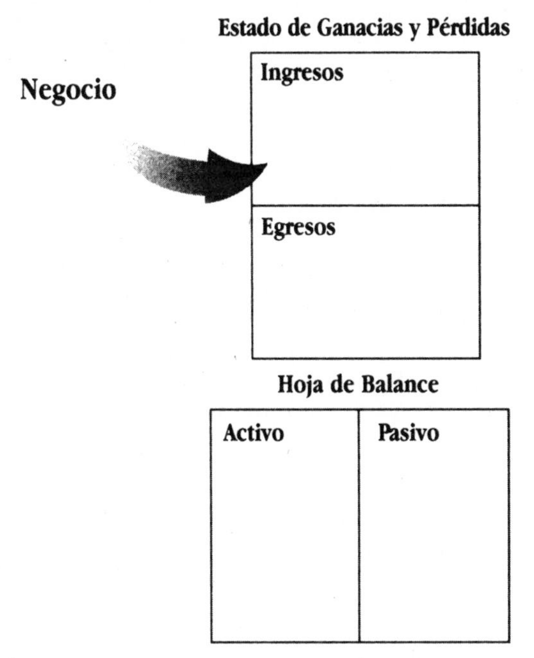

En 1994, el ingreso pasivo proveniente de todos nuestros activos era mayor que nuestros gastos. Por lo tanto, ya éramos ricos.

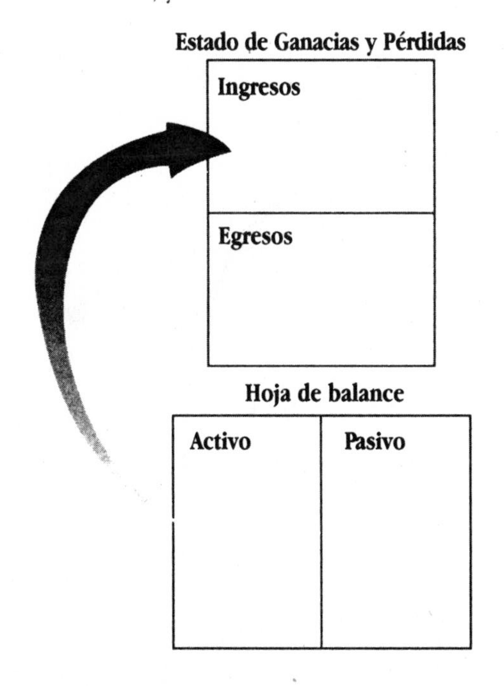

En realidad, nuestro negocio podría haber sido considerado como un activo, ya que generaba ingresos y operaba sin mucho esfuerzo físico. Para nuestro propio sentido personal de fortuna, queríamos asegurarnos de tener activos tangibles, tales como bienes raíces y acciones, que arrojaran un monto de ingreso pasivo superior a nuestros gastos, entonces podríamos decir realmente que éramos ricos. Una vez que el ingreso en nuestra columna del activo fue mayor que el dinero proveniente de nuestro negocio, le vendimos éste a nuestro socio. A partir de ese momento, éramos ricos.

LA DEFINICIÓN DE RIQUEZA

La definición de riqueza es: "El número de días que uno puede sobrevivir sin trabajar físicamente (o sin que alguien más del núcleo familiar trabaje físicamente), pudiendo mantener el estándar de vida."

Por ejemplo: Si sus gastos mensuales son de u$s 1.000 por mes, y usted tiene u$s 3.000 en ahorros, su riqueza alcanza aproximadamente para 3 meses ó 90 días. La riqueza se mide en tiempo, no en dólares.

En 1994 mi esposa y yo éramos indefinidamente ricos (de no mediar grandes cambios económicos) porque los ingresos provenientes de nuestras inversiones eran mayores que nuestros gastos mensuales.

En última instancia, lo que importa no es cuánto dinero uno gana, sino cuánto conserva y por cuánto tiempo ese dinero trabaja para uno. Todos los días conozco personas que ganan mucho dinero, pero todo ese dinero se va por la columna de los gastos. Su modelo de flujo de dinero se ve así:

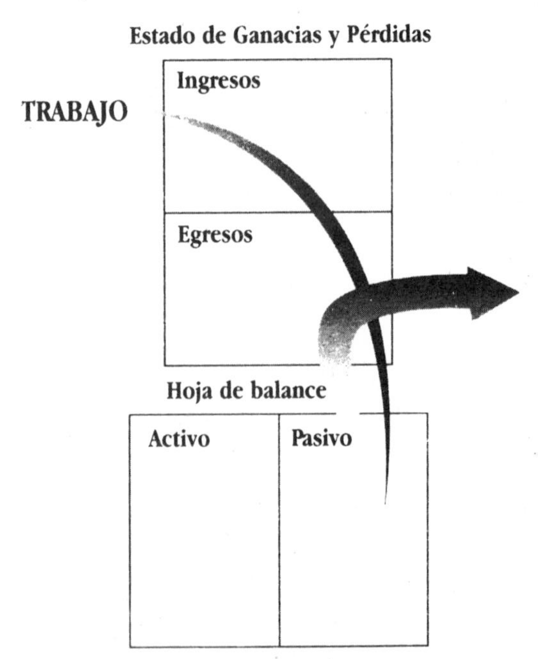

Cada vez que ganan un poco más de dinero, salen de compras. Suelen comprar una casa más grande o un auto nuevo, lo que trae aparejado endeudamiento a largo plazo y más trabajo intenso, y no les queda nada para ingresar a la columna del activo. El dinero se va tan rápidamente, que uno pensaría que ellos han tomado alguna clase de laxante financiero.

FINANZAS EN LA LÍNEA ROJA

Hay un dicho en el mundo de los automóviles acerca de "mantener el motor en la línea roja." La línea roja implica que el acelerador está manteniendo las RPM –revoluciones por minuto- del motor al borde de la línea roja, o sea, al máximo de velocidad que puede mantener el motor del auto sin fundirse.

Cuando de finanzas personales se trata, hay muchas personas, ricos y pobres, que operan en forma constante sobre la "línea roja" financiera. No importa cuánto dinero ganen, lo gastan tan rápido como entra. El problema de operar el motor de su automóvil al borde de la "línea roja", es que se acorta la expectativa de vida del motor. Y lo mismo vale respecto a operar sus finanzas al borde de la "línea roja".

Muchos de mis amigos médicos dicen que el principal problema que ven en la actualidad es el estrés causado por trabajar intensamente y nunca tener suficiente dinero. Una médica amiga dice que la mayor causa de los problemas de salud es algo que ella llama "cáncer de la billetera."

DINERO GANANDO DINERO

Independientemente de cuánto dinero gane la gente, lo cierto es que deberían ir poniendo algo en el cuadrante "I". El cuadrante "I" en particular es el que conlleva la idea de dinero generando dinero. O la idea de que su dinero trabaje a fin de que usted no tenga que hacerlo. Sin embargo es importante saber que hay otras formas de invertir.

OTRAS FORMAS DE INVERTIR

La gente invierte en su educación. La educación tradicional es importante ya que cuanto mejor sea su educación, mayores serán sus oportunidades de ganar dinero. Usted puede pasar cuatro años en la universidad y hacer que su potencial para generar ingresos vaya de u$s 24.000 a u$s 50.000 al año o más. Dado que la persona promedio pasa 40 años o más trabajando activamente, el valor de cuatro años de universidad, u otro tipo de educación superior, constituye una inversión excelente.

La lealtad y el trabajo intenso son otra forma de invertir, como por ejemplo siendo toda la vida empleado de una compañía o del estado. En retorno, ese individuo será recompensado con una pensión vitalicia, mediante acuerdo contractual. Esta es una forma popular de inversión propia de la Era Industrial, pero obsoleta en la Era de la Información.

Otras personas invierten en tener familias numerosas y, llegado el momento, tendrán a sus hijos cuidando de ellos en la ancianidad. En el pasado esta forma de invertir era la norma, sin embargo en el presente debido a los apremios económicos, se torna difícil para las familias hacerse cargo del costo de vida y gastos médicos de los padres.

Los programas de retiro del gobierno tales como el Seguro Social y el Seguro Médico Estatal en los Estados Unidos, que a menudo se pagan por descuento salarial, es otra forma de inversión establecida por ley. Pero debido a los grandes cambios demográficos y a los costos, esta forma de inversión no podrá cumplir con algunas de las promesas realizadas.

Y hay formas de inversión independientes para jubilarse, llamadas planes de retiro individuales. El gobierno federal a menudo ofrece incentivos fiscales, tanto al empleador como al empleado, a fin de que participen en esos planes. En los Estados Unidos, un popular plan de jubilación es el 401(k), y en países como Australia, se los conoce como planes "Superanuales".

INGRESOS DERIVADOS DE LAS INVERSIONES

Aunque todas las arriba mencionadas son formas de invertir, el cuadrante "I" concentra las inversiones que generan ingresos sobre una base en desarrollo, durante sus años de trabajo. Por lo tanto, para calificar como una persona que opera en "I", utilice los mismos criterios que se usan en los otros cuadrantes. ¿Recibe usted actualmente un ingreso desde el cuadrante "I"? Dicho de otra forma, ¿Está su dinero trabajando para usted, generándole un ingreso actual?

Observemos a una persona que adquiere una casa como inversión y la alquila. Si la renta percibida es mayor que los gastos para operar la propiedad, la renta proviene del cuadrante "I". Lo mismo se aplica a las personas que perciben un ingreso en concepto de intereses por ahorros, o dividendos de acciones y bonos. De manera que el calificador para el cuadrante "I" está dado por cuánto ingreso uno genera desde el cuadrante, sin trabajar en él.

¿ES MI CUENTA DE JUBILACIÓN UNA FORMA DE INVERSIÓN?

Poner dinero en forma regular en una cuenta de jubilación es una forma de invertir y una decisión sabia. Gran parte de nosotros esperamos ser considerados inversionistas cuando cese nuestra actividad laboral... pero según mi óptica, el cuadrante "I" representa a una persona cuyo ingreso proviene de las inversiones llevadas a cabo durante sus años de actividad. En realidad, gran parte de la gente no está invirtiendo en cuentas para el momento de retirarse. La mayoría está ahorrando dinero en su cuenta jubilatoria, con la esperanza de que al jubilarse, haya más dinero que el que pusieron.

Hay una diferencia entre las personas que ahorran dinero en sus cuentas de jubilación y las que, inversión mediante, utilizan en forma activa su dinero para ganar más dinero en concepto de ingresos.

¿SON INVERSIONISTAS LOS CORREDORES DE BOLSA?

En el mundo de las inversiones existen muchos consultores que no son, literalmente, personas que generen sus ingresos en el cuadrante "I".

Por ejemplo, la mayoría de los corredores de bolsa, agentes de bienes raíces, consultores financieros, banqueros y contadores, son predominantemente "E" o "A". En otras palabras, sus ingresos provienen de su trabajo profesional, y no necesariamente de activos que posean.

También tengo amigos que realizan transacciones con acciones. Compran acciones a un valor bajo y esperan venderlas a uno más alto. En realidad su profesión es el "comercio", muy similar a una persona que posee un comercio minorista, y compra artículos a un mayorista y los vende al por menor. Todavía hay algo que deben hacer físicamente para generar el dinero. Por lo que encuadrarían más en el cuadrante "A" que en el cuadrante "I".

¿Pueden ser inversionistas todas estas personas? La respuesta es "si", pero es importante conocer la diferencia entre alguien que gana dinero a partir de comisiones, o vende asesoría por hora, o asesora a sueldo, o trata de comprar bajo y vender alto, y alguien que gana dinero como buen observador o generando buenas inversiones.

Hay una manera para averiguar qué tan buenos son sus consultores: pregúnteles qué porcentaje de sus ingresos proviene de comisiones u honorarios por asesoramiento, en contraposición con los ingresos que provengan de sus inversiones, distintas formas de ingreso pasivo, u otros negocios que posean.

Tengo muchos amigos CPC (Contadores Públicos Certificados) que me cuentan, sin violar la confidencialidad del cliente, que muchos consultores profesionales de inversión tienen poco ingreso derivado de inversiones. Dicho de otra forma, "No practican lo que predican."

VENTAJAS DEL INGRESO PROVENIENTE DEL CUADRANTE "I"

Entonces, lo primero que diferencia a las personas que ganan dinero desde el cuadrante "I" es que se concentran en tener su dinero generando dinero. Si son buenos en ello, pueden hacer que el dinero trabaje para ellos y sus familias durante cientos de años.

Además de las ventajas obvias de saber cómo obtener el dinero a partir de dinero y no tener que levantarse para ir a trabajar, existen también muchas ventajas fiscales que no están al alcance de las personas que tienen que trabajar por su dinero.

Una de las razones por la que los ricos se tornan más ricos, es porque algunas veces pueden ganar millones y legalmente no pagar impuestos sobre ese dinero. Eso se debe a que ganan dinero en la "columna del activo", y no en la "columna de los ingresos". O ganan dinero como inversores, y no como trabajadores.

A las personas que trabajan por el dinero, no sólo se les aplica a menudo impuestos a tasas más altas, sino que además esos impuestos son retenidos de sus sueldos, y ellos nunca ven siquiera esa porción de su ingreso.

¿POR QUÉ NO HAY MAS INVERSIONISTAS?

El cuadrante "I" es el cuadrante para trabajar menos, ganar más, y pagar menos en impuestos. ¿Entonces por qué no hay más inversionistas? Por la misma razón que muchas personas no inician su negocio propio. Se puede resumir en una palabra: "riesgo."

A mucha gente no le gusta la idea de correr el riesgo de perder el dinero obtenido con sacrificio. Muchas personas tienen tanto miedo de perder, que eligen no invertir o ni siquiera arriesgar su dinero en lo más mínimo... sin importar cuánto dinero pudieran ganar en retorno.

Una celebridad de Hollywood dijo una vez: "No es la ganancia sobre la inversión lo que me preocupa. Sino la recuperación de la inversión."

Este temor a perder dinero parece dividir a los inversionistas en cuatro categorías bien diferenciadas:

1. Personas que tienen aversión al riesgo y sólo juegan a lo seguro, manteniendo su dinero en el banco.
2. Personas que ceden el trabajo de invertir a otros, tales como consultores financieros o administradores de fondos comunes de inversión.
3. Jugadores.
4. Inversores.

La diferencia entre un jugador y un inversor es ésta: para un jugador, invertir es un juego de posibilidades. Para un inversor, invertir es un juego de habilidad. Y para la gente que entrega su dinero a alguien para que se lo invierta, invertir es a menudo un juego que ellos no quieren aprender. Lo más importante para estos individuos es elegir un consultor financiero con sumo cuidado.

En un capítulo venidero, este libro se adentrará en los siete niveles de inversionistas, lo cual arrojará más luz sobre este asunto.

EL RIESGO PUEDE SER VIRTUALMENTE ELIMINADO

La buena noticia respecto a invertir, es que el riesgo puede ser minimizado en gran parte o incluso ser eliminado –y aún percibir altos rendimientos– si usted conoce el juego.

A un inversor genuino se le escuchará decir las siguientes palabras: "¿En cuánto tiempo recuperaré mi dinero y qué ingreso obtendré por el resto de mi vida después de recuperar el monto de la inversión?"

Un verdadero inversor quiere saber en cuánto tiempo le devuelven su dinero. Quienes tienen una cuenta de jubilación deben esperar años para averiguar si alguna vez su dinero le será devuelto. Esta es la diferencia más profunda entre un inversor profesional y alguien que reserva dinero para su jubilación.

El temor a perder dinero es la causa de que mucha gente busque la seguridad. Sin embargo el cuadrante "I" no es tan traicionero como piensan muchos. El cuadrante "I" es como cualquier otro cuadrante. Tiene aptitudes y una actitud mental que le son propias. Las aptitudes para tener éxito en el cuadrante "I" se pueden aprender, si usted desea tomarse el tiempo para ello.

COMIENZA UNA NUEVA ERA

El Muro de Berlín cayó en 1989. Ese fue uno de los hechos más importantes en la historia mundial. En mi opinión, más que marcar la caída del comunismo, ese hecho marcó el fin oficial de la Era Industrial y el comienzo de la Era de la Información.

LA DIFERENCIA ENTRE LOS PLANES DE PENSIÓN DE LA ERA INDUSTRIAL Y LOS PLANES DE PENSIÓN DE LA ERA DE LA INFORMACIÓN

El viaje de Colón en 1492 coincide aproximadamente con el principio de la Era Industrial. La caída del Muro de Berlín en 1989 es el evento que marcó el fin de esa era. Por alguna razón, parece que cada 500 años, en la historia moderna, han ocurrido grandes cambios cataclísmicos. Precisamente ahora estamos en uno de esos periodos.

Dicho cambio ha amenazado ya la seguridad financiera de cientos de millones de personas, muchas de las cuales aún no se dieron cuenta del impacto financiero del mismo y muchos otros no pueden afrontarlo. El cambio se encuentra en la diferencia entre un plan de pensión en la Era Industrial y un plan de pensión en la Era de la Información.

Cuando era niño, papá rico me animaba para que asumiera riesgos con mi dinero y aprendiera a invertir. Siempre decía: "Si quieres ser rico, necesitas aprender a correr riesgos. Aprende a ser un inversor."

En casa, yo le contaba a mi padre instruido acerca de los consejos de padre rico referentes a aprender a invertir y a correr riesgos. Mi padre instruido contestaba, "No necesito aprender cómo invertir. Tengo un plan de pensión del gobierno, una pensión del Sindicato de Maestros, y beneficios del Seguro Social garantizados. ¿Por qué correr riesgos con mi dinero?"

Mi padre instruido creía en los planes de pensión de la Era Industrial tales como las pensiones para empleados del gobierno y el Seguro Social. Él estuvo feliz cuando ingresé al Cuerpo de Marina de los Estados Unidos. En vez de preocuparse por el hecho de que pudiera perder mi vida en Vietnam, sencillamente dijo: "Quédate allí por 20 años y obtendrás una pensión y beneficios médicos de por vida."

Aunque aún existen oficialmente, tales planes se han vuelto obsoletos. La idea de que una compañía sea responsable financieramente por su jubilación, y que el gobierno haga el balance de sus necesidades jubilatorias a través de esquemas de pensión, es una vieja idea que ya no tiene validez.

LAS PERSONAS NECESITAN CONVERTIRSE EN INVERSIONISTAS

A medida que nos desplazamos desde los planes de pensión de Beneficios Definidos --o lo que llamo planes de retiro de la Era Industrial-- hacia los planes de pensión de Contribución Definida --o planes de pensión de la Era de la Información, el resultado es que usted como individuo debe ser financieramente responsable por sí mismo. Pocas personas han percibido este cambio.

PLANES DE PENSIÓN DE LA ERA INDUSTRIAL

En la era industrial, un plan de pensión de Beneficio Definido implicaba que la compañía le garantizaba a usted, el trabajador, una cantidad definida de dinero (por lo general pagada mensualmente) por el resto de su vida. La gente se sentía segura porque estos planes aseguraban un ingreso fijo.

PLANES DE PENSIÓN DE LA ERA DE LA INFORMACIÓN

Alguien cambió las reglas del juego, y de pronto las compañías dejaron de garantizar la seguridad financiera de quien se jubila. En vez de ello, las compañías comenzaron a ofrecer planes de retiro de Contribución Definida. "Contribución Definida" significa que uno sólo va a recibir lo que, junto con la compañía, aportó mientras estuvo en actividad. Dicho de otra forma, su pensión estará conformada exclusivamente por lo aportado. Si usted y su compañía no depositan dinero, entonces usted no cobra.

La buena noticia es que la expectativa de vida será mayor en la Era de la Información. La mala es que usted podría sobrevivir a su pensión.

PLANES DE PENSIÓN RIESGOSOS

Y peor aún, ya no existen garantías de que lo que usted y su empleador depositen en el plan de pensión exista cuando usted decida rescatarlo. Esto se debe a que los planes como el 401(k) y los Planes de Jubilación Superanuales, están sujetos a las fuerzas de los mercados. Dicho de otra forma, un día uno podría tener un millón de dólares en la cuenta, y si se produjese un sismo en el mercado bursátil, que cada tanto ocurre en todos los mercados, su millón de dólares podría verse reducido a la mitad o podría incluso haber desaparecido. Ya no existe la garantía del ingreso de por vida... y me pregunto cuánta gente que posee dichos planes comprende lo que esto significa.

Podría ser que una persona que se jubila a los 65, y comienza a vivir sobre la base de su plan de Contribución Definida, se quede sin dinero, digamos, a la edad de 75. ¿Entonces, qué hace? ¿Quitarle el polvo a su currículo?

¿Y qué pasa con el plan de pensión de Beneficio Definido del gobierno? Bien, en los Estados Unidos se espera que el Seguro Social quiebre para el año 2032 y el Seguro Médico Estatal para el 2005, justo cuando los bebés de la generación post-guerra (denominados baby-boomers) comiencen a necesitarlo. Hoy por hoy, el Seguro Social no proporciona demasiado en calidad de ingreso. ¿Qué sucederá cuando 77 millones de personas pertenecientes a la generación post-guerra comiencen a necesitar el dinero que aportaron... y no esté allí?

El popular llamamiento del presidente Clinton en 1998, "Salven al Seguro Social", fue bien recibido. Sin embargo, como señalara el senador demócrata Ernest Hollings, "El primer paso para salvar al Seguro Social es obviamente parar de saquearlo." Durante décadas, el gobierno federal ha sido responsable de "tomar prestado" dinero para gastos.

Pareciera que muchos políticos piensan que el Seguro Social es un ingreso que puede gastarse y no un activo que se debe resguardar con total garantía.

DEMASIADAS PERSONAS CUENTAN CON EL GOBIERNO

Escribo mis libros y desarrollo mis productos, tales como el juego de mesa CASHFLOW, debido a que estamos sobre el fin de la Era Industrial, justo en los inicios de la Era de la Información.

Como ciudadano particular mi preocupación es que, a partir de mi generación en adelante, no estamos preparados en forma adecuada para manejar las diferencias entre la Era Industrial y la Era de la Información... y una de tales diferencias es de qué manera nos preparamos financieramente para cuando dejemos de trabajar. La idea de "Ve a la escuela y consigue un empleo estable y seguro" era adecuada para los nacidos antes de 1930. Actualmente, todo el mundo necesita ir a la escuela para aprender a conseguir un buen empleo, pero también necesitamos saber cómo invertir, y ésta no es una materia que se enseñe en la escuela.

Uno de los efectos de la Era Industrial es que demasiadas personas se han vuelto dependientes del Estado a fin de resolver sus problemas individuales. Hoy estamos enfrentando problemas aún mayores, producto de delegar en el gobierno nuestra responsabilidad financiera personal.

Se estima que para el año 2020, habrá 275 millones de estadounidenses, de los cuales 100 millones estarán a la espera de algún aporte por parte del gobierno. Esto incluirá empleados federales, militares retirados, trabajadores postales, maestros de escuela y otros empleados estatales, así como jubilados a la espera de pagos del Seguro Social y del Seguro Médico Estatal. Y desde lo legal su expectativa es correcta porque, de una manera u otra, la mayoría ha estado invirtiendo en esa promesa. Desafortunadamente, ha habido demasiadas promesas sostenidas durante años, y ahora la suma está al límite.

Y no creo que puedan mantenerse esas promesas financieras. Si nuestro gobierno comienza a aumentar aún más los impuestos a fin de pagar esas promesas, aquellos que puedan escapar lo harán a países que tengan impuestos más bajos. En la Era de la Información, el término "*offshore*" no va a significar otro país como paraíso fiscal..."*offshore*" podría significar "ciberespacio".

UN GRAN CAMBIO ESTÁ AL ALCANCE DE LA MANO

Cito al Presidente John F. Kennedy advirtiendo: "Un gran cambio está al alcance de la mano."

Bien, ese cambio está aquí.

O como Bob Dylan, profeta de la generación post-guerra, dijo en su canción *Los Tiempos Están Cambiando, (The Times They Are A-changing)*, "Mejor aprende a nadar o te hundirás como una piedra."

INVERTIR SIN SER INVERSIONISTAS

El cambio de los planes de pensión de Contribución Definida está forzando a millones de personas en todo el mundo a convertirse en inversionistas, con poca educación en el tema. Muchas personas que han pasado sus vidas evitando los riesgos financieros se ven ahora forzadas a enfrentarlos... riesgos financieros en su futuro, su edad avanzada, el fin de sus años de actividad. Muchos descubrirán si fueron inversores sabios o jugadores descuidados recién cuando llegue el momento de jubilarse.

Hoy en día, el mercado bursátil es el tema de conversación de todo el mundo. Está impulsado por muchos factores; uno de los cuales es que los no–inversionistas están tratando de serlo. Su camino financiero se ve así:

Una gran mayoría de estas personas, los "E" y los "A", son por naturaleza personas que apuntan a la seguridad. Es por eso que buscan trabajos seguros o carreras seguras, o inician pequeños negocios que puedan controlar. Debido a los planes de retiro de Contribución Definida, hoy en día ellos están emigrando al cuadrante "I", donde esperan encontrar "seguridad" al momento de jubilarse. Desafortunadamente, el cuadrante "I" no es conocido por su seguridad. El cuadrante "I" es el cuadrante del riesgo.

Debido a que tantas personas del lado izquierdo del *Cuadrante del FLUJO de DINERO* se acercan en busca de seguridad, el mercado bursátil responde del mismo modo. Por eso a menudo uno escucha las siguientes palabras:

1."Diversificación." Las personas que buscan seguridad usan mucho la palabra "diversificación". ¿Por qué? Porque la estrategia de diversificación es una estrategia inversora para "no perder". No es una estrategia de inversión para ganar. Los inversionistas ricos o exitosos no diversifican. Ellos concentran sus esfuerzos.

Warren Buffet, posiblemente el inversionista más grande del mundo, dice acerca de la diversificación: "La estrategia que hemos adoptado excluye la persecución del dogma estándar de diversificación. De ahí que muchos eruditos deducirían que nuestra estrategia debe ser más riesgosa que la empleada por inversores más convencionales. No estamos de acuerdo. Creemos que una política de concentración de portafolio bien puede disminuir el riesgo, si éste aumentara, tal como debería, la intensidad con que un inversor piensa acerca de un determinado negocio, y el nivel de confort que debería sentir respecto a las características económicas de ese negocio, antes de invertir en él."

En otras palabras, Warren Buffet está diciendo que un portafolio concentrado o enfocado en unas pocas inversion.. , en lugar de uno diversificado, es una estrategia mejor. Para su forma de pensar, la concentración más que la diversificación, requiere que uno sea más inteligente, con ideas y acciones más ágiles. Su artículo continúa diciendo que los inversores promedio evitan la volatilidad porque piensan que es riesgosa. Warren Buffet dice al respecto: "En realidad, el verdadero inversor da la bienvenida a la volatilidad."

Mi esposa y yo, a fin de salir de la lucha financiera y encontrar la libertad económica, no hacemos diversificación. Concentramos nuestras inversiones.

2. "Acciones de Primera Calidad." Los inversionistas que priorizan la seguridad compran por lo general acciones de compañías de "Primera Calidad". ¿Por qué? Porque imaginan que son más seguras. Si bien la compañía puede que sea más segura, el mercado bursátil no lo es.

3. "Fondos Mutuos o Fondos Comunes de Inversión." Las personas que saben poco sobre inversiones se sienten más seguras entregando su dinero a un administrador de fondos, confiando que hará un trabajo mejor que el que ellos mismos harían. Y esta es una estrategia inteligente para las personas que no tienen intención de convertirse en inversores profesionales. Si bien la estrategia es inteligente, el problema es que los fondos comunes de inversión no son menos riesgosos. En verdad, en caso de una caída del mercado bursátil, podríamos ver lo que yo llamo el "Derrumbe de Fondos Mutuos ó del Fondo Común," una catástrofe financiera tan devastadora como la de "*Tulipomanía*" en 1610, el derrumbe del "*South Seas Bubble*" (Engaño de los Mares del Sur) en 1620, y la bomba del "*Junk Bond*" (Bono Basura) en 1990.

En la actualidad, el mercado está repleto de millones de personas quienes, por naturaleza, están mentalizadas con la idea de seguridad, pero debido a la economía cambiante se ven forzadas a cruzar del lado izquierdo del *Cuadrante del FLUJO de DINERO* hacia el lado derecho, donde en realidad su marca de seguridad no existe. Eso me inquieta. Muchas personas piensan que sus planes de pensión son seguros, cuando en realidad no lo son. Si llegara a ocurrir una gran caída o una gran depresión, sus planes podrían desaparecer. Sus planes de jubilación no son tan seguros como los que tenían nuestros padres.

SE AVECINAN GRANDES TRASTORNOS ECONÓMICOS

Se prevé un escenario de grandes trastornos económicos. Tales trastornos siempre han marcado el fin de una vieja era y el nacimiento de una nueva. Al final de cada era hay personas que van hacia adelante y otras que se apegan a las ideas del pasado. Me temo que las personas que aún esperan que su seguridad financiera sea responsabilidad de una gran compañía o del gobierno, se sentirán defraudadas en los años venideros. Esas son ideas de la Era Industrial, no de la Era de la Información.

Nadie tiene una bola de cristal. Estoy suscripto a muchos servicios de noticias para inversionistas. Todos dicen algo distinto. Algunos auguran un futuro cercano promisorio. Otros, un derrumbe en los mercados y una gran depresión a la vuelta de la esquina. A fin de ser objetivo, escucho ambas posturas, porque ambos tienen argumentos que vale la pena escuchar. Mi táctica no es jugar al adivino y tratar de predecir el futuro; en lugar de eso, trabajo para tener educación acerca de los cuadrantes "D" e "I", y estar preparado para lo que pudiera ocurrir. Una persona que esté preparada prosperará sin importar el rumbo que tome la economía, o el momento en que suceda.

Si la historia es un indicador, una persona que viva hasta los 75 años debería prever pasar a través de una depresión y dos grandes recesiones. Mis padres pasaron su depresión, pero los bebés nacidos en la década del 50 (generación post-guerra)... aún no. Y desde que golpeó la última depresión han pasado 60 años aproximadamente.

Actualmente, a todos nos debería preocupar algo más que la mera seguridad laboral. También creo que todos debemos preocuparnos por nuestra propia seguridad financiera a largo plazo... y no dejar esa responsabilidad a una compañía o al gobierno. Los tiempos cambiaron oficialmente en el momento en que las compañías manifestaron ya no ser más responsables por sus años de jubilación. Una vez que se adhirieron al plan de pensión de Contribución Definida, el mensaje fue que, a partir de entonces, usted era responsable de invertir en su propia jubilación. Hoy en día, es necesario que todos seamos inversores más competentes, siempre atentos a los cambios en las alzas o bajas de los mercados financieros. Yo recomiendo aprender a ser un inversionista, en lugar de confiarle su dinero a alguien más a fin de que lo invierta. Si usted tan sólo invierte su dinero en un fondo mutuo o fondo común de inversión o se lo confía a un administrador de fondos, va a tener que esperar hasta los 65 para averiguar si esa persona hizo un buen trabajo. Si el trabajo realizado por ellos resultara desastroso, puede que usted tenga que trabajar por el resto de su vida. Y eso es lo que tendrán que hacer millones de personas, ya que será demasiado tarde para que inviertan o aprendan a invertir.

APRENDA A MANEJAR EL RIESGO

Es posible invertir con bajo riesgo y alto rendimiento. Todo lo que usted debe hacer, es aprender cómo se hace. No es difícil. Se parece por cierto, a aprender a andar en bicicleta. Al principio uno se puede caer, pero después de un tiempo, ya no se cae, e invertir se torna algo natural, así como lo es andar en bicicleta para la mayoría de nosotros.

El problema respecto al lado izquierdo del *Cuadrante del FLUJO de DINERO* es que la mayoría de las personas acuden a él a fin de evitar el riesgo financiero. En vez de evitar ese riesgo, recomiendo aprender a manejarlo.

CORRA EL RIESGO

Las personas que asumen riesgos cambian el mundo. Pocas personas se han vuelto ricas alguna vez sin correr riesgos. Muchos han terminado dependiendo del gobierno a fin de eliminar los riesgos de la vida. El comienzo de la Era de la Información es el fin del gran gobierno tal como lo conocemos. Los grandes gobiernos se han tornado demasiado costosos. Lamentablemente, millones de personas de todo el mundo que hoy dependen de la idea de "derechos" y pensiones de por vida, quedarán atrás financieramente. La Era de la Información significa que todos debemos lograr mayor autosuficiencia y comenzar a crecer.

La idea de "estudia mucho y encuentra un trabajo estable y seguro" es una idea nacida en la Era Industrial. Pero ya no estamos más en esa era. Los tiempos están cambiando. El problema es que las ideas de muchas personas aún no lo han hecho. Ellos aún creen que son titulares de alguna clase de derechos. Muchos aún piensan que el cuadrante "I" no es su responsabilidad. Continúan pensando que el gobierno o un gran negocio o el sindicato o su fondo común de inversión o sus familias, los tomarán a su cuidado al jubilarse. Por su bien, espero que estén en lo cierto. Tales individuos no tienen necesidad de seguir leyendo.

Mi preocupación por aquellas personas que reconocen la necesidad de volverse inversionistas, es lo que me ha impulsado a escribir *El Cuadrante del FLUJO DE DINERO*. Fue escrito para ayudar a todos los que quieren pasar del lado izquierdo al lado derecho del Cuadrante, pero no saben dónde comenzar. Cualquiera puede hacer ese movimiento, con la determinación y las aptitudes correctas.

Si usted ya ha logrado su propia libertad financiera, "¡Lo felicito!" Por favor, cuéntele a otros cuál ha sido su camino, y guíelos si así lo desean. Guíelos, pero permítales encontrar su propio camino, ya que existen muchos caminos hacia la libertad financiera.

Por favor, recuerde esto sin importar lo que decida. La libertad financiera puede ser una libre elección, pero no cuesta poco. La libertad tiene un precio... y para mí bien lo vale. Este es el gran secreto: No hace falta dinero o una buena educación formal para ser libre financieramente. Tampoco tiene que ser riesgoso. En lugar de todo eso, el precio de la libertad está dado por los sueños, el deseo y la habilidad para superar las adversidades que nos ocurren a todos a lo largo del camino. ¿Está usted dispuesto a pagar el precio?

Uno de mis padres pagó el precio; el otro no. Él pagó un tipo diferente de precio.

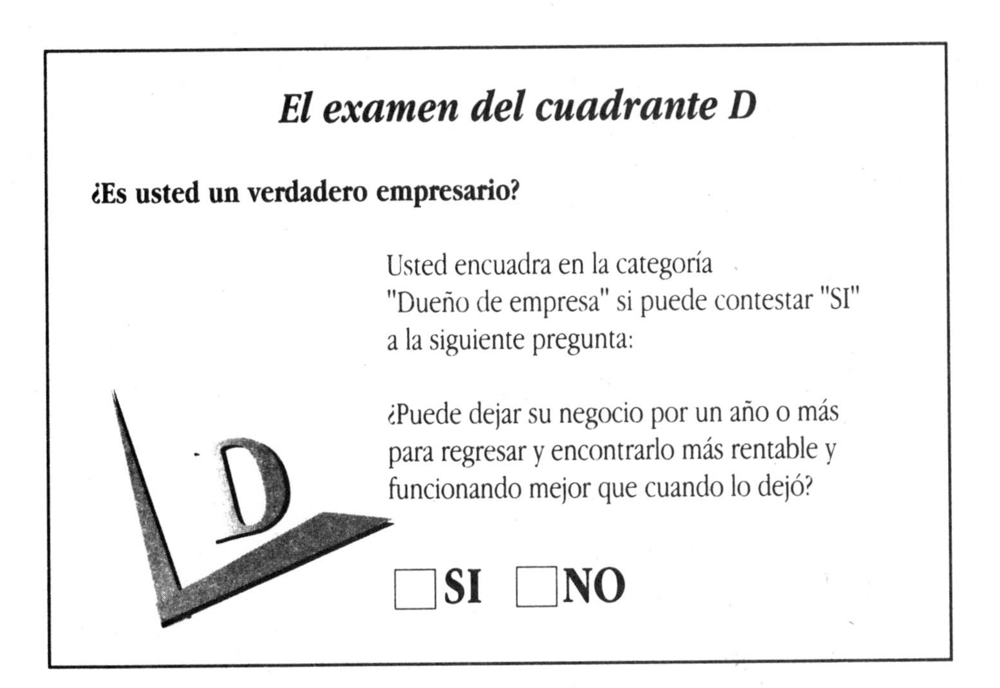

El examen del cuadrante D

¿Es usted un verdadero empresario?

Usted encuadra en la categoría "Dueño de empresa" si puede contestar "SI" a la siguiente pregunta:

¿Puede dejar su negocio por un año o más para regresar y encontrarlo más rentable y funcionando mejor que cuando lo dejó?

☐ SI ☐ NO

CAPÍTULO 3

¿Por qué las personas eligen la seguridad por sobre la libertad?

Mis dos padres me recomendaron que fuera a la universidad y me graduara. Pero para cuando me había recibido, sus consejos variaron.

Mi padre altamente instruido me aconsejaba en forma constante: "Ve a la escuela, obtén buenas calificaciones, y luego consigue un buen trabajo seguro y estable".

Me recomendaba un camino de vida enfocado en el lado izquierdo del Cuadrante, que se asemejaba al esquema que sigue:

Mi padre rico pero poco instruido aconsejaba enfocarse en el lado derecho del Cuadrante: "Ve a la escuela, asegúrate buenas calificaciones, y luego inicia tu propia empresa."

Sus consejos eran diferentes debido a que un padre estaba preocupado por la seguridad laboral, y el otro más preocupado por la libertad financiera.

¿POR QUÉ LA GENTE BUSCA SEGURIDAD LABORAL?

La razón fundamental por la que muchas personas buscan seguridad laboral es porque eso es lo que se les ha enseñado en el hogar y en la escuela.

Millones de personas continúan siguiendo ese consejo. Muchos de nosotros hemos sido condicionados desde nuestros primeros años de vida para pensar más en la seguridad laboral que en la seguridad o libertad financiera. Y como la mayoría de nosotros aprendemos poco o nada acerca del dinero en nuestro hogar o en la escuela, es más que natural que nos aferremos con más firmeza a la idea de seguridad laboral... en vez de alcanzar la libertad.

Si usted observa *El Cuadrante del FLUJO DE DINERO*, notará que la motivación del lado izquierdo es la seguridad, y la del derecho la libertad.

ATRAPADOS POR LAS DEUDAS

La principal razón por la que el 90 por ciento de la población está trabajando en el lado izquierdo, es sencillamente porque ése es el lado para el cual se los educa en la escuela. Luego dejan la escuela, y muy pronto se encuentran sumergidos en deudas. Tan profundamente endeudados que deben aferrarse aún mas fuertemente a un empleo, o a la seguridad profesional, tan sólo para pagar las cuentas.

A menudo conozco gente joven que recibe su diploma universitario junto con el resumen de su deuda con la universidad. Muchos de ellos han comentado que se sintieron muy deprimidos al encontrarse con una deuda de u$s 50.000 ó u$s 150.000 por su educación universitaria. Si fueron los padres quienes pagaron la educación, entonces serán ellos quienes queden atrapados financieramente durante años.

Recientemente leí que la mayoría de los estadounidenses estarán recibiendo una tarjeta de crédito mientras aún estén en la escuela, quedando endeudados por el resto de sus vidas. Eso se debe a que a menudo siguen un esquema que se hizo popular en la Era Industrial.

SIGUIENDO EL ESQUEMA

Si indagamos en la vida de una persona promedio con cierto nivel de instrucción, el esquema financiero a menudo se asemeja a lo siguiente:

El joven va a la facultad, se gradúa, encuentra un empleo y pronto tiene algo de dinero para gastar. Ahora, el joven adulto se puede permitir alquilar un departamento, comprar un televisor, ropa nueva, algunos muebles y por supuesto, un automóvil. Y ahora comienzan a llegar las cuentas. Un día, este adulto conoce a alguien especial, comienzan a salir, se enamoran y se casan. Por un tiempo, la vida es dichosa porque dos pueden vivir con el mismo presupuesto que uno. Ahora tienen dos ingresos, un solo alquiler que pagar, y pueden permitirse ahorrar unos pocos dólares para comprar el sueño de todas las parejas jóvenes, su casa propia. Encuentran la casa de sus sueños, retiran el dinero de sus ahorros y lo utilizan para el anticipo de la casa, y entonces ahora también tienen una hipoteca. Al tener una casa nueva, necesitan nuevos muebles, así que encuentran una mueblería que anuncia las palabras mágicas, "Sin anticipo, cómodas cuotas mensuales."

La vida es maravillosa, y ellos organizan una fiesta para reunir a sus amigos y mostrarles la casa nueva, el automóvil nuevo, los muebles nuevos, y los "juguetes" nuevos. Ahora están profundamente endeudados por el resto de su vida. Entonces, llega el primer hijo.

La pareja promedio, trabajadora, bien instruida, luego de dejar al hijo en el jardín maternal, debe entonces agachar la cabeza e ir a trabajar. Ellos se encuentran atrapados en la necesidad de seguridad laboral sencillamente porque están, en promedio, a menos de tres meses de la bancarrota financiera. A menudo usted escuchará decir a estas personas: "No puedo permitirme renunciar. Tengo cuentas que pagar," o las escuchará recitar una variación de la canción de Blanca Nieves y los Siete Enanitos, "Yo debo, yo debo, por eso no dejo de ir a trabajar."

O la canción de Ernie Ford, de Tennessee, en la década del 50:

"Cargas 16 toneladas y ¿qué consigues?
Un día más de edad y una deuda mayor.
San Pedro no me lleves porque no puedo ir.
Debo mi alma a la compañía."

LA TRAMPA DEL ÉXITO

Una de las razones por las que aprendí tanto de mi padre rico era que él tenía tiempo libre para enseñarme. A medida que su éxito iba en aumento, él tenía más dinero y más tiempo libre. Si el negocio mejoraba, él no estaba obligado a trabajar más intensamente. Tan sólo tenía que dejar que su presidente expandiera el sistema y contratara más gente para hacer el trabajo. Si sus inversiones iban bien, reinvertía el dinero y ganaba más dinero. Tenía más tiempo libre, debido a su éxito. Pasaba horas con ambos, con su hijo y conmigo, explicándonos todo lo que hacía en sus negocios e inversiones. Yo aprendía más de él que lo que aprendía en la escuela. Eso es lo que sucede cuando uno trabaja intensamente sobre el lado derecho del Cuadrante, el lado de los "D" y los "I".

Mi padre altamente instruido también trabajaba intensamente, pero lo hacía del lado izquierdo del Cuadrante. Al trabajar más, obtener ascensos y contraer más responsabilidades, tenía cada vez menos tiempo para pasar con sus hijos. Se iba a trabajar a las 7 de la mañana, y muchas veces no lo veíamos porque teníamos que acostarnos antes de que llegara a casa. Eso es lo que sucede cuando uno trabaja arduamente y alcanza el éxito en el lado izquierdo del Cuadrante. El éxito le brinda cada vez menos tiempo... aunque le genere más dinero.

LA TRAMPA DEL DINERO

El éxito en el lado derecho del Cuadrante requiere un conocimiento acerca del dinero denominado "inteligencia financiera". Padre rico lo definía así: "Inteligencia financiera no es tanto cuánto dinero ganas, sino cuánto dinero conservas, cuán intensamente trabaja ese dinero para ti, y para cuántas generaciones lo estás conservando."

El éxito en el lado derecho del Cuadrante requiere de inteligencia financiera. Si la gente carece de la inteligencia financiera básica, en la mayoría de los casos, no sobrevivirá del lado derecho del Cuadrante.

Mi padre rico era bueno administrando tanto el dinero como la gente en el trabajo. Tenía que serlo. Era responsable por generar dinero, manejarse con la menor cantidad posible de personas, y mantener bajos los costos y altas las ganancias. Esas son las aptitudes necesarias para el éxito del lado derecho del Cuadrante.

Era mi padre rico quien remarcaba que la casa propia no es un activo sino un pasivo. Pudo probarlo porque nos capacitó financieramente a fin de que pudiésemos interpretar los números. Tenía el tiempo libre para enseñarnos a su hijo y a mí porque era bueno en el manejo de personas. Sus aptitudes laborales se trasladaban a su vida hogareña.

Mi padre instruido no manejaba dinero ni personal en el trabajo, aunque él pensaba que sí. Como Superintendente de Educación del Estado, él era un funcionario del gobierno con un presupuesto multimillonario en dólares y miles de empleados. Perc ese dinero no era generado por él. Era el dinero de los contribuyentes, y su trabajo era gastarlo en su totalidad. Si no lo hacía así, al año siguiente el gobierno le daría menos dinero. Por eso, al final de cada año fiscal, él buscaba la forma de gastarlo, lo que implicaba que a menudo contrataba más gente para justificar el presupuesto del año siguiente. Lo gracioso era que cuanta más gente contrataba, más problemas tenía.

Como adolescente, observando a ambos padres, comencé a tomar debida nota en mi mente de qué clase de vida quería llevar.

Mi padre instruido era un voraz lector de libros, por lo que era ilustrado en lengua, pero no en finanzas. Como no podía interpretar los números, su banquero y contador tenían que asesorarlo, y ambos le decían que su casa era un activo, y que ésa debía ser su mayor inversión.

Debido a este consejo financiero, mi padre no sólo tuvo que trabajar más intensamente, sino que también se endeudó más. Cada vez que lo ascendían gracias a su intenso trabajo, recibía un aumento de sueldo, y con cada aumento ingresaba a un grupo impositivo más alto. Debido a que calificaba para un grupo impositivo más alto, y dado que los impuestos para los empleados de altos ingresos eran extremadamente altos en las décadas del 60 y del 70, su contador y banquero le aconsejaron que comprara una casa más grande a fin de *que pudiese descontar de sus impuestos* los pagos de intereses. El ganaba más dinero, pero todo lo que sucedía era que sus impuestos aumentaban, al igual que su deuda. Cuanto más éxito tenía, más arduamente tenía que trabajar, y menos tiempo tenía para estar con quienes amaba. En poco tiempo, todos sus hijos se habían ido de casa, y él seguía trabajando intensamente para no retrasarse con las cuentas.

Siempre pensó que con el siguiente ascenso y aumento salarial resolvería su problema. Pero cuanto más dinero obtenía, volvía a ocurrir lo mismo nuevamente. Se endeudaba más y pagaba más impuestos.

Cuanto más se agotaba, tanto en casa como en el trabajo, más parecía depender de la seguridad laboral. Cuanto más se aferraba emocionalmente a su trabajo y a su salario, para pagar las cuentas, más alentaba a sus hijos a "obtener un empleo seguro y estable."

Cuanto más inseguro se sentía, más buscaba la seguridad.

SUS DOS GASTOS MAYORES

Debido a que mi padre no podía interpretar estados financieros, tampoco podía ver la trampa del dinero en la que iba cayendo a medida que su éxito crecía. Es la misma trampa en la que veo caer a millones de trabajadores exitosos.

La razón por la que muchas personas luchan financieramente, es que cada vez que obtienen más dinero, también aumentan sus dos gastos mayores:

1. Impuestos.

2. Intereses sobre deudas.

Para empeorar las cosas, el gobierno ofrece a menudo créditos fiscales para endeudarse aún más. ¿No le parece esto un tanto sospechoso?

Tal como lo definiera mi padre rico, inteligencia financiera "no es tanto cuánto dinero obtienes, sino cuánto dinero conservas, cuán intensamente trabaja ese dinero para ti, y para cuántas generaciones lo conservas."

Al final de la vida de mi padre instruido y sumamente trabajador, el poco dinero que él ganara para dejar a sus descendientes... fue tomado por el gobierno en impuestos por validación testamentaria.

LA BÚSQUEDA DE LA LIBERTAD

Yo sé que mucha gente busca libertad y felicidad. El problema es que la mayoría de las personas no han sido entrenadas para trabajar desde los cuadrantes "D" o "I". Debido a esta falta de entrenamiento, a la programación acerca de la seguridad de un empleo, y al creciente monto de sus deudas, muchas personas limitan su búsqueda de libertad financiera al lado izquierdo del Cuadrante. Desafortunadamente, la seguridad o la libertad financiera raramente son halladas en los cuadrantes "E" o "A". La seguridad y la libertad verdaderas se hallan en el lado derecho.

CAMBIANDO DE UN EMPLEO A OTRO EN LA BÚSQUEDA DE LIBERTAD

Una de las cosas para la cuál es útil *El Cuadrante del FLUJO DE DINERO* es para seguir la trayectoria u observar el patrón de vida de una persona. Mucha gente pasa su vida en la búsqueda de seguridad o libertad, pero en lugar de eso acaban saltando de un trabajo a otro. Por ejemplo:

Tengo un amigo de la escuela secundaria. Cada cinco años escucho sobre él, y siempre está entusiasmado por haber encontrado el trabajo perfecto. Está extasiado porque ha encontrado la compañía de sus sueños. Ama a la compañía. Ella está realizando cosas excitantes. Ama su empleo, tiene un cargo importante, el sueldo es excelente, la gente es fantástica, los beneficios también, y tiene muy buenas posibilidades de ascender. Luego de cuatro años y medio escucho acerca de él nuevamente, y en ese momento, está decepcionado. La compañía para la que trabaja es ahora, para su modo de ver, corrupta y deshonesta; no trata a sus empleados con respeto; él odia a su jefe; lo dejaron de lado a la hora de los ascensos, y no le pagan lo suficiente. Pasan seis meses y nuevamente está feliz. Eufórico porque ha encontrado el trabajo perfecto... otra vez. Su sendero de vida se parece un poco al del perro que persigue su cola. Se asemeja a esto:

Su patrón de vida es ir de trabajo en trabajo. Sin embargo, vive bien porque es inteligente, atrayente y con personalidad. Pero los años lo están alcanzando, y la gente más joven está ahora obteniendo los empleos que él solía conseguir. Tiene ahorrados unos pocos miles de dólares, nada apartado para la jubilación, una casa de la cuál nunca va a ser dueño, aportes para el sostén de sus hijos, y la universidad por pagar. Su hijo más chico, de 8 años, vive con su ex–esposa, y su hijo mayor, de 14 años, vive con él.

El siempre solía decirme, "No tengo que preocuparme. Aún soy joven. Tengo tiempo."

Me pregunto si hoy seguirá diciendo lo mismo.

En mi opinión, él necesita hacer un gran esfuerzo para comenzar a moverse muy pronto hacia el cuadrante "D" o al "I". Necesita dar comienzo a una nueva actitud y a un nuevo proceso educativo. A menos que tenga suerte y gane la lotería, o encuentre a una mujer rica con quien casarse, está encaminado a tener que trabajar arduamente por el resto de su vida.

HACIENDO LO SUYO PROPIO

"E" que se convierte en "A"

Otro patrón usual es el de alguien que se mueve del cuadrante "E" al "A". Durante el período actual de recortes masivos de personal, muchas personas interpretan el mensaje y renuncian a sus empleos en grandes compañías para dar inicio a sus negocios propios. Hay un estallido de los llamados "emprendimientos con base en los hogares." Muchas personas han tomado la decisión de "Inicie su propio negocio," "Desarrolle una actividad propia" y "Sea su propio jefe."

Sus carreras lucen como sigue:

De todos los caminos de la vida, éste es el que siento que toma la mayoría. Para mi modo de ver, ser "A" puede ser el más gratificante y también el más riesgoso. Creo que el cuadrante "A" es el más difícil que hay. Las posibilidades de fracasar son altas. Y si lo logra, tener éxito puede ser peor que fracasar. Eso se debe a que si tiene éxito como un "A", trabajará más arduamente que si estuviera en cualquiera de los otros cuadrantes... y lo hará por mucho tiempo. Tanto como dure su éxito.

El motivo por el que los "A" son los que más trabajan, es que son los mejores exponentes del proverbial "cocinero en jefe y lavacopas". Ellos tienen que hacer o ser responsables por la totalidad de las tareas que en una empresa más grande son hechas por muchos gerentes y empleados. Un "A" que recién comienza, a menudo contesta el teléfono, paga las facturas, promueve ventas por teléfono, trata de hacer publicidad con un pequeño presupuesto, atiende a los clientes, contrata empleados, despide empleados, los reemplaza cuando no aparecen, trata con el inspector de impositiva, evade a los inspectores del gobierno, y así sucesivamente.

En lo personal, me asusta cuando escucho a algunos que dicen que van a comenzar su negocio propio. Les deseo lo mejor, aunque siento gran preocupación por ellos. He visto a tantos "E" disponer de los ahorros de su vida o pedir dinero prestado a sus amigos y familiares a fin de comenzar sus propios emprendimientos. Después de luchar y trabajar arduamente por tres años o más, el negocio fracasa, y en lugar de ahorros de toda la vida tienen deudas que saldar.

En el ámbito nacional, 9 de cada 10 de estos tipos de emprendimientos fracasan en el término de cinco años. Dicho de otra forma, 99 de cada 100 pequeños emprendimientos desaparecen al cabo de 10 años.

Creo que la razón principal por la que fracasan en los primeros cinco años es la falta de experiencia y de capital. La razón por la que el único sobreviviente a menudo fracasa en los siguientes cinco años no se debe a la falta de capital, sino a la falta de energía. Las largas horas de trabajo intenso doblegan finalmente al individuo. Muchos "A" sencillamente se desmoronan. Por eso es que tantos profesionales altamente capacitados cambian de empresa o intentan comenzar algo nuevo, o se mueren. Tal vez por eso la expectativa media de vida de los médicos y abogados es menor que la del resto de la gente. Su expectativa media de vida es de 58 años. Para el resto es de 70 años.

Aquellos que sobreviven, pareciera que se han acostumbrado a la idea de levantarse, ir a trabajar, y hacerlo en forma ardua y para siempre. Pareciera que es lo único que conocen.

Los padres de un amigo me recuerdan esto. Durante 45 años pasaron largas horas en su negocio de expendio de bebidas alcohólicas ubicado en una esquina. A medida que aumentaba el crimen en el vecindario, tuvieron que poner barras de acero en las puertas y ventanas. Hoy, pasan el dinero a través de una abertura, al mejor estilo bancario. Cada tanto paso por allí a verlos. Son maravillosos, gente muy agradable, pero siento pena al verlos como virtuales prisioneros en su propio negocio, desde las 10 de la mañana hasta las 2 de la mañana siguiente, mirando fijamente desde atrás de las barras.

Muchos "A" sabios venden su negocio en su mejor momento --antes de quedarse sin vapor-- a alguien con energía y dinero. Se toman un tiempo, y luego comienzan algo nuevo. Siguen haciendo sus emprendimientos propios y eso les encanta. Pero tienen que saber cuando salir.

EL PEOR CONSEJO QUE PUEDE DAR A SUS HIJOS

Si nació antes de 1930, el consejo de "ir a la escuela, asegurarse buenas calificaciones, y luego conseguir un trabajo estable y seguro" era un buen consejo. Pero si nació después de 1930, el consejo es malo.

¿Por qué?

La respuesta se encuentra en: 1. Impuestos. 2. Deudas.

Para las personas que trabajan desde el cuadrante "E", virtualmente ya no quedan beneficios impositivos. Hoy en día en los Estados Unidos, ser empleado implica que usted es 50/50 socio con el gobierno. Significa que el gobierno toma el 50 por ciento o más de los ingresos de un empleado en la actualidad, y la mayor parte es retenido incluso antes de que el empleado vea su sueldo.

Si se tiene en cuenta que el gobierno les ofrece créditos fiscales para endeudarse aún más, el paso a la libertad financiera es virtualmente imposible para la mayoría de las personas en los cuadrantes "E" o "A". A menudo escucho a los contadores decir a sus clientes que comienzan a ganar más dinero en el cuadrante "E", que compren una casa más grande a fin de que puedan obtener mayores ventajas impositivas. Si bien eso podría tener sentido para alguien en el lado izquierdo del *Cuadrante del FLUJO de DINERO*, no lo tiene para alguien en el lado derecho del Cuadrante.

¿QUIÉN PAGA LA MAYORÍA DE LOS IMPUESTOS?

Los ricos pagan poco en concepto de impuesto a las ganancias. ¿Por qué? Sencillamente porque no ganan su dinero como empleados. Los ultra ricos saben que la mejor forma de evitar el pago de impuestos legalmente, es generando los ingresos desde los cuadrantes "D" e "I" .

El único crédito fiscal que se les ofrece a las personas que ganan dinero en el cuadrante"E", es comprar una casa más grande y endeudarse aún más. Desde el lado derecho del *Cuadrante del FLUJO de DINERO*, eso no es demasiado inteligente financieramente Para los que están del lado derecho, es lo mismo que decir, "Dame u$s 1, y te devolveré u$s 0.50."

LOS IMPUESTOS SON INJUSTOS

A menudo escucho a la gente decir, "Es antiamericano no pagar impuestos."

Quienes dicen esto parecen haber olvidado la historia. Los Estados Unidos de América se fundaron a partir de una protesta contra los impuestos. ¿Han olvidado el escándalo infame de la Fiesta del Té en Boston, en 1773? La rebelión que llevó a la Guerra Revolucionaria que liberó a las colonias americanas de los impuestos opresores de Inglaterra.

A esta rebelión le siguieron la Rebelión de Shay, la Rebelión del Whiskey, las Guerras de las Tarifas y muchas otras a lo largo de la historia de los Estados Unidos.

Hay otras dos revueltas famosas que no tuvieron lugar en América, pero que también muestran la pasión con que la gente rechaza los impuestos:

La historia de Guillermo Tell es una historia de protesta contra los impuestos. Por esa razón disparó la flecha hacia la cabeza de su hijo. Estaba enojado a causa de los impuestos y arriesgó la vida de su hijo en señal de protesta.

Luego tenemos a Lady Godiva. Pidió que se bajaran los impuestos en su pueblo. Los jefes del gobierno dijeron que los bajarían si ella cabalgaba desnuda a través del pueblo. Ella aceptó su desafío.

VENTAJAS IMPOSITIVAS

Los impuestos son una necesidad de la civilización moderna. Los problemas aparecen cuando se tornan abusivos y están mal administrados. Dentro de unos pocos años, los millones de bebés nacidos en períodos de picos de natalidad, como la generación post guerra (baby boomers), comenzarán a jubilarse. Cambiarán su papel de contribuyentes por el de jubilados y beneficiarios del Seguro Social. Será necesario recaudar más impuestos para hacer frente a esta cuestión. Estados Unidos y otras grandes naciones se debilitarán financieramente. Los individuos con dinero saldrán a buscar países que den la bienvenida a su dinero, en vez de penalizarlos por tenerlo.

UN GRAN ERROR

Un reportero de un periódico me entrevistó a principios de este año. Durante la entrevista, me preguntó cuánto dinero había ganado el año anterior. Le contesté, "Un millón de dólares aproximadamente."

"¿Y cuánto pagó de impuestos?" me preguntó.

"Nada," dije. Obtuve ese dinero como ganancia sobre capital, y puedo postergar el pago de esos impuestos en forma indefinida. Vendí tres inmuebles y lo declaré acorde con la Sección 1031 del Código Fiscal por Intercambio. Nunca toqué el dinero. Sólo reinvertí en una propiedad mucho más grande." Unos pocos días después, el periódico publicó esta historia.

"Millonario gana un millón de dólares y admite no pagar nada en impuestos."

Yo realmente dije algo parecido a eso, pero unas pocas palabras que se omitieron distorsionaron el mensaje. No sé si el reportero procedió con malicia o si tan sólo no comprendió lo que era un "1031 por intercambio". Más allá del motivo, es un ejemplo perfecto de los diferentes puntos de vista provenientes de los distintos cuadrantes. Como ya dije, los ingresos no son todos iguales. Algunos ingresos están menos gravados que otros.

LA MAYORÍA DE LA GENTE SE ENFOCA EN LAS GANANCIAS Y NO EN LAS INVERSIONES

El reportero obtiene su dinero de esta columna

Yo gano mi dinero en esta columna

Hoy, todavía escucho decir a la gente , "Voy a volver a estudiar para así poder conseguir un aumento," o "estoy trabajando bien duro a fin de lograr un ascenso."

Estas son palabras o ideas de una persona enfocada en la columna de ingresos de la declaración financiera o en el cuadrante "E" del *Cuadrante del FLUJO de DINERO*. Esas son las palabras de una persona que dará la mitad de ese aumento al gobierno, y que para hacerlo deberá trabajar más horas y más arduamente.

En un capítulo próximo, explicaré la manera en que las personas en el lado derecho del Cuadrante utilizan los impuestos como un activo, en lugar de que sea un pasivo como para la mayor parte de las personas en el lado izquierdo del Cuadrante. No se trata de ser antipatriota; es una cuestión de actuar como una persona que protesta y se resiste legalmente, a fin de defender el derecho de ahorrar tanto dinero como sea posible. Las personas y países que no protestan contra los impuestos son por lo general personas o países con economías deprimidas.

HÁGASE RICO RÁPIDAMENTE

Para mi esposa y para mí pasar de carecer de hogar a ser libres financieramente implicó ganar nuestro dinero en los cuadrantes "D" e "I". Uno puede hacerse rico rápidamente en los cuadrantes del lado derecho debido a que legalmente se puede evitar pagar impuestos. Y al ser capaces de guardar más dinero y tenerlo trabajando para nosotros, encontramos rápidamente la libertad.

CÓMO HACERSE LIBRE

Los impuestos y las deudas son dos de las razones principales por las que la mayoría de las personas nunca se sienten seguras financieramente, o no logran la libertad financiera. El camino a la seguridad o a la libertad se encuentra del lado derecho del *Cuadrante del FLUJO de DINERO*. Usted necesita avanzar más allá de la seguridad de un empleo. Es tiempo de saber la diferencia entre seguridad financiera y libertad financiera.

¿CUÁL ES LA DIFERENCIA ENTRE

1. SEGURIDAD LABORAL,
2. SEGURIDAD FINANCIERA, y
3. LIBERTAD FINANCIERA?

Como ustedes saben, mi padre altamente instruido estaba obsesionado con la seguridad laboral, como lo está la gran mayoría de los individuos de su generación. Él suponía que seguridad laboral significaba seguridad financiera... al menos, hasta que perdió su empleo y no pudo conseguir otro. Mi padre rico no habló nunca de seguridad laboral. En vez de eso hablaba de libertad financiera.

La respuesta para lograr la clase de seguridad o libertad que usted desea puede encontrarse al observar los ejemplos que aparecen en *El Cuadrante del FLUJO DE DINERO*.

1. ESTE ES EL ESQUEMA CORRESPONDIENTE A LA SEGURIDAD LABORAL

Las personas que siguen este modelo suelen ser buenas en su trabajo. Muchos pasan años capacitándose, y años en su empleo adquiriendo experiencia. El problema es que saben poco acerca de los cuadrantes "D" o "I", aún aunque tengan un plan de jubilación. Ellos se sienten inseguros financieramente porque sólo han sido entrenados para un empleo o para la seguridad profesional.

DOS PIERNAS SON MEJORES QUE UNA

Sugiero que todos los individuos, a fin de sentirse más seguros financieramente, comiencen a entrenarse en los cuadrantes "D" e "I", independientemente de que trabajen en los cuadrantes "E" o "A". Ciertamente, se sentirán más seguros al adquirir confianza en sus aptitudes en ambos lados del Cuadrante, incluso aunque tengan tan sólo un poco de dinero. Conocimiento es poder... todo lo que tienen que hacer es esperar la oportunidad para usar su conocimiento, y entonces tendrán el dinero.

Por eso nuestro hacedor nos dio dos piernas. Si sólo tuviésemos una, nos sentiríamos siempre flojos e inseguros. Al tener conocimiento respecto a ambos lados del cuadrante, derecho e izquierdo, tendemos a sentirnos más seguros. Las personas que solamente saben acerca de su trabajo o profesión, tienen sólo una pierna. Cada vez que soplan los vientos de la economía, ellos tienden a tambalearse más que las personas con dos piernas.

2. ESTE ES EL ESQUEMA CORRESPONDIENTE A LA SEGURIDAD FINANCIERA

Este es el aspecto que tiene la seguridad financiera para un "E":

En lugar de tan sólo poner dinero en una cuenta de retiro y esperar lo mejor, esta vuelta significa que las personas sienten confianza en su educación, ya sea como inversionistas o como empleados. Así como estudiamos en la escuela para aprender un trabajo, le sugiero que estudie para ser un inversor profesional.

El reportero que estaba indignado conmigo por haber generado un millón de dólares en mi columna de activo y no pagar impuestos, nunca me hizo la pregunta, "¿Cómo ganó el millón de dólares?"

Para mí, ésa es la cuestión real. Es fácil evitar legalmente los impuestos. No fue tan fácil ganar el millón.

Un segundo camino hacia la seguridad financiera podría ser:

Y así es como se ve la seguridad financiera para un "A":

Este es el patrón descrito en el libro *El Millonario de al Lado* (*The millonaire next door*), escrito por Thomas Stanley. Es un libro excelente. El millonario estadounidense promedio es autónomo, lleva una vida frugal, e invierte a largo plazo. El modelo anterior refleja ese camino financiero.

Este camino, del cuadrante "A" al "D", es a menudo el camino que hacen muchos empresarios, como Bill Gates. Según mi parecer, no es el más fácil, pero es uno de los mejores.

DOS ES MEJOR QUE UNO

Entonces, estar capacitado en más de un cuadrante, especialmente en uno de la izquierda y uno de la derecha, es mucho mejor que ser bueno en uno solamente. En el Capítulo 2 hago mención al hecho de que la persona rica promedio gana el 70 por ciento a partir del lado derecho y el 30 por ciento del lado izquierdo del Cuadrante. He llegado a la conclusión de que sin importar cuánto dinero gane la gente, se sentirán más seguros si operan en más de un cuadrante. Seguridad financiera es tener un asidero seguro en ambos lados del *Cuadrante del FLUJO de DINERO*.

BOMBEROS MILLONARIOS

Tengo dos amigos que son ejemplos de éxito en ambos lados del CUADRANTE. Tienen trabajos tremendamente seguros y con beneficios, y también han logrado una gran riqueza financiera en el lado derecho del Cuadrante. Ambos son bomberos que trabajan para el gobierno de la ciudad. Tienen un buen sueldo fijo, excelentes beneficios y planes de pensión, y sólo trabajan dos días por semana. Tres días por semana trabajan como inversores profesionales. Los dos días restantes descansan y lo pasan con sus familias.

Uno compra casas viejas, las refacciona y cobra los alquileres. Al momento de escribir este libro, posee 45 casas que le representan el monto de u$s 10.000 neto por mes, deducidas las deudas, impuestos, mantenimiento, administración y seguros. Gana u$s 3.500 como bombero, lo que suma un ingreso mensual total de u$s 13.500, y uno anual de alrededor de u$s 150.000 y en aumento. Le quedan cinco años más para jubilarse, y su meta es tener un ingreso de u$s 200.000 anuales a los 56 años. Nada mal para un empleado del gobierno con cuatro hijos.

El otro amigo pasa su tiempo analizando compañías e invirtiendo en acciones y opciones de las que mejor se posicionan a largo plazo. Su cartera es de más de u$s 3 millones. Si la vendiera y obtuviera un 10 por ciento de interés anual, tendría un ingreso de u$s 300.000 anuales por el resto de su vida, de no mediar cambios importantes en los mercados. Nuevamente, nada mal para un empleado del gobierno con dos hijos.

Ambos amigos tienen suficiente ingreso pasivo producto de sus veinte años de inversión, que les permitiría retirarse a los 40 años de edad... pero ambos disfrutan su trabajo y quieren jubilarse con todos los beneficios del gobierno local. Entonces serán libres, porque disfrutarán los beneficios de tener éxito desde ambos lados del Cuadrante.

EL DINERO POR SÍ SOLO NO DA SEGURIDAD

He encontrado muchas personas que tienen millones en sus cuentas de pensión y aún se sienten inseguras. ¿Por qué? Porque es dinero que se generó a partir de su trabajo o negocio. A menudo tienen el dinero invertido en una cuenta de jubilación, pero saben poco o nada acerca del tema inversiones. Si ese dinero desaparece, y ya se jubilaron, ¿qué hacen entonces?

En épocas de grandes cambios económicos, siempre hay grandes transferencias de riqueza. Aunque usted no tenga mucho dinero, es importante que invierta en su educación... porque cuando los cambios lleguen, estará mejor preparado para ello. Que no lo tomen desprevenido y temeroso. Como ya dije, nadie puede predecir lo que va a pasar, sin embargo es mejor estar prevenido para lo que pudiera suceder. Y eso significa comenzar a educarse ahora.

3. ESTE ES EL ESQUEMA CORRESPONDIENTE A LA LIBERTAD FINANCIERA

Este es el modelo de estudio que mi padre rico recomendaba. Es el camino hacia la libertad financiera. Esta es la verdadera libertad financiera porque en el cuadrante

"D" la gente está trabajando para usted, y en el cuadrante "I", su dinero está trabajando para usted. Usted es libre de trabajar o no. Su conocimiento en estos dos cuadrantes lo han liberado en forma absoluta del trabajo físico.

Si observa a los ultra ricos, verá que éste es su patrón en el Cuadrante. La vuelta entre "D" e "I" describe el modelo de ingresos de Bill Gates de Microsoft, Rupert Murdoch de News Corp., Warren Buffet de Berkshire Hathaway, y Ross Perot.

Una breve advertencia. El cuadrante "D" es muy diferente al "I". He visto a muchos "D" exitosos vender sus negocios en millones, y que luego su nueva riqueza se les subiera a la cabeza. Tienden a pensar que sus dólares son una medida de su coeficiente de inteligencia, por lo que se encaminan decididos hacia el cuadrante "I" y pierden todo. El juego y las reglas son diferentes en todos los cuadrantes... por lo que recomiendo educación por encima del ego.

Al igual que en el caso de la seguridad financiera, tener dos cuadrantes le brinda mayor estabilidad en el mundo de la libertad financiera.

UNA ELECCIÓN DE CAMINOS

Estos son los distintos caminos financieros que pueden elegir las personas. Lamentablemente, la mayoría elige el camino de la seguridad laboral. Cuando la economía comienza a bambolearse, a menudo se afierran a la seguridad laboral aún más desesperadamente. Sus vidas transcurren y acaban ahí.

Por lo menos, recomiendo que se capaciten en seguridad financiera, lo cual implica que se sientan seguros tanto de su empleo como de su habilidad para invertir en las buenas y en las malas épocas. Un gran secreto es que los verdaderos inversores ganan más dinero en los malos mercados. Ganan su dinero debido a que los no inversionistas entran en pánico y venden cuando deberían comprar. Por eso no temo a los posibles cambios económicos que vienen... porque cambio implica riqueza en transferencia.

SU JEFE NO PUEDE HACERLO RICO

Los cambios económicos que comúnmente ocurren se deben en parte a las ventas y fusiones de compañías. Hace poco, un amigo mío vendió su empresa. El día de la venta puso más de u$s 15 millones en su cuenta bancaria. Sus empleados tuvieron que buscar nuevos empleos.

En la fiesta de despedida, en la que abundaron las lágrimas, hubo también un trasfondo de enojo extremo y resentimiento. Financieramente, la mayoría de los empleados no estaba mejor en el último día de su empleo que en el primero, a pesar de que él les pagó bien durante años. Muchos de ellos se dieron cuenta de que el dueño de la empresa se había hecho rico mientras que ellos pasaron todos esos años cobrando sus sueldos y pagando cuentas.

Lo cierto es, que el trabajo de su jefe no es hacerlo rico a usted. El trabajo de su jefe es asegurarse de que usted cobre. Hacerse rico es su propio trabajo, si así lo desea. Y ese trabajo comienza en el instante en que usted recibe su cheque del sueldo. Si sus aptitudes para administrar son escasas, entonces no habrá dinero en el mundo que pueda salvarlo. Si usted presupuesta su dinero con sabiduría, y aprende acerca de los cuadrantes "D" e "I", entonces estará haciendo su propio camino hacia una gran fortuna personal, y lo que es más importante, hacia la libertad.

Mi padre rico solía decirnos a su hijo y a mí, "La única diferencia entre una persona rica y una persona pobre es lo que hacen en su tiempo libre."

Concuerdo con este postulado. Me doy cuenta de que la gente está más ocupada que nunca antes, y el tiempo libre es cada vez más precioso. Sin embargo, me gustaría sugerirle que si de todas maneras va a estar ocupado, hágalo en ambos lados del Cuadrante. Si hace eso, tendrá una mejor oportunidad de encontrar eventualmente más tiempo libre y más libertad financiera. Cuando trabaje, hágalo arduamente. Por favor no lea el Wall Street Journal en horario laboral. Su jefe se lo agradecerá y lo respetará más. Lo que haga con su sueldo y con su tiempo libre después del trabajo determinará su futuro. Si usted trabaja arduamente en el lado izquierdo del Cuadrante, trabajará así para siempre. Si trabaja en forma intensa del lado derecho del Cuadrante, usted tiene una oportunidad de encontrar la libertad.

EL CAMINO QUE RECOMIENDO

Las personas que están del lado izquierdo del Cuadrante a menudo me preguntan "¿Qué me recomendaría?" Recomiendo el mismo camino que mi padre rico me recomendó. El mismo camino que tomaron personas como Ross Perot, Bill Gates y otros. El camino se asemeja a éste:

A veces escucho esta queja, "Pero yo preferiría ser un inversionista."

A lo que contesto, "Entonces vaya al cuadrante "I". Si tiene mucho dinero y mucho tiempo libre, vaya directamente al cuadrante "I". Pero si no tiene dinero y tiempo en abundancia, el camino que sugiero es más seguro."

En la mayoría de los casos, la gente no tiene tiempo y dinero en abundancia, entonces hacen otra pregunta, "¿Por qué? ¿Por qué recomienda primero el cuadrante 'D'?"

Esta discusión por lo general lleva una hora o más, y no entraré en ella aquí. Pero expondré brevemente mis razones en las líneas siguientes.

1. **Experiencia y educación.** Si usted primero tiene éxito como un "D", tendrá mejores posibilidades de convertirse en un "I" poderoso.

Los "I" invierten en "D".

Si primero perfecciona una sólida capacidad para los negocios, puede llegar a ser mejor como inversionista. Podrá identificar mejor a otros buenos "D". Los verdaderos inversores invierten en "D" exitosos con sistemas empresariales estables. Es riesgoso invertir en un "E" o un "A" que no conoce la diferencia entre un sistema y un producto... o que carece de excelentes aptitudes de liderazgo.

2. **Flujo de dinero.** Si usted ya tiene un negocio que está operando, tendría que tener entonces el tiempo libre y el flujo de dinero para soportar los altibajos del cuadrante "I".

Muchas veces conozco personas de los cuadrantes "E" o "A" que están tan ajustados de efectivo, que no podrían afrontar ninguna clase de pérdida financiera. Un movimiento brusco en los mercados y quedan aniquilados porque operan financieramente en la "línea roja".

La realidad es que, invertir es capital y conocimiento intensivo. Algunas veces obtener ese conocimiento requiere mucho capital y tiempo. Muchos inversores exitosos han perdido muchas veces antes de ganar. Las personas exitosas saben que el éxito es un maestro pobre. Se aprende cometiendo errores, y en el cuadrante "I", los errores cuestan dinero. Si uno no tiene conocimiento ni capital, tratar de convertirse en inversor es un suicidio financiero.

Si primero perfecciona las aptitudes para ser un buen "D", estará también reuniendo el flujo de dinero necesario para convertirse en un buen inversionista. La empresa o sistema de negocio que usted lleve a cabo como "D", le proporcionará el efectivo para mantenerse mientras se capacita para ser un buen inversionista. Una vez capacitado para ser un inversor exitoso, comprenderá por qué puedo decir "No siempre se necesita dinero para ganar dinero."

BUENAS NOTICIAS

La buena noticia es que ahora más que nunca es más fácil tener éxito en el cuadrante "D". Así como muchas cosas se han simplificado con los avances tecnológicos, la tecnología también ha hecho que sea más fácil tener éxito en el cuadrante "D". Aunque no es tan fácil como conseguir un empleo con un sueldo mínimo, actualmente están dados los sistemas para que más y más personas tengan éxito financiero como "D".

CAPÍTULO 4

Tres clases de sistemas empresariales

Al moverse al cuadrante "D", recuerde que su meta es poseer un sistema y hacer que la gente haga funcionar ese sistema para usted. Usted mismo puede desarrollar el sistema empresarial o puede buscar un sistema para adquirirlo. Imagine al sistema como un puente que le permitirá cruzar desde el lado izquierdo del *Cuadrante del FLUJO de DINERO* hacia el lado derecho... su puente hacia la libertad financiera.

Hay tres tipos principales de sistemas empresariales utilizados comúnmente en la actualidad. Ellos son:

1. Corporaciones tradicionales del tipo C – donde uno desarrolla su propio sistema.
2. Franquicias – donde uno compra un sistema existente.
2. Network Marketing – donde uno compra y se vuelve parte de un sistema existente.

Cada uno tiene sus puntos fuertes y sus puntos débiles, sin embargo al final coinciden en algo. Si se los opera correctamente, cada sistema proveerá un movimiento de ingresos seguro sin mucho esfuerzo físico por parte del propietario... una vez establecido y organizado. La cuestión es establecerlo y organizarlo.

Cuando en 1985 la gente preguntaba "por qué carecíamos de hogar", Kim y yo decíamos simplemente que "estábamos construyendo un sistema empresarial."

Era un sistema empresarial híbrido resultante de una corporación del tipo C y una franquicia. Como se dijo anteriormente, el cuadrante "D" requiere conocimiento tanto de los sistemas, como de las personas.

Nuestra decisión de desarrollar nuestro propio sistema significó una enorme cantidad de arduo trabajo. Yo ya había tomado antes este camino, y mi compañía había fracasado. Aunque funcionó muy bien durante bastante tiempo, de repente al quinto año quebró. Cuando el éxito comenzó a llegar, no estábamos preparados con un sistema adecuado. Si bien contábamos con gente muy trabajadora, el sistema comenzó a desmoronarse. Nos sentíamos como si estuviéramos en un crucero de gran porte que empezaba a hacer agua, y no podíamos encontrar por dónde brotaba la filtración. Todos tratábamos de hallar la vía de agua, pero no lográbamos sacar el agua lo suficientemente rápido como para encontrar la entrada y repararla. Aún en caso de encontrarla, no estábamos seguros de poder cerrarla.

"PUEDES LLEGAR A PERDER DOS O TRES COMPAÑÍAS"

Cuando estaba en la secundaria, mi padre rico nos contó a su hijo y a mí que cuando tenía 20 años había perdido una empresa. "Esa fue la peor y la mejor experiencia de mi vida," dijo. "Si bien odié pasar por ella, fue mucho lo que aprendí en el proceso de recomponerla y eventualmente transformarla en un gran éxito."

Como sabía que yo tenía en mente iniciar mi propia empresa, padre rico me dijo, "Puedes llegar a perder dos o tres compañías, antes de que logres construir una a la que le vaya bien y perdure."

El estaba capacitando a Mike, su hijo, para que se hiciera cargo de su imperio. Como mi padre era un empleado del gobierno, yo no heredaría ningún imperio. Tenía que construirme el propio.

EL ÉXITO ES UN MAESTRO POBRE

Padre rico decía siempre, "El éxito es un maestro pobre." "Aprendemos el máximo sobre nosotros mismos cuando nos equivocamos... por eso no teman equivocarse. Equivocarse es parte del proceso del éxito. No pueden tener éxito sin fracasar. Por eso las personas no exitosas son personas que nunca se equivocan."

Tal vez esa profecía estuvo hecha a mi medida, ya que en 1984, la empresa que perdí fue la Nro. 3. Había ganado y perdido millones, y estaba por comenzar todo de nuevo, cuando conocí a Kim. La razón por la que sé que no se casó conmigo por mi dinero es porque, entonces, yo no lo tenía. Cuando le conté lo que estaba por hacer, construir la empresa Nro. 4, no se echó atrás.

"La construiré contigo," fue su respuesta, y cumplió con su palabra. Junto con otro socio, construimos un sistema de comercialización con 11 oficinas alrededor del mundo que generaban ingresos más allá de que trabajásemos o no. Construir 11 oficinas de la nada, llevó cinco años de sangre, sudor y lágrimas... pero funcionó. Ambos padres estaban felices por mí y me felicitaron sinceramente (ambos habían perdido dinero en mis experiencias anteriores iniciando empresas).

LA PARTE DIFÍCIL

Mike, el hijo de mi padre rico, me ha dicho a menudo, "Nunca sabré si puedo hacer lo que tú o mi padre hicieron. Yo recibí un sistema, y todo lo que tuve que hacer fue aprender a manejarlo."

Estoy seguro de que él podría haber creado su propio sistema y que le hubiese ido bien porque aprendió bien de su padre. Aún así, comprendo lo que quiso decir. La parte difícil de construir una compañía desde cero es que uno tiene dos grandes variables: el sistema y las personas que construyen el sistema. Las posibilidades de fallar aumentan si existen fisuras en las personas y en el sistema. A veces es difícil saber dónde está el problema, si falla la persona o el sistema,.

ANTES DE LAS FRANQUICIAS

Cuando mi padre rico comenzó a enseñarme los pasos para llegar a "D", sólo existía una clase de empresa. Se trataba del negocio grande... una gran corporación que por lo general predominaba en la ciudad. En nuestra ciudad, en Hawai, era la plantación de azúcar la que virtualmente controlaba casi todo... inclusive a las otras grandes empresas. De manera que había una gran empresa y pequeñas empresas del tipo "A", habiendo poco en el medio.

Poder trabajar en los niveles más altos de aquellas empresas azucareras no constituía una meta factible, ni para padre rico ni para mí. Las minorías, tales como japoneses, chinos y hawaianos, trabajaban en los campos, pero nunca se les permitió llegar a la sala de juntas. Por eso papá rico aprendió todo lo que sabía sencillamente a partir de prueba y error.

Cuando inicié la secundaria, comenzamos a escuchar acerca de algo denominado "franquicia", pero ninguna se había instalado en nuestra pequeña ciudad. No habíamos escuchado nada acerca de Mc Donald's, ni de Kentucky Fried Chicken o Taco Bell. No formaban parte de nuestro vocabulario cuando estudiaba con padre rico. Cuando nos llegaba algún rumor acerca de ellas, lo que escuchábamos era que eran "ilegales, estafas fraudulentas y peligrosas." Por cierto, ni bien escuchamos esos rumores, padre rico voló a California a fin de informarse sobre las franquicias, en lugar de creer en los chismes. Cuando retornó, todo lo que dijo fue, "Las franquicias son la ola del futuro," y compró los derechos de dos de ellas. Su fortuna se disparó, a medida que la idea de las franquicias empezó a entenderse, y él comenzó a vender sus derechos a otras personas a fin de que tuvieran la posibilidad de construir sus propias empresas.

Cuando le pregunté si yo debería comprarle una, sencillamente dijo, "No. Te has adentrado mucho en aprender cómo construir tu propio sistema empresarial. No te detengas ahora. Las franquicias son para las personas que no quieren o no saben cómo construir sus propios sistemas. Además, no tienes los u$s 250.000 que cuesta comprarme una."

Hoy es difícil imaginar una ciudad sin un Mc Donald's o Burger King o Pizza Hut en cada esquina. Sin embargo, hubo un tiempo, no hace demasiado, cuando ellos no existían. Y tengo los años suficientes para recordar aquellos días.

COMO APRENDER A SER UN "D"

La forma en que aprendí a ser un "D" fue actuando como aprendiz de mi padre rico. Su hijo y yo éramos "E" (empleados) aprendiendo a ser "D" (dueños). Y ésa es la forma en que aprende mucha gente. Se la llama "capacitación–sobre–la–marcha". Esta es la forma en que muchos imperios familiares que se mantienen cerrados en sí mismos pasan de una generación a otra.

El problema es que, no muchas personas tienen el privilegio o la suerte suficiente de poder aprender "detrás de la escena" los aspectos necesarios para llegar a ser un "D". La mayoría de los "programas de capacitación gerencial" corporativos son sólo eso – la empresa da únicamente la capacitación para ser gerente. Pocos enseñan lo que implica ser un "D".

A menudo, la gente se queda atascada en el cuadrante "A" en su viaje hacia el cuadrante "D". Esto sucede en primer lugar porque no desarrollan un sistema lo suficientemente fuerte, y finalmente terminan convirtiéndose en una parte integral del sistema. Los "D" exitosos desarrollan sistemas que funcionarán sin que ellos intervengan.

Existen tres maneras que le permitirán llegar al lado "D" rápidamente.

1. **Encuentre un mentor.** Mi padre rico fue mi mentor. Un mentor es alguien que ya ha hecho lo que uno quiere hacer... y tiene éxito al hacerlo. No busque un consejero o asesor. Un consejero es alguien que le dice cómo hacerlo, pero que no lo ha hecho personalmente. La mayoría de los asesores están en el cuadrante "A". El mundo está lleno de personas del tipo "A" tratando de decirle como ser un "D" o un "I". Mi padre rico fue un mentor, no un consejero. Uno de los principales puntos que mi padre rico enfatizó fue éste:

"Cuidado con el asesoramiento que aceptes. Si bien debes mantener tu mente abierta, siempre debes estar alerta y considerar primero de cuál de los cuadrantes viene el consejo."

Mi padre rico me enseñó lo referente a sistemas, y cómo ser un líder y no un gerente de las personas. Los gerentes a menudo ven a sus subordinados como inferiores. Los líderes deben dirigir personas que a menudo son más inteligentes.

Si desea leer un libro excelente acerca de cómo comenzar su propio sistema empresarial, consiga el libro *E – Mith* (El mito "E"), de Michael Gerber. Este libro es único para aquellos que quieran aprender a desarrollar sus sistema propios.

Una forma tradicional de aprender sobre sistemas es obtener su Master en Administración de Empresas en una escuela de prestigio y buscar un empleo con posibilidades de ascender rápidamente por la escalera corporativa. Un Master en Administración de Empresas es importante porque uno aprende los fundamentos de contabilidad y la forma en que las finanzas se relacionan con los sistemas de una empresa. Sin embargo, el sólo hecho de tener un Master en Administración de Empresas no implica que usted automáticamente sea capaz de manejar todos los sistemas que finalmente conforman un sistema empresarial en general.

Para aprender acerca de todos los sistemas que son necesarios en una gran compañía, necesitará pasar en ella entre 10 y 15 años, aprendiendo todos los distintos aspectos del negocio. Recién entonces estaría preparado para renunciar y comenzar con su propia empresa. Trabajar para una gran corporación es como estar a sueldo con su mentor.

Aún con un mentor y/o años de experiencia, el primer paso es trabajo intensivo. Crear su propio sistema requiere mucha repetición de prueba-y-error, afrontar costos legales y trabajo administrativo. Todo esto ocurre al mismo tiempo que intenta formar a su personal.

2. **Franquicias.** Otra forma de aprender sobre sistemas es adquirir una franquicia. Cuando compra una franquicia, está comprando un sistema operativo "probado y comprobado". Hay muchas franquicias excelentes.

Al comprar un sistema de franquicia, en vez de tratar de crear el suyo propio, uno puede concentrarse en formar a su gente. Comprar el sistema elimina una gran variable cuando está aprendiendo cómo ser un "D". La razón por la que muchos bancos prestan dinero cuando hay una franquicia mediante, y no un pequeño emprendimiento, se debe a que los bancos reconocen la importancia de los sistemas y saben que el empezar con un buen sistema disminuye el riesgo.

Una advertencia por si compra una franquicia. Por favor no se convierta en un "A" que quiere "hacerlo a su manera". Si compra un sistema de franquicia, sea un "D". Simplemente hágalo en la forma exacta en que ellos le indiquen. No hay nada más trágico que los pleitos legales entre franquiciados y franquiciadores. Por lo general los pleitos ocurren cuando en verdad la gente que compra el sistema quiere hacerlo a su manera, y no a la de la persona que creó el sistema. Si usted quiere hacerlo a su manera, hágalo entonces después de haber perfeccionado tanto el sistema como las personas.

Mi padre altamente instruido fracasó a pesar de haber comprado una franquicia de helados famosa y cara. Aunque el sistema era excelente, aún así la empresa fracasó. En mi opinión, la franquicia fracasó porque la gente con la que estaba asociado eran todos "E" y "A" que no supieron qué hacer cuando las cosas comenzaron a ir mal, y no solicitaron el apoyo de la empresa madre. Al final, los socios se pelearon entre ellos, y la empresa decayó. Olvidaron que un verdadero "D" es más que un sistema. Depende también de que haya personas capaces para operar ese sistema.

LOS BANCOS NO PRESTAN DINERO A PERSONAS SIN SISTEMAS

Si un banco no presta dinero a una pequeña empresa sin un sistema, ¿por qué debería uno hacerlo? Casi a diario, la gente acude a mí con planes empresariales, en la esperanza de reunir dinero para su idea o su proyecto.

La mayoría de las veces los rechazo por una razón principal. La persona que quiere conseguir el dinero no conoce la diferencia entre un producto y un sistema. He tenido amigos (cantantes en una banda) que me pidieron que invirtiera dinero en producir un nuevo CD musical, y otros que quieren que los ayude a formar una nueva asociación sin fines de lucro para cambiar el mundo. Más allá de que me guste el proyecto, el producto o la persona, los rechazo, si tienen poca o ninguna experiencia en la creación y manejo de sistemas empresariales.

Sólo porque sepa cantar no significa que usted entienda el sistema de marketing, o el sistema de finanzas y contaduría, el de ventas, el sistema para contratar y despedir personal, el sistema legal, y los muchos otros sistemas que son necesarios para mantener a flote una empresa y llevarla al éxito.

Para que una compañía sobreviva y prospere, el 100 por ciento de todos los sistemas deben estar funcionando adecuadamente. Por ejemplo:

Un avión es un sistema de sistemas. Si un avión despega y, digamos, falla el sistema de combustible, seguro que se estrella. Lo mismo pasa en los negocios. No son los sistemas que uno conoce los que causan el problema –son los sistemas de los que no se está conciente, los que hacen que se estrelle.

El cuerpo humano es un sistema de sistemas. Muchos de nosotros hemos perdido a un ser querido porque falló uno de los sistemas de su cuerpo –como el sistema circulatorio- lo que hace que la enfermedad se extienda a todos los otros sistemas.

Por eso no es fácil construir un sistema empresarial comprobado–y–verdadero. Son los sistemas que usted olvida, o a los que no presta atención, lo que hace que se estrelle y se incendie. Por eso rara vez invierto con un "E" o un "A" que tiene una idea o producto nuevo. Los inversores profesionales tienden a invertir en sistemas comprobados, con personas que saben cómo operar esos sistemas.

Por esta razón, si los bancos sólo prestan sobre la base de sistemas comprobados-y-verdaderos, y observan a la persona que va a operarlos, entonces usted debería hacer lo mismo –si quiere ser un inversor inteligente.

3. **Network marketing.** También llamado marketing multinivel o sistemas de distribución directa. Al igual que con las franquicias, inicialmente el sistema legal intentó proscribirlo, y sé de varios países que han logrado declararlo ilegal o restringirlo estrictamente. Cualquier idea o sistema nuevo atraviesa a menudo por este período en el que se lo clasifica de "extraño y sospechoso". Al principio, yo también pensé que el marketing multinivel era una estafa. Pero al cabo de los años, he estudiado los diversos sistemas disponibles a través de él, y he observado a varios amigos a quienes les ha ido muy bien con esta forma de "D". He cambiado de opinión.

Luego de superar mis prejuicios y de haber comenzado a investigar el network marketing, me encontré con que había muchas personas que estaban construyendo negocios exitosos de marketing multinivel en forma clara y rápida. Cuando conocí a estas personas, vi el impacto que tuvo su negocio sobre las vidas de otras personas y sus futuros financieros. En verdad comencé a apreciar el valor del sistema del marketing multinivel. Por una tarifa de asociación razonable (a menudo alrededor de u$s 200), uno puede ingresar a un sistema ya existente y de inmediato comenzar a construir su negocio. Gracias a los avances tecnológicos en la industria informática, estas organizaciones están totalmente automatizadas, y los problemas de tipo administrativo, procesamiento de órdenes, distribución, contaduría y seguimiento, están casi en su totalidad administrados por los sistemas de software para marketing multinivel. Los nuevos distribuidores pueden concentrar todos sus esfuerzos en construir su negocio compartiendo con otros las ventajas de una oportunidad comercial o empresarial automatizada, en lugar de preocuparse por los problemas normales que implica el inicio de una pequeña empresa.

Uno de mis viejos amigos que ganó mas de mil millones de dólares en bienes raíces en 1997, ingresó hace poco al marketing multinivel como distribuidor, y comenzó su negocio. Me sorprendió verlo iniciando tan diligentemente su negocio de network marketing, ya que definitivamente no necesitaba dinero. Cuando le pregunté el motivo, me lo explicó así:

"Fui a la facultad para llegar a ser Contador Público Certificado, y tengo un Master en Finanzas. Cuando la gente me pregunta cómo llegué a ser tan rico, les cuento acerca de las operaciones inmobiliarias multimillonarias que realizo, y de los cientos de miles de dólares en concepto de renta que me ingresan anualmente provenientes de mis bienes inmuebles. Entonces observo que algunos de ellos se retiran y otros se asustan. Ambos sabemos que sus posibilidades de hacer inversiones multimillonarias en bienes inmuebles, como las que yo hago, son escasas o nulas. Además de no tener los estudios, no tienen el extra de capital para invertir. Por eso comencé a buscar la forma de ayudarlos a fin de que obtengan el mismo nivel de ingreso pasivo que yo logré a partir de los bienes raíces... sin volver seis años a la escuela o pasar doce años invirtiendo en inmuebles. Creo que el marketing multinivel le da a la gente la oportunidad de lograr la renta necesaria para mantenerse mientras aprenden a ser inversores profesionales. Por eso les recomiendo el network marketing. Incluso si tienen poco dinero, aún así pueden invertir "esfuerzo" durante cinco años y comenzar a generar una renta más que suficiente para empezar a invertir. Al desarrollar sus propios negocios, tienen el tiempo libre para aprender y el capital para invertir conmigo en mis transacciones principales."

Mi amigo se unió a una empresa de marketing multinivel como distribuidor, después de investigar unas cuantas, y comenzó un negocio de network marketing con personas que quieren invertir con él algún día. Le va tan bien con su negocio de distribución en redes como con sus inversiones. Me dijo, "Al principio lo hice porque quería ayudar a la gente a encontrar el dinero para invertir, y resulta que ahora me estoy haciendo rico gracias a este nuevo negocio."

Dos veces por mes, da clases los sábados. En la primera, enseña a la gente sobre sistemas empresariales y recursos humanos, o cómo llegar a ser un "D" exitoso. En el segundo encuentro mensual, les enseña alfabetización e inteligencia financieras. Les está enseñando a ser "I" inteligentes. La concurrencia a sus clases está aumentando rápidamente.

El modelo que él recomienda es el mismo que yo recomendé.

UNA FRANQUICIA PERSONAL

Por esta razón es que hoy recomiendo a la gente que tenga en cuenta al marketing multinivel. La compra de muchas de las franquicias famosas puede costar un millón de dólares o más. El network marketing es como comprar una franquicia personal, a menudo por menos de u$s 200.

Sé que gran parte del network marketing se basa en trabajo intenso. Pero el éxito en cualquier cuadrante implica gran esfuerzo. Yo personalmente no genero ningún ingreso como distribuidor de marketing multinivel. He investigado varias empresas de esta industria, y sus planes de compensación. Mientras investigaba, me uní a varias empresas tan sólo porque sus productos eran muy buenos, y ahora los uso como consumidor.

Sin embargo, si se me permite una recomendación a fin de encontrar una buena organización que le sirva para alcanzar el lado derecho del Cuadrante, la clave no es tanto el producto sino la formación que ofrece la organización. Hay organizaciones de network marketing a las que sólo les interesa tenerlo para que venda el sistema a sus amigos. Y hay organizaciones interesadas fundamentalmente en capacitarlo y ayudarlo a alcanzar el éxito.

En mi investigación sobre marketing multinivel, he encontrado dos cosas importantes que usted puede aprender a través de sus programas, y que son esenciales para llegar a ser un "D" exitoso:

1. Para tener éxito, usted debe aprender a vencer su miedo a ser rechazado y dejar de preocuparse por lo que otras personas dirán acerca de usted. Muchas veces conocí personas que no se animaron a empezar, tan sólo por lo que dirían sus amigos si hacían algo distinto. Lo sé porque yo era así. Viniendo de un pueblo pequeño, todos sabían a qué se dedicaba cada uno. Si a alguien no le gustaba lo que uno estaba haciendo, todo el pueblo se enteraba, y el negocio de uno comenzaba a ser asunto de todos.

Una de las mejores frases que me repetía a mí mismo una y otra vez era, "Lo que piensen de mí no es asunto mío. Lo más importante es lo que yo pienso de mí."

Una de las razones por las que mi padre rico me animó a que trabajara en ventas para la Corporación Xerox durante cuatro años, no fue porque le gustaban las copiadoras, sino porque quería que yo superara mi timidez y el miedo al rechazo.

2. Aprender a liderar personas. Lo más difícil en negocios, es trabajar con distintos tipos de personas. Las personas que he conocido que han tenido éxito en cualquier negocio son aquellas que son líderes naturales. La capacidad para arreglárselas con la gente e inspirarla, es una habilidad invaluable. Una habilidad que puede aprenderse.

Como ya he dicho, la transición del cuadrante izquierdo hacia el derecho no depende tanto de lo que usted haga, sino de la clase de persona en la que usted debe convertirse. Aprenda cómo manejar el rechazo, cómo no permitir que le afecte lo que otros piensen de usted, y aprenda a liderar personas, y encontrará la prosperidad. Respaldo entonces a cualquier organización de network marketing que esté comprometida en primer lugar a ayudarlo a usted a desarrollarse como ser humano, más que a convertirlo en un vendedor. Buscaría organizaciones que:

1. Sean organizaciones comprobadas de trayectoria exitosa y con un sistema de distribución y un plan de compensación con años de buena reputación.
2. Que tengan una oportunidad de negocio en la que pueda creer y tener éxito, y compartirla con otros con total confianza.
3. Que tengan programas de capacitación en curso y a largo plazo, para ayudarlo a desarrollarse como ser humano. La confianza en uno mismo es vital en el lado derecho del Cuadrante.
4. Que tengan un programa serio con mentores. Usted quiere aprender de líderes, no de consejeros. Personas que ya son líderes en el lado derecho del Cuadrante y desean que usted tenga éxito.
5. Que haya personas a las que usted respete y con las cuales disfrute estar.

Si la organización reúne estos cinco criterios, entonces y sólo entonces analice el producto. Muchas personas miran el producto y no el sistema de negocio y organización que hay detrás. En algunas de las organizaciones que he podido observar, uno de sus dichos frecuentes era, "El producto se vende sólo. Es fácil." Si está buscando ser vendedor, es decir un "A", entonces el producto es lo más importante. Pero si usted quiere ser un "D" a largo plazo, entonces el sistema, la capacitación permanente y las personas, son lo más importante.

Un amigo mío y colega conocedor de esta industria me recordó el valor del tiempo, uno de nuestros activos más preciados. Una verdadera historia de éxito en una empresa de network marketing se da cuando su compromiso de tiempo y esfuerzo en el corto plazo resulta en un significativo ingreso pasivo (residual) en el largo plazo. Una vez que haya desarrollado una organización sólida por debajo suyo, usted puede dejar de trabajar, y el flujo de ingresos continuará fluyendo como fruto de los esfuerzos de la organización que ha construido. De cualquier manera, la clave más importante para tener éxito con una empresa de marketing multinivel, sigue siendo el compromiso a largo plazo, tanto de su parte como de parte de la organización, de convertirse en el líder que quiere llegar a ser.

UN SISTEMA ES UN PUENTE HACIA LA LIBERTAD

Carecer de hogar fue una experiencia que no querría repetir. Sin embargo, para Kim y para mí, esa experiencia fue invalorable. Hoy, la libertad y la seguridad no radican tanto en lo que tenemos, sino en lo que sabemos que podemos crear con confianza.

Desde entonces, hemos creado o ayudado a desarrollar una empresa de bienes raíces, una compañía petrolera, una compañía minera y dos empresas de capacitación. De manera que el proceso de aprender cómo se crea un sistema exitoso nos benefició mucho. Sin embargo, no le recomendaría el proceso a nadie, a menos que verdaderamente quieran pasar por él.

Hasta hace apenas unos pocos años atrás, la posibilidad de una persona de tener éxito en el cuadrante "D" estaba sólo al alcance de aquellos que eran osados o ricos. Kim y yo debemos haber sido valientes porque, por cierto, no éramos ricos. El motivo por el que mucha gente se queda atascada en el lado izquierdo del Cuadrante, es que sienten que los riesgos que implica llevar adelante su propio sistema son demasiado grandes. Para ellos, es más inteligente permanecer a salvo en un empleo seguro.

Hoy, principalmente debido a los cambios tecnológicos, el riesgo de convertirse en un empresario exitoso se ve altamente reducido... y la oportunidad de poseer su propio sistema empresarial se ha extendido prácticamente a todos.

Las franquicias y el network marketing quitaron la parte difícil de llevar adelante su propio sistema. Usted adquiere los derechos de un sistema comprobado, y entonces su único trabajo es capacitar a su gente.

Imagine estos sistemas empresariales como puentes. Puentes que le brindarán un camino para que cruce de manera segura desde el lado izquierdo hacia el derecho del *Cuadrante del FLUJO de DINERO*... su puente hacia la libertad financiera.

En el próximo capítulo, trataré sobre la segunda mitad del lado derecho del Cuadrante: el "I", o cuadrante del inversionista.

CAPÍTULO 5

Los 7 niveles de inversionistas

Mi padre rico me preguntó en una oportunidad, "¿Cuál es la diferencia entre una persona que apuesta a los caballos y otra que escoge

"No lo sé," respondí.

"No mucha," respondió él. "Nunca seas la persona que compra la acción. Cuando crezcas, elige ser la persona que crea la acción que los corredores de bolsa venden, y otras personas compran."

No comprendí durante mucho tiempo lo que papá rico quiso decir en realidad. No fue sino hasta que comencé a enseñar a otros a invertir que realmente comprendí las diferentes clases de inversores existentes.

Quiero expresar un agradecimiento especial a John Burley por este capítulo. John es considerado como una de las mentes más brillantes en el mundo de las inversiones inmobiliarias. Con treinta años apenas, compró más de treinta propiedades sin usar dinero propio. A los 32 años era libre financieramente, y nunca tuvo que volver a trabajar. Y también, al igual que en mi caso, él elige enseñar. Pero su conocimiento va mucho más allá del mero tema inmobiliario. Comenzó su carrera como un planificador financiero, de manera que cuenta con un profundo conocimiento del mundo de las finanzas y de los impuestos. Pero también tiene la habilidad única de explicarlo con claridad. Tiene el don de hacer simples de entender las cosas complejas y abstractas. A través de su enseñanza, desarrolló una forma de identificar a los inversionistas en seis categorías de acuerdo a su nivel de sofisticación y de inversión, así como a sus diferencias en los rasgos personales. Yo he revisado sus categorías y las he extendido a fin de incluir una séptima.

El uso de este método de identificación junto con *El Cuadrante del FLUJO DE DINERO*, me ayudó a enseñar a otros lo referente al mundo de los inversionistas. A medida que usted lea acerca de los distintos niveles, es probable que en cada nivel reconozca a personas que conoce.

EJERCICIO DE APRENDIZAJE OPCIONAL

Al final de cada nivel, he dejado un espacio en blanco para que usted puede completar con la o las personas que, según su juicio, encuadren en ese determinado nivel. Cuando usted encuentre el nivel en el que se halla, puede que desee poner su nombre ahí.

Como ya he dicho, esto es sólo un ejercicio opcional con el fin de aumentar su comprensión acerca de los distintos niveles. De ninguna manera apunta a degradar o subestimar a sus amigos. Lo relativo al dinero es tan volátil como lo concerniente a política, religión y sexo. Es por eso que recomiendo mantener en privado sus juicios personales. El espacio en blanco al final de cada nivel está allí tan sólo a los efectos de incrementar su comprensión, en caso de que elija utilizarlo.

Empleo esta lista con frecuencia al inicio de mis clases sobre inversión. Ha hecho que el aprendizaje sea más efectivo y a muchos estudiantes les ha ayudado a clarificar en qué nivel se encuentran, y hasta qué nivel quieren ir.

A través de los años, con el permiso de John, he modificado el contenido para adecuarlo a mis propias experiencias. Por favor, tenga a bien leer los siete niveles cuidadosamente.

LOS SIETE NIVELES DE INVERSIONISTAS

NIVEL 0: AQUELLOS QUE NO TIENEN NADA PARA INVERTIR

Estas personas no tienen dinero para invertir. Ellos gastan todo lo que obtienen –o más de lo que obtienen. Hay muchas personas "ricas" que entrarían en esta categoría porque gastan tanto o más de lo que ganan. Desafortunadamente, en este nivel cero es donde casi el 50 por ciento de la población adulta estaría categorizada.

¿Conoce algunos inversionistas en el Nivel 0? (opcional)

____

____

NIVEL 1: LOS QUE PIDEN PRESTADO

Estas personas resuelven los problemas financieros pidiendo dinero prestado. Incluso suelen invertir dinero prestado. Su idea de planificación financiera es robar a Pedro para pagarle a Pablo. Viven su vida financiera con la cabeza en la arena como un avestruz, esperando y rogando para que todo salga bien. Si bien puede ser que posean algunas inversiones, la realidad es que su nivel de deuda es sencillamente demasiado elevado. La mayoría de ellos no tiene conciencia acerca del dinero ni de sus hábitos de consumo.

Cualquier cosa de valor que tengan, tiene una deuda adosada. Usan las tarjetas de crédito en forma impulsiva y luego financian esa deuda con un préstamo para la vivienda a largo plazo, a fin de saldar sus tarjetas de crédito y luego comenzar a usarlas nuevamente. Si el valor de sus casas aumenta, nuevamente piden prestado por ese valor, o compran una casa más grande y más cara. Ellos creen que el valor de los inmuebles tan sólo puede aumentar.

Las palabras "bajo anticipo, cómodas cuotas mensuales" siempre atraen su atención. Con esas palabras en mente, a menudo adquieren ofertas de "juguetes" con alto índice de depreciación, tales como botes, piscinas, vacaciones y automóviles. Incluyen estos bienes superfluos en su activo, y vuelven al banco en busca de otro préstamo y se preguntan por qué se lo rechazan.

Su ejercicio preferido es salir a hacer compras. Compran cosas que no necesitan, diciéndose a sí mismos: "Oh, vamos. Te lo mereces. Vales la pena." O "Si no lo compro ahora, puede que nunca vuelva a encontrarlo a tan buen precio. Está en oferta." O "Quiero que los niños tengan lo que nunca tuve."

Piensan que repartir la deuda en un período prolongado de tiempo es inteligente, siempre engañándose a sí mismos con que van a trabajar más arduamente y saldarán sus cuentas algún día. Gastan todo lo que tienen, y luego algo más. Se los conoce como consumidores. Los comerciantes y los concesionarios de autos aman a estas personas. Si tienen dinero, lo gastan. Si no lo tienen, lo piden prestado.

Cuando se les pregunta cuál es su problema, contestan que simplemente, no ganan el dinero suficiente. Piensan que más dinero resolverá el problema. No importa cuánto ganen, sencillamente se endeudan más. La mayoría de ellos casi no se da cuenta de que el dinero que ganan hoy les hubiera parecido una fortuna o un sueño tan sólo ayer. Pero hoy, aunque hayan alcanzado el ingreso de sus sueños, aún no es suficiente.

No logran ver que el problema no es necesariamente su ingreso (o la falta de él), sino sus hábitos con el dinero. En ocasiones algunos tienen la firme convicción de que su situación no tiene salida y se entregan. De manera que entierran su cabeza aún más, y continúan haciendo las mismas cosas. Sus hábitos de pedir prestado, comprar y gastar están fuera de control. Así como un glotón come cuando se deprime, estas personas gastan cuando se deprimen. Gastan, se deprimen y gastan más.

A menudo discuten por dinero con los que aman, defendiendo con énfasis su necesidad de comprar esto o aquello. Viven en una completa negación financiera, aparentando que sus problemas económicos algún día desaparecerán milagrosamente, o que siempre tendrán el dinero suficiente para gastar o hacer lo que deseen.

Los inversionistas de este nivel pueden a veces parecer ricos. Puede que tengan grandes casas y automóviles llamativos... pero si uno investiga, compran con dinero prestado. También es posible que ganen mucho dinero, pero están a un paso del accidente profesional que les cause la ruina financiera.

A una de mis clases asistió un ex-empresario. Era muy conocido en la categoría "gana mucho dinero, gasta mucho dinero." Fue dueño de una cadena de joyerías muy prósperas durante años. Pero un deterioro en la economía... y su negocio desapareció. Sin embargo, sus deudas no desaparecieron. Bastaron menos de seis meses para que esas deudas lo comieran vivo. Estaba en mis clases en busca de nuevas respuestas, y rechazaba incluso considerar siquiera la mera idea de que él y su esposa eran inversionistas de Nivel 1.

Él provenía del cuadrante "D", con la esperanza de hacerse rico en el cuadrante "I". Se aferraba a la idea de que en una oportunidad había sido un empresario exitoso, y podría utilizar las mismas fórmulas para invertir, en su camino hacia la libertad financiera. Era un caso clásico de hombre de negocios que piensa que puede convertirse automáticamente en un inversionista exitoso. Las reglas de los negocios no siempre son las mismas que las reglas de la inversión.

A menos que estos inversionistas tengan la voluntad de cambiar, su futuro financiero es yermo... a no ser que se casen con alguien rico que mantenga dichos hábitos.

¿Conoce algunos inversionistas del Nivel 1? (opcional)

____

____

NIVEL 2: AHORRISTAS

Estas personas separan "pequeñas" cantidades de dinero con regularidad. Invierten el dinero a bajo riesgo y tasas bajas, como por ejemplo, cuenta corriente en el mercado de dinero, caja de ahorros o certificado de depósito o plazo fijo.

Si tienen una Cuenta Personal de Jubilación, la tienen en un banco o en una cuenta de fondos comunes de inversión.

A menudo ahorran para consumir más que para invertir (por ejemplo ahorran para un TV nuevo, automóvil, vacaciones, etc.). Ellos creen en el pago en efectivo. Temen a los créditos y las deudas. Les gusta más la "seguridad" del dinero en el banco.

Aunque está demostrado que en la economía de hoy en día los ahorros producen una renta negativa (después de la inflación y los impuestos), ellos no están dispuestos a aceptar demasiado riesgo. Poco es lo que saben acerca de que, desde 1950, el dólar americano ha perdido el 90 por ciento de su valor, y continúa perdiéndolo anualmente a una tasa mayor que la del interés que les paga el banco. A menudo tienen pólizas de seguro de vida porque aman la sensación de seguridad.

Las personas en este grupo desperdician su activo más preciado, que es el tiempo, intentando ahorrar centavos. Pasan horas recortando cupones de los periódicos y, una vez en el supermercado, demoran a todos en la fila chapuceando para encontrar esos grandes ahorros.

En vez de intentar ahorrar centavos, deberían utilizar ese tiempo para aprender a invertir. Si hubiesen puesto u$s 10.000 en los fondos de inversión de John Templeton en 1954 y se hubieran olvidado de ellos, habrían obtenido u$s 2,4 millones en 1994. O si hubiesen puesto u$s 10.000 en los Fondos Quantum de George Soros en 1969, les habrían valido u$s 22,1 millones en 1994. En vez de eso, su tremenda necesidad de seguridad, basada en el temor, los mantiene ahorrando en inversiones de bajo rendimiento, tales como certificados de depósitos bancarios.

A menudo se escucha a estas personas decir: "Un centavo que se ahorra es un centavo que se gana." O "Estoy ahorrando para los niños." Lo cierto es que a menudo hay una inseguridad tremenda en ellos y en sus vidas. En honor a la verdad, suelen defraudarse a sí mismos y a las personas para quienes ahorran. Son casi el opuesto exacto del inversionista Nivel 1.

Ahorrar dinero fue una buena idea durante la Era Agraria. Pero una vez que entramos en la Era Industrial, ahorrar ya no fue la alternativa inteligente. El ahorrar dinero sencillamente se tornó en la peor elección a partir del momento en el cual los Estados Unidos abandonaron el estándar oro para entrar en la era de la inflación, con un gobierno que emitía moneda en forma desenfrenada. Las personas que ahorran dinero en momentos de inflación terminan siendo perdedores. Por supuesto, que si viene un período de deflación, pueden resultar ganadores... pero sólo en el caso de que el dinero emitido aún tenga algo de valor.

Es bueno tener algunos ahorros. Es recomendable tener en efectivo el presupuesto para gastos de entre seis meses a un año. Pero a partir de ahí, existen inversiones mucho mejores y más seguras que tener el dinero en el banco. Mantener el dinero en el banco ganando un 5 por ciento mientras otros obtienen un 15 por ciento y más, no es una estrategia sabia de inversión.

Sin embargo, si usted no está dispuesto a estudiar cómo invertir y vive con el constante temor al riesgo financiero, entonces ahorrar es mejor elección que invertir. No tiene que pensar demasiado si se limita a guardar el dinero en el banco... y sus banqueros lo amarán. ¿Por qué no habrían de hacerlo? El banco presta de u$s 10 a u$s 20 por cada dólar que usted tiene ahorrado y carga hasta un 19 por ciento de interés, luego se vuelve y le paga a usted menos de un 5 por ciento. Todos deberíamos ser banqueros.

¿Conoce algunos inversionistas Nivel 2? (opcional)

____

____

NIVEL 3: INVERSIONISTAS "INTELIGENTES"

Hay tres distintas clases de inversores en este grupo. En este nivel, los inversores son concientes de la necesidad de invertir. Pueden incluso participar en los planes de pensión de las compañías: 401(k), SEP, Superanual, pensión, etc. E inclusive a veces tienen otras inversiones aparte de estas, en fondos comunes de inversión, acciones, bonos o participaciones limitadas en sociedades.

Por lo general son personas inteligentes que cuentan con una sólida educación. Ellos conforman los dos tercios del país, comprendiendo la denominada "clase media". Sin embargo, cuando se trata de invertir, a menudo no tienen preparación... o carecen de lo que la industria de la inversión llama "sofisticación". Raras veces leen el informe anual de una compañía o el reporte de la empresa. ¿Cómo podrían? No fueron entrenados para leer informes financieros. Les falta la alfabetización financiera. Pueden haber obtenido títulos universitarios superiores, tal vez sean doctores o incluso contadores, pero pocos han sido alguna vez entrenados y capacitados formalmente en el ganar/perder del mundo de la inversión.

Estas son las tres categorías principales en este nivel. Suelen ser personas inteligentes, bien instruidas que a menudo ganan ingresos sustanciales, y también invierten. Sin embargo, hay diferencias.

Nivel 3-A. Las personas en este nivel conforman el grupo "No puedo ser molestado." Se han convencido a sí mismos de que no comprenden el dinero y que nunca lo comprenderán. Dicen cosas como:

"Sencillamente, no soy muy bueno con los números."

"Nunca voy a entender cómo funcionan las inversiones."

"Simplemente estoy muy ocupado."

"Hay demasiado trabajo administrativo."
"Es excesivamente complicado."
"Invertir es demasiado riesgoso."
"Prefiero dejar las decisiones monetarias a los profesionales."
"Implica demasiada molestia."
"Mi esposo/a maneja las inversiones de nuestra familia."

Estas personas se limitan a dejar el dinero quieto y hacen poco en relación a su plan de jubilación, o se lo dan a un asesor financiero para que se haga cargo, y éste les recomienda "diversificación". Apartan de su mente lo referente a su futuro financiero, trabajan arduamente día tras día, y se dicen a sí mismos, "Por lo menos tengo un plan de pensión."

Recién cuando se jubilen comprobarán cómo evolucionaron sus inversiones.

¿Conoce algunos inversionistas Nivel 3-A? (opcional)

____

____

Nivel 3-B. La segunda categoría es el "Cínico". Estas personas conocen todas las razones por las que una inversión no va a funcionar. Es peligroso tenerlos alrededor. A menudo suenan como inteligentes, hablan con autoridad, tienen éxito en el área de su elección, pero son verdaderos cobardes tras su fachada intelectual. Pueden decirle con exactitud cómo y por qué será usted estafado con cualquier inversión conocida por el hombre. Cuando les solicite su opinión sobre una acción o cualquier otra inversión, usted se irá sintiéndose muy mal, a menudo con miedo o dudas. Las palabras que más suelen repetir son: "Bueno, ya me engañaron antes. No me harán eso otra vez."

Muchas veces sueltan nombres y dicen cosas como: "Mi agente de Merrill Lynch, o Dean Witter..." Soltar nombres les ayuda a esconder su gran inseguridad.

Aún así, lo extraño es que estos cínicos a menudo siguen el mercado como ovejas. En el trabajo, siempre están leyendo las páginas de finanzas o el "Wall Street Journal". Leen el periódico y luego les cuentan lo que saben a todos durante el descanso para tomar un café. En su forma de expresarse abundan los términos técnicos más actuales y la jerga de las inversiones. Conversan acerca de los grandes negocios, pero nunca están en ellos. Buscan las acciones que cotizan mejor, y si el informe es favorable, a menudo las compran. El problema es que las compran tarde porque si se informan a través del periódico... es demasiado tarde. Los verdaderos inversores inteligentes han comprado antes de que las noticias aparecieran. El cínico desconoce eso.

Cuando aparecen las malas noticias, critican y dicen cosas como "lo sabía". Piensan que están en el juego, pero son en realidad tan sólo un espectador parado del lado de afuera. A menudo quieren entrar al juego, pero en su interior tienen un terrible miedo a salir lastimados. La seguridad es más importante que la diversión.

Los psiquiatras dicen que el cinismo es la combinación de temor e ignorancia, que llegado el caso produce arrogancia. Estas personas a menudo ingresan tarde a las fluctuaciones del mercado, en espera de la multitud o de la prueba social que muestre que su decisión inversora es la decisión correcta. Debido a que esperan la prueba social, compran tarde a precios altos de mercado y venden a los precios más bajos, en el momento en que se produce un quiebre en el mercado. Se distinguen por comprar alto y vender bajo mientras son "estafados" otra vez. Todo lo que temían que ocurriera... sucede, una y otra vez.

Los cínicos son a menudo lo que los negociadores profesionales llaman "cerdos". Se quejan mucho y luego corren hacia su propia matanza. Compran alto y venden bajo. ¿Por qué? Porque son tan "inteligentes", que se han vuelto excesivamente cautos. Son inteligentes, pero los aterroriza correr riesgos y cometer errores, de manera que estudian con mayor énfasis, y se tornan más inteligentes. Cuanto más saben, más riesgo ven, entonces estudian mucho más aún. Su cínica cautela hace que esperen hasta que es demasiado tarde. Ingresan al mercado cuando su avaricia finalmente sobrepasa su temor. Vienen al comedero con los otros cerdos y son destrozados.

Pero lo peor del cínico es que infecta a la gente a su alrededor con sus grandes miedos, disfrazados como inteligencia. Cuando se trata de invertir, pueden decirle a usted por qué las cosas no van a funcionar, pero no pueden decirle cómo podrían funcionar. Los ámbitos académicos, gubernamentales, religiosos, y mediáticos están llenos de estos individuos. Aman escuchar acerca de desastres financieros o equívocos para así poder "difundir la palabra". Son verdaderos "mariscales de campo de lunes por la mañana" en el momento de invertir. Sin embargo, rara vez tienen algo bueno para decir sobre el éxito financiero. Un cínico descubre fácilmente lo que está mal. Es la forma en que se auto-protegen a fin de no descubrir su falta de conocimiento –o falta de valor.

Los primeros Cínicos fueron una secta de la antigua Grecia despreciada por su arrogancia y su desdén sarcástico del mérito y del éxito. Se los conocía con el apodo de hombres–perro (cínico proviene de la palabra griega que se utiliza para perro). Cuando se trata de dinero, hay mucha gente–perro... muchos que son inteligentes, y bien instruidos. Cuídese de permitir que la gente–perro aplaste sus sueños financieros. Y aunque es verdad que el mundo del dinero está lleno de maleantes, estafadores y charlatanes, ¿Qué industria no lo está?

Es posible hacerse rico rápidamente, con poco dinero y con poco riesgo. Es posible, pero sólo si está dispuesto a aportar lo suyo para hacerlo posible. Una de las cosas que necesita hacer es mantener una mente abierta y cuidarse de los cínicos así como de los estafadores. Ambos son peligrosos financieramente.

¿Conoce algunos inversionistas Nivel 3-B? (opcional)

____

____

Nivel 3-C: La tercera categoría de este nivel es el "jugador". También a los de este grupo los negociadores profesionales los denominan "cerdos". Pero mientras que el cínico es extremadamente cauto, este grupo no es lo suficientemente precavido. Miran al mercado de acciones, o a cualquier mercado de inversiones, casi de la misma forma en que miran a los juegos de azar en Las Vegas. Es solamente suerte. Arrojar el dado y rezar.

Este grupo no tiene ni reglas ni principios negociadores. Quieren actuar como los "Grandes", entonces improvisan hasta que lo logran o pierden todo. Lo segundo es lo más probable. Están en la búsqueda del "secreto" para invertir, o del "Santo Grial". Están siempre buscando formas nuevas y excitantes de invertir. En lugar de diligencia, estudio y comprensión a largo plazo, buscan "algún dato" o "atajo".

Se lanzan a invertir en productos, ofertas públicas iniciales, acciones de centavo, gas y petróleo, ganado o cualquier otra inversión conocida por la humanidad. Les encanta utilizar técnicas "sofisticadas" de inversión tales como márgenes, encajes, opciones de compra u opciones en general. Entran al "juego" sin saber quiénes son los jugadores y quién pone las reglas.

Estas personas son los peores inversores que haya conocido alguna vez el planeta. Siempre tratan de marcar un "home run".* Pero suelen batear "fuera de juego" (strike out**). Cuando se les pregunta cómo están, siempre están "más o menos" o "un poquito mejor". En realidad han perdido dinero. Mucho dinero. A menudo cantidades enormes de dinero. Esta clase de inversor pierde dinero casi el 90 por ciento de las veces. Nunca discuten sus pérdidas. Sólo recuerdan el "súper-acierto" que hicieron seis años atrás. Piensan que fueron inteligentes, y no logran reconocer que tan sólo tuvieron suerte. Piensan que todo lo que necesitan es "el gran negocio" y entonces estarán en el camino fácil. La sociedad denomina a esta persona "jugador incurable". En el fondo, sencillamente son perezosos cuando se trata de invertir dinero.

¿Conoce algún inversionista Nivel 3-C? (opcional)

____

____

NIVEL 4: INVERSIONISTAS A LARGO PLAZO

Estos inversionistas tienen clara conciencia de la necesidad de invertir. Se involucran en forma activa en las decisiones de sus propias inversiones. Tienen trazado en forma clara un plan a largo plazo que les permitirá alcanzar sus objetivos financieros. De hecho, invierten en su capacitación antes de adquirir cualquier inversión. Obtienen ventaja por invertir en forma periódica y, toda vez que sea posible, invierten logrando ventajas impositivas. Lo más importante es que buscan el asesoramiento de consultores financieros competentes.

Tenga a bien comprender que este tipo de inversor no es lo que usted podría imaginar como un inversionista de alto nivel. Está lejos de eso. Es poco probable que inviertan en bienes raíces, negocios, productos, o cualquier otra forma atractiva de inversión. En lugar de eso, prefieren el enfoque conservador a largo plazo recomendado por inversores de la fama de Peter Lynch de Fidelity's Magellan Fund, o Warren Buffet.

Si usted aún no es un inversionista a largo plazo, intente serlo tan pronto como pueda. ¿Qué significa esto? Significa que debe sentarse y trazar un plan. Controle sus hábitos de gastos. Minimice sus deudas y pasivos. Viva acorde a sus posibilidades, y luego increméntelas. Averigüe cuánto necesita invertir por mes y por cuántos meses, a una tasa de rentabilidad realista, a fin de alcanzar sus metas. Metas tales como: ¿A qué edad planea dejar de trabajar? ¿Cuánto dinero necesitará por mes?

Tan sólo tener un plan a largo plazo que reduzca su deuda por consumo mientras ahorra una pequeña cantidad de dinero (periódicamente) en un fondo de inversión de primera línea, le dará un punto de partida para la obtención de riqueza al momento de su jubilación, si comienza con la suficiente anticipación y está atento a lo que hace.

En este nivel, manténgalo simple. No exagere. Olvide las inversiones sofisticadas. Invierta solamente en acciones sólidas y en fondos mutuos o fondos comunes de inversión. Aprenda pronto cómo comprar fondos de inversión cerrados, si aún no lo ha hecho. No intente ser más listo que el mercado. Utilice sabiamente los vehículos aseguradores en forma de protección, no como acumulación de riqueza. Un fondo de inversión como el Vanguard Index 500, que ha superado en el pasado a los dos tercios de la totalidad de los fondos de inversión año tras año, bien vale la pena ser utilizado como referencia. Al cabo de diez años, este tipo de fondo puede darle una rentabilidad que exceda en un 90 por ciento a la de los administradores "profesionales" de fondos de dinero. Pero recuerde siempre, no existe inversión "cien por ciento segura." Los fondos de inversión de índice tienen sus propios defectos trágicos.

Deje de esperar "el gran negocio". Entre al "juego" con pequeños negocios (como mi primer condominio pequeño que me permitió comenzar a invertir apenas unos pocos dólares). Al principio, no se preocupe por hacerlo bien o mal, tan sólo comience. Va a aprender mucho más una vez que ponga allí algo de dinero... tan sólo un poco, como para comenzar. El dinero tiene una forma de aumentar la inteligencia con rapidez. El temor y la duda la retrasan. Usted siempre puede moverse a un juego mayor, pero nunca puede recuperar el tiempo y la capacitación que perdió por esperar para hacer lo correcto o para hacer el gran negocio. Recuerde, pequeños negocios a menudo conducen a grandes negocios... pero debe comenzar.

Comience hoy, no espere. Corte con sus tarjetas de crédito, deshágase de las cosas superfluas, y entre en contacto con un fondo de inversión sencillo (aunque no hay tal cosa como fondo "sencillo"). Siéntese con sus seres queridos y tracen un plan, contacten a un consultor financiero, o diríjase a la biblioteca y lea sobre planificación financiera, y comience a ahorrar dinero para usted, (aunque sólo sean u$s 50 por mes). Cuanto más espere, más desperdiciará uno de sus bienes más preciados... el tiempo, un bien intangible e inapreciable.

Una nota interesante. El Nivel 4 es de donde provienen la mayoría de los millonarios de los Estados Unidos. El libro El millonario de al lado (The millonaire next door) describe al millonario tipo conduciendo su Ford Taunus, dueño de una empresa, y viviendo de acuerdo a sus posibilidades. Estudian o están informados sobre inversiones, tienen un plan, e invierten para el largo plazo. No hacen nada desorbitado, riesgoso o seductor cuando se trata de invertir. Son verdaderos conservadores y sus hábitos financieros bien equilibrados son lo que los vuelve ricos y exitosos a largo plazo.

Para las personas a quienes no les gusta arriesgarse, y prefieren concentrarse en su profesión, trabajo o carrera, en lugar de pasar tanto tiempo estudiando el tema de invertir, el Nivel 4 es una obligación si quiere tener una vida financiera próspera y abundante. Para estos individuos, es aún más importante pedir asesoramiento a consultores financieros. Ellos pueden ayudarle a desarrollar su estrategia de inversión y a encauzarse por el buen camino con un patrón de inversión a largo plazo.

Este nivel de inversionista es paciente y utiliza la ventaja del tiempo. Si usted comienza temprano e invierte con regularidad, podrá lograr una riqueza excepcional. Si comienza tarde en la vida, pasados los 45, puede que este nivel no funcione, en especial desde ahora al año 2010.

¿Conoce algunos inversionistas Nivel 4? (opcional)

____

____

NIVEL 5: INVERSIONISTAS SOFISTICADOS

Estos inversionistas pueden "hacer frente" a la búsqueda de estrategias de inversión más agresivas o riesgosas. ¿Por qué? Porque tienen buenos hábitos con el dinero, una base sólida de dinero y también inteligencia financiera. No son nuevos en el juego. Ellos están enfocados, y en general tienen baja diversificación. Tienen una larga trayectoria de éxitos sobre bases consistentes, y han tenido suficientes pérdidas, lo que les proporciona la sabiduría que sólo proviene de cometer errores y aprender de ellos.

Estos son los inversionistas que a menudo compran inversiones "al por mayor" más que "al por menor". Ordenan sus propias transacciones comerciales para su uso personal. O son lo suficientemente "sofisticados" como para involucrarse en negocios que sus amigos del Nivel 6 han generado, y que requieren capital de inversión.

¿Qué determina si las personas son sofisticadas? Tienen una base financiera segura, producto de sus profesiones, negocios, o ingresos de su jubilación, o cuentan con una base de inversiones conservadora y sólida. Estas personas tienen bajo control su propia ecuación deuda/patrimonio, lo que significa que tienen muchos más ingresos que gastos. Están bien instruidos en el mundo de la inversión y siempre buscan nueva información. Son cautelosos, pero no cínicos, y siempre mantienen su mente abierta.

Arriesgan menos del 20 por ciento del total de su capital en sus aventuras especulativas. A menudo comienzan poco a poco, poniendo una pequeña cantidad de dinero, para así poder aprender el negocio de invertir, sean acciones, adquisición de un negocio, una corporación de bienes raíces, compra de juicios hipotecarios, etc. Si perdieran ese 20 por ciento, esto no les causaría daño ni les sacaría el alimento de la mesa. Verán la pérdida como una lección, aprenderán de ella, y volverán al juego para aprender más, sabiendo que el fracaso es parte del proceso del éxito. Si bien detestan perder, no tienen miedo de hacerlo. Perder los inspira para seguir adelante, para aprender, más que para sumergirse en su cueva emocional y llamar a su abogado.

Si las personas son sofisticadas, pueden crear sus propios negocios con un retorno que va desde un 25 por ciento hasta el infinito. Se los clasifica como sofisticados porque tienen el dinero extra, un equipo de consultores profesionales cuidadosamente seleccionados, y una trayectoria para probarlo.

Como mencionara anteriormente, los inversores en este nivel arman sus propias transacciones comerciales. Así como hay quienes compran computadoras directamente del estante del minorista, hay algunas personas que compran componentes y crean su propio sistema de computación personalizado. Los inversionistas del Nivel 5 pueden ensamblar sus inversiones uniendo los distintos componentes.

Estos inversores saben que los mercados o momentos económicos malos les ofrecen las mejores oportunidades para el éxito. Ingresan a los mercados cuando otros están saliendo. Por lo general saben cuándo salir. En este nivel, una estrategia de salida es más importante que entrar al mercado.

Tienen en claro sus propios "principios" y sus "reglas" de inversión. El vehículo de su elección podría ser bienes raíces, papeles, negocios, quiebras o nuevas emisiones de acciones. Aunque se arriesgan mucho más que las personas comunes, aborrecen el juego. Tienen un plan y metas específicas. Estudian a diario. Leen el periódico, revistas, se suscriben a boletines sobre inversiones y concurren a seminarios del tema. Participan en forma activa en la administración de sus inversiones. Comprenden el dinero, y saben cómo tenerlo trabajando para ellos. Su objetivo principal es aumentar su activo, más que invertir para tener unos pocos dólares extra para gastar. Reinvierten sus ganancias para construir una base mayor de activos. Saben que construir una base sólida de activos que produzcan un alto rendimiento en efectivo o alta rentabilidad, con un mínimo de exposición tributaria, es el camino hacia una gran riqueza a largo plazo.

A menudo enseñan estos conceptos a sus hijos y así traspasan la fortuna familiar a las generaciones venideras bajo la forma de corporaciones, fideicomisos y sociedades. Poseen muy poco en lo personal. No hay nada a su nombre tanto por motivos impositivos, como para protegerse de los Robin Hoods que creen en eso de sacar a los ricos para darle a los pobres. Pero aunque no poseen nada, controlan todo a través de corporaciones. Controlan a las entidades legales poseedoras de sus activos.

Tienen un consejo directivo personal que los ayuda a administrar sus activos. Escuchan consejos y aprenden. Este consejo informal de directores lo conforma un equipo de banqueros, contadores, abogados y corredores. Gastan pequeñas fortunas en asesoramiento profesional sólido no sólo para aumentar su riqueza sino también para protegerla de familia, amigos, juicios y gobierno. Aún después de su muerte, mantienen su riqueza bajo control. Se conoce a estas personas como "organizadores del dinero". Aún después de muertos, continúan dirigiendo el destino del dinero que crearon.

¿Conoce algunos inversionistas Nivel 5? (opcional)

____

____

NIVEL 6: CAPITALISTAS

Pocas personas en el mundo alcanzan este nivel de excelencia en la inversión. En los Estados Unidos, menos de una persona en cien es un verdadero capitalista. Esta persona es un excelente "D" así como un "I" porque él o ella pueden crear un negocio y una oportunidad de inversión en forma simultánea.

El propósito de un capitalista es hacer más dinero orquestando en forma sinérgica el dinero, el talento, y el tiempo de otras personas. A menudo son los "promotores y organizadores" que le permiten a Estados Unidos y otros grandes países convertirse en grandes potencias financieras. Son los Kennedys, Rockefellers, Fords, J. Paul Gettys, y Ross Perots. Son los capitalistas quienes proveen el dinero que crea los empleos, los negocios, y los bienes que traen prosperidad a un país.

Los inversores del Nivel 5 por lo general crean inversiones solamente para su propia cartera y utilizan su propio dinero. Los verdaderos capitalistas, por el contrario, crean inversiones para sí mismos y para otros, utilizando los talentos y finanzas de terceros. Los verdaderos capitalistas crean inversiones y las venden al mercado. Los verdaderos capitalistas no necesitan dinero para ganar dinero sencillamente porque saben cómo emplear el dinero y el tiempo de otros. Los inversionistas del Nivel 6 crean las inversiones que otros compran.

A menudo hacen que otros se enriquezcan, crean empleos, y hacen que las cosas sucedan. Cuando la economía va bien, a los verdaderos capitalistas les va bien. Cuando la economía va mal, los verdaderos capitalistas se enriquecen más aún. Los capitalistas saben que el caos económico significa nuevas oportunidades. A menudo se involucran tempranamente en un proyecto, producto, compañía o país, años antes de que la masa lo descubra. Cuando lea en los periódicos acerca de un país con problemas o en guerra o en medio de una catástrofe, puede estar seguro que un verdadero capitalista pronto va a estar ahí, si es que aún no lo está. Un verdadero capitalista estará allí mientras la mayoría de la gente estará diciendo: "Apártense. Ese país, o ese negocio, está convulsionado. Es demasiado riesgoso."

Se espera una rentabilidad del cien por ciento, a infinito. Y eso es porque saben cómo manejar el riesgo y cómo ganar dinero sin dinero. Pueden hacerlo porque saben que el dinero no es una cosa, sino tan sólo una idea creada en sus mentes.

Si bien estas personas tienen los mismos temores que tiene todo el mundo, utilizan ese temor y lo convierten en emoción. Convierten el temor en nuevo conocimiento y nueva riqueza. Su juego en la vida es el juego del dinero ganando dinero. Aman el juego del dinero más que cualquier otro juego... más que el golf, la jardinería o haraganear. Este es el juego que les da vida. Así estén ganando o perdiendo dinero, siempre los escuchará diciendo, "Amo este juego". Eso es lo que los hace capitalistas.

Al igual que los del Nivel 5, los inversionistas en este nivel también son "organizadores del dinero". Cuando estudie a la mayoría de las personas en este nivel, a menudo va a encontrar que son generosos con sus amigos, familia, iglesia y con la educación. Observe a alguna de las personas famosas que fundaron nuestras reconocidas instituciones de enseñanza. Rockefeller ayudó a crear la Universidad de Chicago, y J. P. Morgan influyó en Harvard con mucho más que dinero. Otros capitalistas que dieron sus nombres a las instituciones que ayudaron a fundar son: Vanderbilt, Duke y Stanford. Ellos representan no sólo a los grandes capitanes de la industria sino también de la educación.

Actualmente, Sir John Templeton ayuda generosamente a la religión y a la espiritualidad, y George Soros dona cientos de millones para las causas en las que él cree. No olvidemos tampoco a la Fundación Ford y a la Fundación Getty, y a la promesa de Ted Turner de donar mil millones de dólares a las Naciones Unidas.

Por eso, contrariamente a lo que puedan decir muchos intelectuales cínicos y críticos en nuestras escuelas, gobierno, iglesia y en nuestros medios de comunicación, los verdaderos capitalistas han contribuido de muchas más maneras que la de sólo ser capitanes de la industria, ofrecer empleos y ganar mucho dinero. Para crear un mundo mejor, necesitamos más capitalistas, no menos, como muchos cínicos querrían hacerle creer.

En realidad, hay más cínicos que capitalistas. Cínicos que hacen mucho ruido y mantienen a millones de personas en el temor, buscando la seguridad en vez de la libertad. Como dice siempre mi amigo Keith Cunningham, "Nunca he visto una estatua erigida a un cínico, o una universidad fundada por un cínico."

¿Conoce algunos inversionistas Nivel 6? (opcional)

____

____

ANTES DE CONTINUAR LEYENDO

Esto completa la explicación del *Cuadrante del FLUJO de DINERO*. Este último capítulo trató sobre la sección "I" del Cuadrante. Antes de continuar, aquí va otra pregunta:

1. ¿Qué nivel de inversor es usted?

Si usted es verdaderamente sincero en lo que hace a obtener riqueza en forma rápida, lea y relea los siete niveles. Cada vez que yo los leo, veo un poco de mí mismo en todos los niveles. No sólo reconozco las fortalezas sino también, como dice Zig Ziglar, "los defectos de carácter" que me impidieron hacer cosas. El camino hacia una gran riqueza financiera es "fortalecer sus fortalezas" y enfrentar sus defectos de carácter. Y la forma de hacerlo es en primer lugar reconocerlos, en lugar de aparentar que uno carece de ellos.

Todos queremos pensar lo mejor acerca de nosotros mismos. He soñado con ser un capitalista del Nivel 6 durante la mayor parte de mi vida. Supe que esto era lo que quería llegar a ser a partir del momento en que mi padre rico me explicó las similitudes entre un recolector de acciones y una persona que apuesta a los caballos. Pero después de estudiar los distintos niveles de esta lista, pude ver los defectos de carácter que me frenaban. Y aunque hoy opero como inversor del Nivel 6, continúo leyendo y releyendo los siete niveles y trabajo en mi propio mejoramiento.

Encontré defectos de carácter en mí a partir del nivel 3-C, los cuales siempre asomaban sus horribles cabezas en momentos de presión. El jugador en mí era bueno, pero también era malo. Pero con la ayuda de mi esposa y amigos, y con enseñanza adicional, comencé de inmediato a enfrentar mis defectos de carácter y a convertirlos en fortalezas. Mi efectividad como inversionista Nivel 6 mejoró de inmediato.

Aquí va otra pregunta para usted:

2. ¿Qué nivel de inversionista desea o necesita ser en el futuro cercano?

Si su respuesta a la pregunta Nro. 2 es la misma que la de la pregunta Nro. 1, entonces usted está donde quiere estar. Si es feliz donde se encuentra, en lo referente a ser un inversor, entonces no tiene necesidad de seguir leyendo este libro. Por ejemplo, si hoy es un sólido inversionista Nivel 4 y no desea llegar a ser un Nivel 5 o Nivel 6, entonces no siga leyendo. Una de las mayores alegrías en la vida es ser feliz donde uno está. ¡Felicitaciones!

ADVERTENCIA

Cualquiera que tenga por meta llegar a ser un inversionista Nivel 5 ó 6, debe PRIMERO desarrollar sus habilidades como inversor en el Nivel 4. Este nivel no puede ser salteado, en su paso a los niveles 5 ó 6. Cualquiera que intente llegar a ser inversionista Nivel 5 ó 6 sin las habilidades de un inversor Nivel 4, es en realidad un inversionista Nivel 3... ¡Un jugador!

Si aún quiere y necesita saber más financieramente y continúa interesado en la búsqueda de su libertad financiera, continúe leyendo. Los capítulos que siguen se centrarán principalmente en las características de los que se ubican en los cuadrantes "D" e "I". En estos capítulos aprenderá cómo moverse con facilidad y bajo riesgo desde el lado izquierdo hacia el lado derecho del Cuadrante. El cambio desde el lado izquierdo hacia el derecho continuará centrándose en los activos intangibles que hacen posible los activos tangibles en el lado derecho del Cuadrante.

Antes de continuar, tengo una última pregunta: para pasar de carecer de hogar a ser millonarios en menos de 10 años, ¿qué nivel de inversionistas cree usted que Kim y yo tuvimos que ser? La respuesta se encuentra en el próximo capítulo, en el que compartiré algunas experiencias de aprendizaje de mi viaje personal hacia la libertad financiera.

* home run, en el baseball, punto logrado -por carrera a base. (N. de E.)

** strike out, en el baseball, punto perdido -por pelota afuera. (N. de E.)

CAPÍTULO 6

Usted no puede ver el dinero con sus ojos

Hacia fines de 1974, compré un pequeño condominio en la periferia de Waikiki, como una de mis primeras inversiones en propiedades. El precio fue de u$s 56.000, por un precioso dos dormitorios-un baño en un edificio tipo. Era una unidad perfecta para alquilar... y sabía que se alquilaría pronto.

Conduje hasta la oficina de mi padre rico, eufórico por mostrarle el trato.

Echó un vistazo a los documentos y en menos de un minuto me miró y preguntó: "¿Cuánto dinero vas a perder mensualmente?"

"Alrededor de u$s 100 por mes," dije.

"No seas tonto," dijo padre rico. "No he analizado los números, pero ya puedo decirte por los documentos que vas a perder mucho más que eso. Y, además, ¿Por qué diablos inviertes a sabiendas en algo que da pérdida?"

"Bueno, la unidad se veía bien, y pensé que era un buen negocio. Un poco de pintura y el lugar estaría como nuevo, " dije.

"Eso no justifica perder dinero a sabiendas," padre rico sonrió con desdén.

"Bueno, mi agente de bienes raíces me dijo que no me preocupara por perder dinero todos los meses. Dijo que el precio de esta unidad se iría al doble en unos pocos años; además, el gobierno me da un crédito fiscal por el dinero que pierdo. Y más allá de eso, era tan buen negocio que temí que alguien más lo comprara si yo no lo hacía."

Padre rico se paró y cerró la puerta de su oficina. Cuando hizo eso, supe que algo se me venía encima así como que me enseñaría una lección importante. Yo ya había pasado antes por esa clase de sesiones educativas.

"Entonces, ¿cuánto dinero vas a perder por mes?," preguntó una vez más.

"Alrededor de u$s 100 por mes," repetí nervioso.

Padre rico movió la cabeza mientras examinó los documentos. La lección estaba por comenzar. Aquel día, aprendí más sobre dinero e inversiones de lo que había aprendido en mis anteriores 27 años de vida. Papá rico estaba feliz de que yo hubiera tomado la iniciativa e invertido en una propiedad... pero había cometido algunos errores graves que podían haber sido un desastre financiero. No obstante, las lecciones que aprendí a partir de esa inversión me hicieron ganar millones a lo largo de los años.

EL DINERO SE VE CON TU MENTE

"No es lo que tus ojos ven," dijo padre rico. "Un bien inmueble es un bien inmueble. Un certificado de acción de una empresa es un certificado de acción de una empresa. Puedes ver esas cosas. Pero lo importante es lo que no puedes ver. Es el negocio, el acuerdo financiero, el mercado, la administración, los factores de riesgo, el flujo de dinero, la estructura corporativa, las leyes impositivas y mil cosas más que hacen que algo sea o no una buena inversión."

Luego comenzó a echar por tierra el negocio con preguntas. ¿Por qué habrías de pagar una tasa de interés tan alta? ¿Qué rentabilidad supones que producirá tu inversión? ¿Cómo cuadra esta inversión en tu estrategia financiera a largo plazo? ¿Qué porcentaje de ocupación utilizas? ¿Cuál es tu tasa tope? ¿Has revisado el historial de tasas de evaluación de la asociación? ¿Has tenido en cuenta los costos administrativos? ¿Qué porcentaje utilizaste para calcular las reparaciones? ¿Sabías que la ciudad ha anunciado recientemente que levantará las calles en esa área y que cambiará el esquema del tránsito? Una carretera correrá justo frente a tu edificio. Los residentes se están mudando para evitar el proyecto que tomará un año. ¿Lo sabías? Sé que la tendencia del mercado hoy está en alza, pero ¿sabes qué es lo que impulsa dicha tendencia? ¿Los asuntos económicos o la avaricia? ¿Por cuánto tiempo crees que la tendencia estará en alza? ¿Qué pasa si no alquilas ese lugar? Y en caso de que no lo hagas, ¿cuánto tiempo puedes mantenerlo y mantenerte a flote? Y nuevamente, ¿qué pasa en tu cabeza que te hace pensar que perder dinero es un buen negocio? En verdad, esto me deja preocupado."

"Parecía un buen negocio," dije desalentado.

Padre rico sonrió, se paró y me estrechó la mano. "Estoy contento porque tomaste acción," dijo. "La mayoría de la gente piensa, pero nunca hace. Si haces algo, cometes errores, y es a partir de nuestros errores que aprendemos mucho más. Recuerda que algo muy importante no se puede aprender realmente en el aula. Se debe aprender actuando, cometiendo errores, y luego corrigiéndolos. Así es como se afianza la sabiduría."

Me sentí un poco mejor, y ahora estaba listo para aprender.

"La mayoría de la gente," dijo papá rico, "invierte un 95 % con sus ojos y un 5 % con su mente."

Padre rico continuó explicando que la gente mira un inmueble, o el nombre de una acción, y a menudo toman su decisión a partir de lo que sus ojos ven o de lo que les dice un corredor de bolsa, o por un pronóstico fiable de un compañero de trabajo. A menudo compran desde lo emocional y no desde lo racional.

"Por eso 9 de cada 10 inversores no ganan dinero," dijo padre rico. "Si bien no necesariamente pierden dinero, tampoco lo ganan. Ellos salen como entraron, ganando algo y perdiendo algo. Eso es porque invierten con sus ojos y emociones, en lugar de con su mente. Muchas personas invierten porque quieren hacerse ricas rápidamente. Pero en lugar de ser inversores, terminan siendo soñadores, timadores, jugadores y sinvergüenzas. El mundo está lleno de ellos. Así que tomemos asiento, regresemos al mal negocio que has adquirido, y te enseñaré cómo convertirlo en un negocio ganador. Comenzaré por enseñarle a tu mente a ver lo que tus ojos no pueden."

DE MALO A BUENO

A la mañana siguiente, volví a lo del agente de bienes raíces, rechacé el contrato y reabrí la negociación. No fue un proceso agradable, pero aprendí mucho.

Tres días después, regresé a ver a mi padre rico. El precio había quedado igual, el agente cobró la totalidad de su comisión, porque lo merecía. Trabajó mucho por ello. Pero aunque el precio quedaba igual, los términos de la inversión fueron sustancialmente distintos. Mediante la renegociación de la tasa de interés, condiciones de pago y el plazo de amortización, en lugar de perder dinero, ahora estaba seguro de obtener una ganancia neta de u$s 80 por mes, aún luego de considerar factores como gastos administrativos y posibles fluctuaciones en la tasa de vacantes referente a alquileres. Podía inclusive rebajar mi renta y aún ganar dinero, si el mercado comenzaba a andar mal. Y definitivamente aumentaría la renta si el mercado mejoraba.

"Estimé que ibas a perder por lo menos u$s 150 mensuales," dijo padre rico. Probablemente más. Si hubieras continuado perdiendo u$s 150 por mes, de acuerdo con tu sueldo y gastos, ¿cuántos de estos negocios podrías permitirte?"

"Uno apenas," contesté. "No todos los meses tengo u$s 150 extra. Si hubiese hecho el negocio original, habría estado todos los meses ajustado financieramente. Aún después del crédito fiscal. Incluso podría haber tenido que conseguir otro trabajo más para pagar esta inversión."

"Y ahora, ¿cuántos de estos negocios con un flujo de dinero de u$s 80 a favor puedes permitirte?," preguntó padre rico.

Sonreí y dije: "todos los que quiera."

Padre rico asintió con un gesto de aprobación. "Ahora ve y haz muchos más."

Unos pocos años después, los precios de las propiedades se dispararon en Hawai. Pero en lugar de tener tan sólo una propiedad con su valor incrementado, tenía siete que valían el doble. Ese es el poder de un mínimo de inteligencia financiera.

"NO PUEDES HACER ESO"

Una importante nota al margen, referente a mi primera inversión inmobiliaria: cuando planteé mi nueva oferta al agente de bienes raíces, todo lo que me dijo fue, "usted no puede hacer eso."

Lo que llevó más tiempo fue convencer al agente para que comenzara a pensar de qué manera podríamos hacer lo que yo quería que se hiciera. En todo caso, aprendí muchas lecciones a partir de esta inversión, y una de esas lecciones fue darme cuenta de que cuando alguien le dice, "usted no puede hacer eso," puede que tengan un dedo señalándolo a usted... pero tienen tres dedos señalándose a sí mismos.

Padre rico me enseñó que "usted no puede hacer eso" no significa necesariamente "tú no puedes". La mayoría de las veces significa que "ellos no pueden."

Un ejemplo clásico tuvo lugar hace muchos años cuando la gente le dijo a los hermanos Wright: "no pueden hacer eso". Gracias a Dios, los hermanos Wright no escucharon.

u$s 1.4 TRILLONES EN BUSCA DE UN HOGAR

1.4 trillones de dólares giran electrónicamente alrededor del planeta diariamente, y esta cifra va en aumento. Hoy en día hay mucho dinero creado y disponible, como nunca antes. El problema es que el dinero es invisible. En la actualidad, la mayor parte del dinero es electrónico. Por eso cuando la mayoría de la gente busca el dinero con los ojos, no logra ver nada. Muchas personas luchan para vivir de sueldo en sueldo, sin embargo, 1.4 trillones de dólares vuelan a diario alrededor del mundo en busca de alguien que los quiera. Buscando a alguien que sepa cómo cuidarlos, nutrirlos y hacerlos crecer. Si usted sabe cómo cuidar el dinero, el dinero le vendrá a granel, se abalanzará sobre usted. La gente le rogará que lo tome.

Pero si no sabe cuidarlo, el dinero permanecerá lejos de usted. Recuerde la definición de padre rico referente a inteligencia financiera: "No se trata de cuánto dinero gana, sino de cuánto dinero conserva, cuán intensamente trabaja ese dinero para usted, y para cuántas generaciones lo conserva."

EL CIEGO QUE GUÍA AL CIEGO

Padre rico decía: "Cuando invierte, la persona promedio es 95 % ojos y tan sólo 5% mente. Si quieres llegar a ser un profesional del lado "D" e "I" del Cuadrante, necesitas entrenar tus ojos para que sean el 5 % solamente, y tu mente para que vea el otro 95 %. Padre rico continuó explicando que las personas que entrenaban su mente para ver el dinero tenían un poder inmenso sobre quienes no lo hacían.

Se mostraba inflexible respecto a las personas que yo elegía para asesorarme financieramente. "La razón por la que la mayor parte de la gente lucha financieramente es porque se asesoran con personas que también son mentalmente ciegos para el dinero. Es la clásica historia del ciego que guía a otro ciego. Si quieres que el dinero venga hacia ti, debes aprender cómo cuidarlo. Si el dinero no está primero en tu cabeza, no se pegará a tus manos. Si no se pega a tus manos, tanto el dinero como la gente con dinero se mantendrán lejos de ti."

ENTRENE SU MENTE PARA QUE VEA EL DINERO

Entonces, ¿cuál es el primer paso para entrenar su mente para que vea el dinero? La respuesta es fácil. La respuesta es alfabetización financiera. Esta comienza con la habilidad para comprender las palabras y los sistemas numéricos del capitalismo. Si no comprende las palabras o los números, sería igual que estar hablando un idioma extranjero... y en muchos casos, cada cuadrante representa un idioma extranjero.

Si observa *El Cuadrante del FLUJO DE DINERO*, verá que cada cuadrante es co-

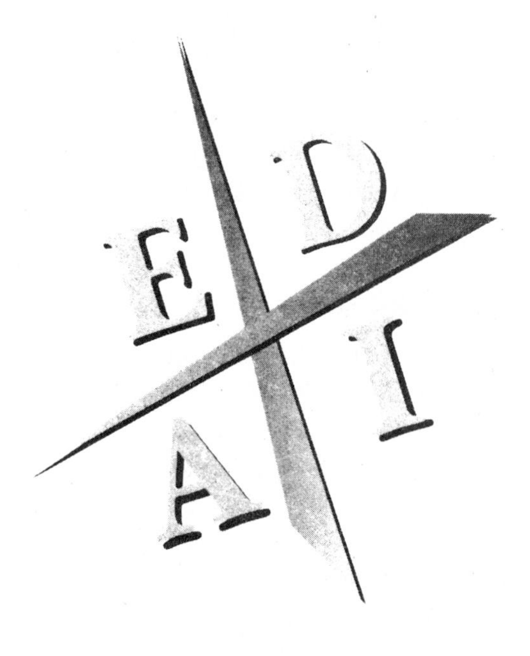

mo un país distinto. No todos ellos utilizan el mismo idioma, y si no entiende las palabras, no comprenderá los números.

Por ejemplo, si un médico común le dice, "Su sistólica es 120 y su diastólica es 80." ¿Es eso bueno o malo? ¿Es todo lo que necesita saber sobre su salud? Obviamente la respuesta es "no". Sin embargo, es un comienzo.

Sería como preguntar, "Mi porcentaje de ganancia por acción es 12, y el índice máximo de rendimiento de mi apartamento es 12. ¿Es esto todo lo que necesito saber para tener riqueza? Nuevamente, la respuesta es "no", pero es un comienzo. Por lo menos estamos comenzando a hablar con las mismas palabras y a utilizar los mismos números. Y allí es donde comienza la alfabetización financiera, que es la base de la inteligencia financiera. Comienza con el aprendizaje de los números y las palabras.

El médico está hablando desde el cuadrante "A", y la otra persona está hablando con las palabras y números del cuadrante "I". Bien podrían ser distintos idiomas extranjeros.

No estoy de acuerdo cuando alguien me dice, "Se necesita dinero para ganar dinero".

En mi opinión, la habilidad para ganar dinero con dinero comienza con la comprensión de las palabras y los números. Como decía siempre mi padre rico, "Si el dinero no está primero en tu cabeza, no se pegará a tus manos."

SEPA CUÁL ES EL RIESGO VERDADERO

El segundo paso en el entrenamiento de su mente para ver el dinero, es aprender a reconocer cuál es el riesgo verdadero. Cuando la gente me dice que invertir es riesgoso, simplemente les digo: "Invertir no es riesgoso. Lo que es riesgoso es no estar capacitado."

Invertir es parecido a volar. Si usted ha asistido a una escuela de vuelo y pasó cierto número de años adquiriendo experiencia, entonces volar es divertido y excitante. Pero si usted jamás fue a una escuela de vuelo, yo le recomendaría que deje el vuelo para otra persona.

UN MAL CONSEJO ES RIESGOSO

Padre rico creía firmemente que cualquier consejo financiero era mejor que ninguno. Era un hombre de mente abierta. Era muy cortés y escuchaba a muchas personas. Pero en última instancia, confiaba en su propia inteligencia financiera para tomar sus decisiones: "Si no sabes algo, entonces cualquier consejo es mejor que nada. Pero si desconoces la diferencia entre un mal consejo y uno bueno, eso entonces es riesgoso."

Padre rico creía firmemente que la mayoría de las personas luchaban financieramente porque operaban basados en la información financiera pasada de padre a hijo... y la mayoría de las personas no provienen de familias de conocida trayectoria financiera. "Un mal consejo financiero es riesgoso, y gran parte de los malos consejos son recibidos en el propio hogar," decía a menudo. "No por lo que se dice, sino por lo que se hace. Los niños aprenden más a través de ejemplos que de palabras."

SUS ASESORES SON IGUAL DE INTELIGENTES QUE USTED

Padre rico decía, "Tus asesores sólo pueden ser tan inteligentes como tú. Si no eres inteligente, no pueden decirte mucho. Si estás bien instruido financieramente, asesores competentes pueden darte consejos financieros más sofisticados. Si eres ingenuo financieramente, deben ofrecerte, de acuerdo con la ley, estrategias financieras seguras. Si eres un inversionista poco sofisticado, sólo pueden ofrecerte inversiones de bajo riesgo y bajo rendimiento. A menudo, a los inversores poco sofisticados les recomendarán "diversificación". Pocos asesores elegirán tomarse el tiempo para enseñarte. Su tiempo también es dinero. De manera que si te haces cargo de tu propia capacitación financiera y administras bien tu dinero, entonces un asesor competente puede informarte sobre inversiones y estrategias que sólo unos pocos verán alguna vez. Pero primero, debes hacer tu parte a fin de capacitarte. Recuerda siempre, tu asesor sólo puede ser igual de inteligente que tú."

¿ESTÁ MINTIÉNDOLE SU BANQUERO?

Padre rico operaba con varios banqueros. Eran una parte importante de su equipo financiero. Si bien tenía una buena amistad con ellos y los respetaba, siempre sentía que tenía que estar atento a sus mejores intereses... así como esperaba que los banqueros lo estuvieran en relación a los suyos.

Después de mi experiencia de inversión en 1974, me preguntó esto: "Cuando un banquero te dice que tu casa es un activo, ¿te está diciendo la verdad?"

Dado que la mayoría de las personas no están capacitadas financieramente y desconocen el juego del dinero, a menudo deben aceptar la opinión y el consejo de personas en las que tienden a confiar. Si no está capacitado financieramente, entonces necesita confiar en alguien que usted espera que sí lo esté. Muchas personas invierten o administran su dinero basándose en las recomendaciones de otros más que en las propias. Y eso es riesgoso.

NO ESTÁN MINTIENDO... SIMPLEMENTE NO LE ESTÁN DICIENDO LA VERDAD

El hecho es que, cuando un banquero le dice que su casa es un activo, no está mintiéndole en realidad. Sólo que no le está diciendo toda la verdad. Si bien su casa es un activo, sencillamente no le dice de quién es ese activo. Porque si usted lee los estados financieros, es fácil ver que su casa no es un activo suyo. Es un activo del banco. Recuerde las definiciones de mi padre rico en *Padre Rico Padre Pobre** referentes a un activo y a un pasivo:

"Un activo pone dinero en mi bolsillo."

"Un pasivo saca dinero de mi bolsillo."

Las personas en el lado izquierdo del Cuadrante no necesitan en realidad conocer la diferencia. La mayoría de ellos están felices de sentirse seguros en sus empleos, tienen una linda casa que creen que poseen, se sienten orgullosos por eso, y piensan que tienen el control. Nadie se las quitará en tanto realicen sus pagos. Y ellos hacen esos pagos.

Pero las personas en el lado derecho del Cuadrante necesitan saber la diferencia. Ser instruido e inteligente financieramente implica poder comprender el gran panorama del dinero. Las personas astutas financieramente saben que una hipoteca no se muestra en su balance como un activo, sino como un pasivo. De hecho, su hipoteca se muestra como un activo en una hoja de balance de la ciudad. Se muestra como un activo en la hoja de balance del banco... no en la suya.

Su Hoja de Balance

Activo	Pasivo
	Hipoteca

Cualquiera que sepa contabilidad sabe que un balance debe estar balanceado. Pero ¿dónde balancea? En realidad no balancea en su hoja de balance. Si mira la hoja de balance del banco, ésta es la historia que los números muestran en realidad:

Hoja de Balance del Banco

Activo	Pasivo
Su Hipoteca	

Ahora sí balancea. Ahora tiene sentido. Está es la contabilidad de un "D" o un "I". Pero en contabilidad elemental, no se enseña de esta manera. En contabilidad usted mostraría el "valor" de su casa como un activo y la hipoteca como un pasivo. También es importante señalar que el "valor" de su casa es una opinión que fluctúa con el mercado, mientras que su hipoteca es un pasivo definido, al que el mercado no afecta. Sin embargo para un "D" o un "I", el "valor" de su casa no es considerado un activo porque no genera flujo de dinero.

¿QUÉ SUCEDE SI SALDA SU HIPOTECA?

Muchos me preguntan: "¿Qué sucede si saldo mi hipoteca? ¿Es entonces mi casa un activo?"

Y mi respuesta es: "En la mayor parte de los casos, la respuesta sigue siendo 'no'. Todavía es un pasivo."

Hay muchas razones para mi respuesta. Una es el cuidado y mantenimiento general. La propiedad es como un automóvil. Aunque esté libre de deudas, aún así operarlo cuesta dinero... y una vez que las cosas empiezan a deteriorarse, todo comienza a deteriorarse. Y en la mayoría de los casos, la gente paga las reparaciones de su casa y de su automóvil con dólares a posteriori del pago de impuestos. Una persona en los cuadrantes "D" e "I" únicamente incluye la propiedad como un activo si ésta genera ingresos mediante flujo de efectivo positivo.

Pero la razón principal por la que una casa, aún sin hipoteca, sigue siendo un pasivo, es porque usted incluso así no la posee... en realidad. El gobierno aún la grava con impuestos... aunque usted la posea. Tan sólo deje de pagar los impuestos de su propiedad, y nuevamente descubrirá quién la posee en realidad.

Es de ahí de donde provienen los certificados de privilegio fiscal... acerca de los cuales escribí en *Padre Rico Padre Pobre*. Los certificados de privilegio fiscal son una forma excelente de recibir al menos 16% de interés por su dinero. Si los propietarios no pagan los impuestos de la propiedad, el gobierno les carga intereses sobre los impuestos adeudados, a tasas del 10% hasta el 50%. Y hablan de usura... Si usted no paga los impuestos de la propiedad, y alguien como yo los paga en su lugar... entonces, en muchos estados, usted me debe a mí los impuestos más los intereses. Si usted no paga los impuestos y el interés dentro de un cierto período de tiempo, paso a adquirir su casa sólo por el dinero que puse. En la mayoría de los estados, los impuestos a la propiedad tienen prioridad sobre el repago, incluso sobre la hipoteca del banco. He tenido la oportunidad de comprar casas por las que pagué los impuestos, por menos de u$s 3.500.

LA DEFINICIÓN DE BIENES RAÍCES

Nuevamente, para ser capaz de ver el dinero, usted debe verlo con su mente, no con sus ojos. A fin de entrenar su mente, debe conocer las definiciones verdaderas de las palabras, y el sistema de números.

Por ahora, usted debería saber la diferencia entre un activo y un pasivo, y debería conocer la definición de la palabra "hipoteca", que es un "contrato hasta la muerte", y la palabra "finanzas", que significa penalidad. Ahora aprenderá el origen de las palabras "bienes raíces" y la de un popular instrumento financiero llamado "derivados". Mucha gente cree que los "derivados" son nuevos, pero en realidad, literalmente, son viejos como las eras.

Una definición simple de "derivado" es "algo que proviene de algo más". Un ejemplo de un derivado es el jugo de naranja. El jugo de naranja es un derivado de una naranja.

Solía pensar que "bienes raíces" (en inglés "Real Estate"), tenía que ver con "real", algo que era tangible. Padre rico me explicó que en realidad proviene del vocablo español real (el autor expresa esta última palabra en español, por su equivalente en inglés "royal"), relativo a la realeza. Camino Real (el autor lo menciona en español) significa Camino de la Realeza. "Bienes raíces" (Real Estate) significa "patrimonio de la realeza". **

Con el fin de la Era Agraria y el comienzo de la Era Industrial, alrededor del año 1500, el poder dejó de sustentarse en la tierra y en la agricultura. Los monarcas se dieron cuenta de que debían tomar un cambio de dirección como respuesta a las actas de reforma agraria que permitían a los campesinos poseer la tierra. Entonces, la realeza creó los derivados. Derivados tales como "impuestos" sobre la propiedad de la tierra, e "hipotecas" como una forma de permitir a los plebeyos financiar su tierra. Los impuestos e hipotecas son derivados, porque derivan de la tierra. Su banquero no llamaría derivado a una hipoteca; diría que está "garantizada" por la tierra... diferentes palabras, igual significado. De manera que una vez que la realeza se dio cuenta de que el dinero ya no estaba más en la tierra sino en los "derivados" que provenían de ella, los monarcas establecieron bancos para manejar el creciente negocio. Aún hoy se sigue llamando a la tierra "Bien Raíz" (Real Estate) porque, sin importar cuánto pague usted por ella, nunca le pertenecerá en realidad. Todavía pertenece a los "miembros de la realeza".

¿CUÁL ES -REALMENTE- SU TASA DE INTERÉS?

Padre rico peleaba y negociaba con firmeza cada punto de interés que pagaba. El me hizo esta pregunta: "Cuando un banquero te dice que tu tasa de interés es del 8 % anual... ¿Es cierto?" Descubrí que no lo es, si se aprende a leer los números.

Digamos que usted compra una casa por u$s 100.000, paga un adelanto de u$s 20.000, y pide prestado los u$s 80.000 restantes a su banco, a un interés del 8 % y a un plazo de 30 años.

En cinco años, usted pagará al banco un total de u$s 35.220: u$s 31.276 en concepto de intereses, y sólo u$s 3.994 por reducción de deuda.

Si termina el crédito en el plazo acordado de 30 años, habrá pagado un total de u$s 211.323 por capital e interés, menos los u$s 80.000 que pidió originariamente. Habrá pagado un total de u$s 131.323 en concepto de intereses.

A todo esto, esos u$s 211.323 no incluyen los impuestos a la propiedad ni el seguro por el préstamo,

Divertido, u$s 131.323 parece ser un poco más que el 8 % de u$s 80.000. Se parece más a un 160 % de interés a lo largo de 30 años. Como dije, no están mintiendo... sólo que no están diciendo toda la verdad. Y si usted no puede leer los números, en realidad nunca lo sabrá. Y si está feliz con su casa, lo cierto es que no va a importarle. Pero, por supuesto, la industria sabe que en unos pocos años... usted va a querer una casa nueva, más grande, más chica, una de fin de semana, o refinanciar su hipoteca. Lo saben y, por cierto, cuentan con ello.

PROMEDIO INDUSTRIAL

En la industria bancaria, la duración de una hipoteca se estima en un promedio de siete años. Esto significa, que los bancos esperan que una persona promedio compre una casa nueva o refinancie cada siete años. Y en este ejemplo, significa que ellos esperan recuperar sus u$s 80.000 originales cada siete años, más u$s 43.291 por intereses.

Y por eso se llama "hipoteca" (mortgage) que proviene del vocablo francés "mortir" o "contrato hasta la muerte". Lo cierto es que la mayor parte de la gente continuará trabajando con mucho esfuerzo, conseguirá aumentos de sueldo y comprará casas nuevas... con nuevas hipotecas. Además, el gobierno les otorga crédito fiscal para alentar a los contribuyentes a que se animen a comprar casas más caras, lo que significará mayores impuestos a la propiedad para el gobierno. Y no olvidemos el seguro, cuyo pago toda compañía hipotecaria requiere por su hipoteca.

Cada vez que miro televisión, veo avisos comerciales en las que apuestos jugadores profesionales de baseball y football sonríen y le dicen a usted que reúna toda su deuda de tarjetas de crédito y la pase a una "cuenta de préstamo consolidado". De esa manera, puede saldar todas esas tarjetas de crédito y tener un préstamo nuevo a una tasa menor de interés. Y luego le dicen por qué hacer esto es inteligente desde el punto de vista financiero: "Una cuenta de préstamo consolidado es una jugada inteligente de su parte, porque el gobierno le otorgará una deducción impositiva por los pagos de intereses que realice por la hipoteca de su casa."

Los espectadores, creyendo ver la luz, corren a su compañía financiera, refinancian sus casas, saldan sus tarjetas de crédito y se sienten inteligentes.

Pocas semanas después, andan de compras por ahí y ven un vestido nuevo, una cortadora de césped nueva, o se dan cuenta de que los chicos necesitan una bicicleta nueva, o necesitan salir de vacaciones porque están exhaustos. Sucede que ahora tienen una tarjeta de crédito limpia... o que repentinamente reciben por correo una nueva tarjeta de crédito porque saldaron la otra. Tienen un crédito excelente, pagan sus cuentas, sus corazoncitos se aceleran, y se dicen a sí mismos: "Oh, vamos. Lo mereces. Puedes pagar un poco todos los meses."

Las emociones sobrepasan la lógica, y la tarjeta de crédito limpia sale a relucir.

Como dije, cuando los banqueros dicen que su casa es un activo... no están mintiendo. Cuando el gobierno le otorga un crédito fiscal por estar endeudado, no es porque le interese el futuro financiero –de usted. Al gobierno le interesa su propio futuro financiero. De manera que cuando su banquero, su contador, su abogado y sus maestros le dicen que su casa es un activo, sólo se equivocan al decir de quién es ese activo.

¿QUÉ PASA CON LOS AHORROS? ¿SON ACTIVOS?

Bien, sus ahorros son verdaderos activos. Esa es la buena noticia. Pero nuevamente, si lee los estados financieros, verá el cuadro completo. Si bien es cierto que sus ahorros son activos, cuando observa la hoja de balance del banco, a través de la ciudad, sus ahorros aparecen como un pasivo. Así es como aparecen sus ahorros y su chequera en su columna de activo:

Su Hoja de Balance

Activo	Pasivo
Ahorros	
Chequera	

Y así es como sus ahorros y su chequera se ingresan en la hoja de balance del banco:

Hoja de Balance del Banco

Activo	Pasivo
	Sus Ahorros
	Su Chequera

¿Por qué sus ahorros y chequera son un pasivo para el banco? Ellos tienen que pagarle intereses por su dinero, y les cuesta dinero salvaguardarlo.

Si puede captar el significado de estos pocos conceptos y palabras, podría comenzar a comprender mejor lo que los ojos no pueden ver acerca del juego del dinero.

¿POR QUÉ NO LE DAN UN CREDITO FISCAL POR AHORRAR DINERO?

Si observa, verá que usted obtiene un crédito fiscal por comprar una casa y endeudarse... pero no por ahorrar dinero. ¿Alguna vez se preguntó por qué?

Yo no tengo la respuesta exacta, pero puedo especular. Una gran razón, es que sus ahorros son un pasivo para el banco. ¿Por qué le pedirían al gobierno que promulgue una ley que estimule a las personas a poner dinero en sus bancos... si ese dinero sería un pasivo para ellos?

ELLOS NO NECESITAN SUS AHORROS

Además, en realidad los bancos no necesitan sus ahorros. No necesitan mucho en depósitos porque pueden multiplicar el dinero por lo menos 10 veces. Si usted deposita en el banco un billete de u$s 1, el banco, por ley, puede prestar u$s 10, y posiblemente hasta u$s 20, según los límites de reserva impuestos por el banco central. Esto significa que su simple billete de u$s 1 de pronto se convierte en u$s 10 o más. ¡Es magia! Cuando padre rico me mostró eso, me enamoré de la idea. Supe en ese instante que quería ser dueño de un banco, y no ir a la escuela para llegar a ser banquero.

Y como si fuera poco, el banco sólo debe pagarle a usted un 5 % de interés por ese dólar. Como consumidor, usted se siente seguro porque el banco le está pagando algo de dinero por su dinero. Los bancos ven esto como buenas relaciones con los clientes, porque si tiene ahorros con ellos, usted puede ir allí y pedirles dinero prestado. Ellos quieren que les pida prestado porque así pueden cargarle un 9 % o más sobre lo que pide. Mientras usted gana un 5 % sobre su dólar, el banco puede ganar 9 % o más sobre los u$s 10 de deuda que generó su simple dólar. Recientemente, recibí una nueva tarjeta de crédito que promocionaba un 8.9 % de interés... pero si usted comprendiera la jerga legal en letra chica, era en realidad un 23 %. Resulta innecesario decir que corté la tarjeta de crédito por la mitad y la devolví.

DE CUALQUIER MANERA, ELLOS OBTIENEN SUS AHORROS

El otro motivo por el que no ofrecen un crédito fiscal para los ahorros, es más obvio. Si puede leer los números y ver en qué sentido fluye el efectivo, observará que, de cualquier manera, ellos obtendrán sus ahorros. El dinero que usted podría estar ahorrando en la columna de su activo, en realidad está saliendo de la columna de su pasivo, bajo la forma de pagos por los intereses de su hipoteca registrada en la columna del activo del banco. El esquema del flujo de dinero se asemeja a éste:

Su resumen financiero:

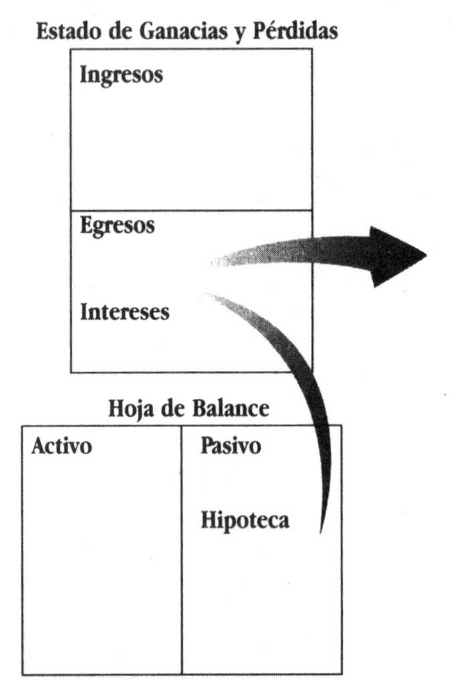

Resumen financiero de su banco:

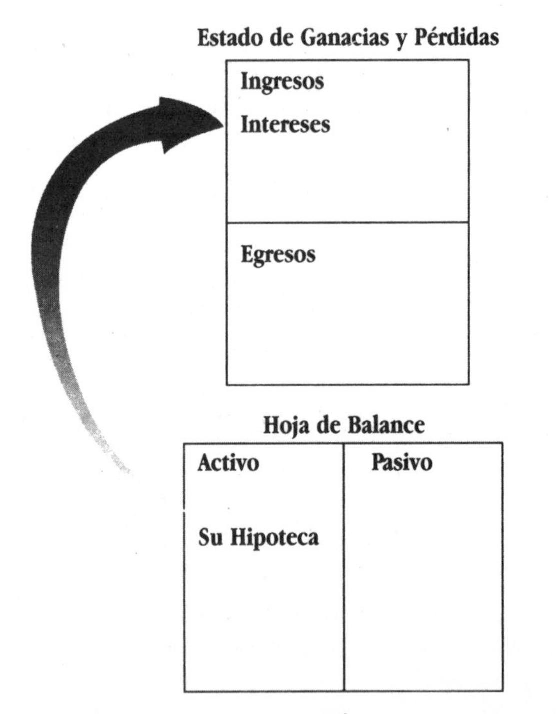

Esa es la razón por la cual ellos no requieren que el gobierno le otorgue un incentivo fiscal para que usted ahorre. De todas maneras, obtendrán sus ahorros... bajo la forma de pagos por interés sobre deuda.

Los políticos no van a interferir con el sistema porque los bancos, compañías de seguros, industria de la construcción, asociaciones de corredores de bolsa y otros, contribuyen con mucho dinero para las campañas políticas... y los políticos conocen el nombre del juego.

EL NOMBRE DEL JUEGO

En 1974, mi padre rico estaba disgustado porque el juego fue jugado en mi contra, y yo no lo sabía. Yo había comprado este inmueble como inversión y había quedado en una posición desventajosa... si bien fui inducido a creer que la mía era la posición ganadora.

"Estoy contento de que entraras al juego," dijo padre rico. "Pero como nunca nadie te dijo cuál es el juego, simplemente fuiste absorbido por el equipo perdedor."

Padre rico me explicó entonces las bases del juego. "El nombre del juego del capitalismo es ¿Quién está endeudado con quién?"

Dijo que una vez que conociera el juego, entonces podría ser un mejor jugador... en lugar de ser alguien a quien simplemente, el juego le ha pasado por encima.

CON CUANTAS MÁS PERSONAS ESTÉ USTED ENDEUDADO, MÁS POBRE ES

"Con cuantas más personas estés endeudado, más pobre eres," decía papá rico. "Y cuantas más personas te deban, más rico eres. Ese es el juego."

Como dije, me esforcé para mantener mi mente abierta. Así que me quedé en silencio y lo dejé explicar. No lo decía con malicia; sólo estaba explicando el juego como él lo veía.

"Todos le debemos a alguien más." Los problemas ocurren cuando las deudas se salen de balance. Lamentablemente, la gente pobre de este mundo ha sido arrollada de tal forma por el juego, que a menudo no pueden endeudarse ni siguiera un poco más. Lo mismo ocurre con los países pobres. El mundo simplemente toma de los pobres, los débiles, los desinformados financieramente. Si tu deuda es demasiado grande, el mundo te saca todo lo que tienes... tu tiempo, tu empleo, tu casa, tu vida, tu confianza, y si los dejas, se llevan hasta tu dignidad. Yo no armé este juego, no hago las reglas, pero lo conozco... y lo juego bien. Te lo explicaré. Quiero que aprendas a jugarlo. Luego, cuando lo hayas aprendido, podrás decidir qué hacer con lo que sabes."

EL DINERO ES DEUDA

Padre rico continuó explicando que, inclusive, nuestra moneda no es un instrumento de equidad sino un instrumento de deuda. Cada billete de dólar solía estar respaldado por oro o plata, pero actualmente es un pagaré con la garantía de ser pagado por los contribuyentes del país emisor. El mundo tendrá confianza en nuestro dólar, en tanto y en cuanto pueda contar con que el contribuyente estadounidense trabaje y pague este pagaré llamado dinero. Si ese elemento fundamental del dinero que es la confianza, desaparece repentinamente, la economía se viene abajo como una casa de naipes... y la casa de naipes se ha venido abajo muchas veces a lo largo de la historia.

Considere el ejemplo de los marcos del gobierno de la Alemania de Weimar, que se volvieron completamente inservibles antes de la 2da. Guerra Mundial. Como cuenta una historia... una anciana empujaba su viejo carrito repleto de marcos... para comprar una hogaza de pan. En un momento le dio la espalda, y alguien robó el carrito y dejó la pila de dinero sin valor en la calle.

Por eso el dinero hoy se conoce como dinero "fiat" (fiduciario: moneda de curso legal por decreto gubernamental), lo que significa que no se lo puede convertir en algo tangible... como oro o plata. El dinero sólo es bueno en tanto y en cuanto la gente confíe en el gobierno que lo respalda. La otra definición de "fiat" es "orden o decreto dictatorial emanado de una persona o grupo que ostenta una autoridad absoluta."

Gran parte de la economía global actual se basa en deuda y confianza. Mientras nos mantengamos de la mano, y nadie rompa filas, ¡todo SIN problema!... y SIN es mi acrónimo para Sentirse Inseguro Neurótico y Emocional ("FINE" Feeling Insecure Neurotic and Emotional).

"¿QUIÉN TE DEBE?"

Volviendo a 1974, cuando estaba aprendiendo cómo comprar mi condominio de u$s 56.000, mi padre rico me enseñó una lección importante sobre cómo estructurar los negocios.

Padre rico dijo: "el nombre del juego es ¿Quién está endeudado con quién?" "Y, simplemente, alguien te pegó la deuda. Es como ir a cenar con diez amigos. Vas al cuarto de baño y cuando regresas, ahí está la cuenta, pero los 10 amigos se han ido. Si vas a jugar el juego, entonces mejor apréndelo primero, conoce las reglas, habla el mismo idioma y conoce con quién estás jugando. Si no, en vez de jugar el juego, el juego se jugará contigo."

TAN SÓLO ES UN JUEGO

Al principio me enojé con lo que me dijo padre rico... pero escuché e hice lo mejor por comprender. Finalmente, lo pasó a un contexto que yo podía comprender. "Te encanta jugar football, ¿no?" preguntó.

Asentí con mi cabeza. "Me encanta ese juego," dije.

"Bien, mi juego es el dinero," dijo padre rico. "Me encanta el juego del dinero."

"Pero para mucha gente, el dinero no es un juego," dije.

"Correcto," dijo padre rico. "Para la mayor parte de la gente, es supervivencia. Para la mayoría, el dinero es un juego que se ven forzados a jugar, y lo odian. Lamentablemente, cuanto más nos civilizamos, más se torna el dinero parte de nuestras vidas."

Padre rico dibujó *El Cuadrante del FLUJO DE DINERO*.

"Míralo simplemente como una cancha de tenis, o football, o football americano. Si vas a jugar el juego del dinero, ¿en qué equipo quieres estar? ¿"E", "A", "D" o "I"? ¿O en qué lado de la cancha quieres estar, derecho o izquierdo?"

Señalé el lado derecho del Cuadrante.

"SI ACEPTAS ENDEUDARTE Y ARRIESGARTE, DEBEN PAGARTE"

"Bien" dijo padre rico. "Por eso es que no puedes salir a jugar el juego y creer a cualquier agente de ventas cuando te dice que perder u$s 150 mensuales durante 30 años es un buen negocio... ya que el gobierno te dará un crédito fiscal por perder dinero y, además, él espera que el precio de la propiedad suba. Sencillamente no puedes jugar el juego con esa disposición mental. Si bien esas opiniones podrían llegar a ser ciertas, sencillamente, esa no es la forma en que se juega el juego en el lado derecho del Cuadrante. Alguien te dice que te endeudes, que asumas todos los riesgos, y que pagues por eso. Las personas del lado izquierdo piensan que es una buena idea... pero no las del lado derecho."

Me estremecí un poco.

"Míralo a mi manera" dijo papá rico. "Estás ansioso por pagar u$s 56.000 por este condominio en el cielo. Estás firmando por la deuda. Asumes el riesgo. El inquilino paga menor renta que lo que cuesta vivir ahí. Por lo que estás subsidiando las viviendas de esas personas. ¿Tiene sentido eso para ti?"

Sacudí la cabeza. "No".

"Esta es la forma en que yo juego este juego," dijo padre rico. "A partir de ahora, si aceptas endeudarte y arriesgarte, entonces deben pagarte. ¿Lo captas?"

Asentí con mi cabeza.

"Ganar dinero es sentido común," dijo padre rico. "No es ciencia espacial. Pero lamentablemente, cuando se trata de dinero, el sentido común es poco común. Un banquero te dice que te endeudes, que el gobierno te dará un crédito fiscal por algo que en realidad no tiene un sentido económico significativo, y luego un vendedor de bienes inmuebles te dice que firmes los papeles porque puede encontrar un inquilino que te pagará menos de lo que estás pagando, sólo porque, en su opinión, el precio aumentará. Si eso tiene sentido para ti, entonces tú y yo no compartimos el mismo sentido común."

Yo simplemente estaba parado ahí. Escuché todo lo que él dijo, y tuve que admitir que había estado tan entusiasmado por lo que creí que sería un buen negocio, que mi lógica se esfumó por la ventana. No pude analizar el negocio. Debido a que "parecía" bueno, me invadieron las emociones de codicia y euforia, y ya no fui capaz de oír más lo que los números y las palabras trataban de decirme.

Fue entonces que padre rico me dio una regla importante que él siempre ha utilizado: "Tu ganancia se obtiene cuando compras... no cuando vendes."

Padre rico tenía que estar seguro que cualquier deuda o riesgo que asumiera, debía tener sentido desde el día en que la adquiría... tanto si la economía empeoraba, como si la economía iba mejor. Nunca compró a partir de engaños fiscales o pronósticos de bola de cristal sobre el futuro. Un negocio tenía que *sonar* con sentido económico en los buenos y en los malos momentos.

Comenzaba a comprender el juego del dinero tal como él lo veía. Y el juego del dinero era ver a los demás contrayendo deudas con uno, y ser cautelosos respecto a con quién uno se endeuda. Hoy, todavía escucho sus palabras: "Si aceptas arriesgarte y endeudarte, asegúrate de que obtendrás un pago por ello."

Padre rico tenía deuda, pero era cuidadoso cuando decidía tomarla. "Sé cuidadoso cuando aceptes endeudarte," era su consejo. "Si te endeudas personalmente, asegúrate de que sea una deuda pequeña. Si contraes una deuda grande, asegúrate de que alguien más la pague."

Él veía el juego del dinero y la deuda como un juego que tiene lugar sobre usted, sobre mí, y sobre todos. Se juega de negocio en negocio, y de país en país. Él lo veía solamente como un juego. El problema es que, para la mayor parte de la gente, el dinero no es un juego. Para muchas personas el dinero es supervivencia... a menudo la vida misma. Y como nadie les explicó el juego, aún les creen a los banqueros que les dicen que una casa es un activo.

LA IMPORTANCIA DE LOS HECHOS VERSUS LAS OPINIONES

Padre rico continuó su lección: "Si quieres tener éxito en el lado derecho, cuando de dinero se trata, tienes que conocer la diferencia entre los hechos y las opiniones. No puedes aceptar a ciegas asesoramiento financiero en la forma que lo hacen las personas del lado izquierdo. Debes conocer los números. Debes conocer los hechos. Y los números te dicen los hechos. Tu supervivencia financiera depende de los hechos, no de las prolijas opiniones de un asesor o de un amigo.

"No entiendo. ¿Cuál es la importancia de que algo sea un hecho o una opinión?" pregunté. "¿Acaso uno es mejor que el otro?"

"No," respondió padre rico. "Tan sólo debes saber cuándo algo es un hecho o cuándo algo es una opinión."

Aún intrigado, me paré ahí con una mirada de confusión en mi rostro.

"¿Cuánto vale tu casa?" preguntó padre rico. Estaba utilizando un ejemplo para ayudarme a salir de mi confusión.

"¡Ah, lo sé!" contesté rápidamente. "Mis padres están pensando en vender, de manera que llamaron a un agente de bienes raíces para que les diera una tasación. Dijeron que la casa valía u$s 36.000. Eso significa que el valor neto de papá aumentó u$s 16.000, ya que él sólo pagó u$s 20.000 hace 5 años.

"Entonces, la tasación y el valor neto de tu padre, ¿son hechos u opiniones?" preguntó padre rico.

Lo pensé por un momento y comprendí a lo que quería llegar. "Ambas son opiniones, ¿no?"

Padre rico asintió con la cabeza. "Muy bien. La mayoría de las personas lucha financieramente porque pasan sus vidas basándose en opiniones en lugar de hechos cuando toman decisiones financieras. "Opiniones tales como "Su casa es un activo." "El precio de las propiedades siempre sube." "Las acciones de primera categoría son su mejor inversión." "Se necesita dinero para ganar dinero." "Las acciones siempre han dado mayor beneficio que las propiedades." "Debería diversificar su cartera de inversiones." "Tiene que ser deshonesto para ser rico." "Invertir es riesgoso." "Juéguelo en forma segura."

Me quedé sentado sumido en mis pensamientos, tomando conciencia de que gran parte de lo que escuchaba en casa referente al dinero, eran en realidad opiniones de la gente, no hechos.

"¿Es el oro un activo?" preguntó padre rico, sacándome de mi ensoñación.

"Sí. Por supuesto," contesté. Ha sido el único dinero real que ha resistido la prueba del tiempo."

"Mírate otra vez," sonrió padre rico. "Te limitas a repetir la opinión de otro acerca de lo que es un activo en vez de verificar los hechos."

"El oro sólo es un activo, según mi definición, si lo compras por menor valor de lo que lo vendes," dijo lentamente padre rico. "En otras palabras, si lo compraste por u$s 100 y lo vendiste por u$s 200, entonces fue un activo. Pero si compraste una onza por u$s 200 y la vendiste por u$s 100, entonces el oro, en esta transacción, fue un pasivo. Los números financieros reales de la transacción son los que te dicen la última palabra de los hechos. En realidad, el único activo o pasivo eres tú... ya que, en última instancia, eres tú quien puede hacer que el oro sea un activo, y sólo tú puedes hacer de él un pasivo. Por eso la capacitación financiera es tan importante. He visto a muchas personas encarar un negocio perfecto o una operación inmobiliaria, y convertirlo en una pesadilla financiera. Muchas personas hacen lo mismo con su vida personal. Toman el dinero ganado con sacrificio y crean una vida de obligaciones financieras."

Yo estaba aún más confundido, un poco herido en mi interior, y quería discutir. Padre rico estaba jugando con mi mente.

"Más de un hombre ha sido embaucado por no conocer los hechos. Todos los días escucho historias horrorosas de alguien que perdió todo su dinero porque pensó que una opinión era un hecho. Está bien que utilices una opinión cuando tengas que tomar una decisión financiera... pero sería mejor que conozcas la diferencia. Millones y millones de personas han tomado decisiones de vida basándose en opiniones pasadas de generación en generación... y luego se preguntan por qué luchan financieramente."

"¿Qué clase de opiniones?" pregunté.

Padre rico rió entre dientes antes de contestar. "Bien, permite que te dé unas pocas opiniones frecuentes, que todos hemos escuchado."

Comenzó a hacer una lista con unas pocas, sonriendo tranquilamente, aparentemente riéndose del humor de ser seres humanos. Algunos de los ejemplos que dio ese día fueron:

1. "Deberías casarte con él. Será un buen marido."
2. "Encuentra un trabajo seguro y quédate allí de por vida."

3. "Los médicos ganan mucho dinero."
4. "Tienen una casa grande. Deben ser ricos."
5. "Tiene grandes músculos. Debe ser sano."
6. "Este lindo automóvil sólo ha sido manejado por una ancianita."
7. "No hay dinero suficiente para que todos seamos ricos."
8. "La tierra es plana."
9. "Los seres humanos nunca volarán"
10. "Es más inteligente que su hermana."
11. "Los bonos son más seguros que las acciones."
12. "La gente que comete errores es estúpida."
13. "Él nunca venderá a un precio tan bajo."
14. "Ella nunca saldrá conmigo."
15. "Invertir es riesgoso."
16. "Nunca seré rico."
17. "No fui a la universidad, por eso nunca saldré adelante."
18. "Deberías diversificar tus inversiones."
19. "No deberías diversificar tus inversiones."

Padre rico siguió y siguió hasta que finalmente pudo ver que yo estaba cansado de oír ejemplos y opiniones.

"¡OK!" dije al fin. "He oído suficiente. ¿Cuál es el punto?"

"Pensé que no ibas a detenerme nunca," sonrió padre rico. "El punto es que la vida de la mayoría de las personas están determinadas por sus opiniones, más que por los hechos. Para que la vida de una persona cambie, primero necesita cambiar sus opiniones... y luego comenzar a ver los hechos. Si puedes leer estados financieros, serás capaz de ver los hechos, no sólo del éxito financiero de una empresa... Si puedes leer estados financieros, puedes decir al instante cómo le va a un individuo... en lugar de guiarte por tus propias opiniones o las de otros. Como dije, lo uno no es mejor que lo otro. Para tener éxito en la vida, especialmente en lo financiero, debes conocer la diferencia. Si no puedes verificar que algo es un hecho, entonces es una opinión. La ceguera financiera se produce cuando una persona no puede leer los números... entonces debe aceptar la opinión de otro. La insanía financiera se produce cuando las opiniones se utilizan como hechos. Si quieres estar en el lado derecho del Cuadrante, debes conocer la diferencia entre hechos y opiniones. Pocas lecciones son más importantes que ésta."

Me senté ahí escuchando cuidadosamente, esforzándome por entender lo que él estaba diciendo. Obviamente, se trataba de un concepto simple, pero en ese momento, era mayor de lo que mi mente podía aceptar.

"¿Sabes qué significa 'diligencia debida'?" preguntó padre rico.

Negué con mi cabeza.

"Diligencia debida significa simplemente descubrir cuáles son las opiniones y cuáles los hechos. Cuando se trata de dinero, la mayoría de la gente es perezosa o busca atajos, por eso no hacen la suficiente diligencia debida. Y aún hay otros que tienen tanto miedo de cometer errores, que todo lo que hacen es diligencia debida, para luego no hacer nada. Demasiada diligencia debida también se llama 'parálisis por análisis'. La cuestión es que debes saber cómo tamizar los hechos y las opiniones, y luego tomar tu decisión. Como ya dije, la mayoría de las personas tienen hoy problemas financieros, simplemente porque han elegido tomar demasiados atajos, y están tomando las decisiones financieras de su vida basándose en las opiniones –a menudo de un "E" o un "A"- y no en los hechos. Si quieres ser un "D" o un "I", debes estar extremadamente atento a esta diferencia."

Ese día, no aprecié en toda su magnitud la lección de papá rico, sin embargo, pocas lecciones me han servido tanto para conocer la diferencia entre hechos y opiniones, en especial cuando se trata de administrar mi dinero.

Años después, a principios de 1990, padre rico vio cómo se disparó el mercado bursátil. Su único comentario fue:

"Eso es lo que sucede cuando empleados muy bien remunerados o profesionales independientes con sueldos altos, pagando cifras excesivas en impuestos, muy endeudados, y únicamente con activos de papel en su portafolio, comienzan a repartir asesoramiento en inversiones. Millones de personas van a salir lastimadas por seguir las opiniones de personas que creen conocer los hechos."

Warren Buffet, el mayor inversionista de los Estados Unidos, dijo en una oportunidad: "Si estás en un juego de poker, y al cabo de 20 minutos no sabes quién es el bobo, entonces tú eres el bobo."

¿POR QUÉ LAS PERSONAS LUCHAN FINANCIERAMENTE?

Escuché recientemente que la mayoría de las personas estará endeudada desde el día en que sale de la escuela hasta el día de su muerte.

Este es el cuadro financiero del estadounidense promedio de clase media.

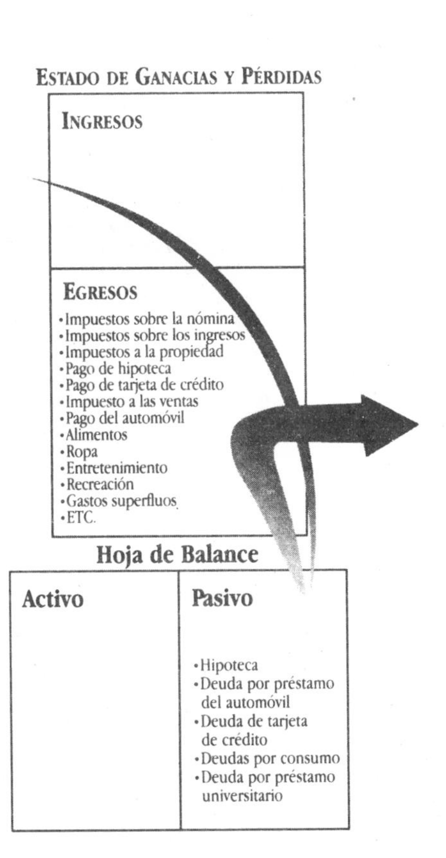

BALANCE DE OTRA PERSONA

Si ahora comprende el juego, entonces puede darse cuenta de que esas obligaciones enumeradas en el pasivo, pueden mostrarse de la siguiente forma en el balance de otra persona:

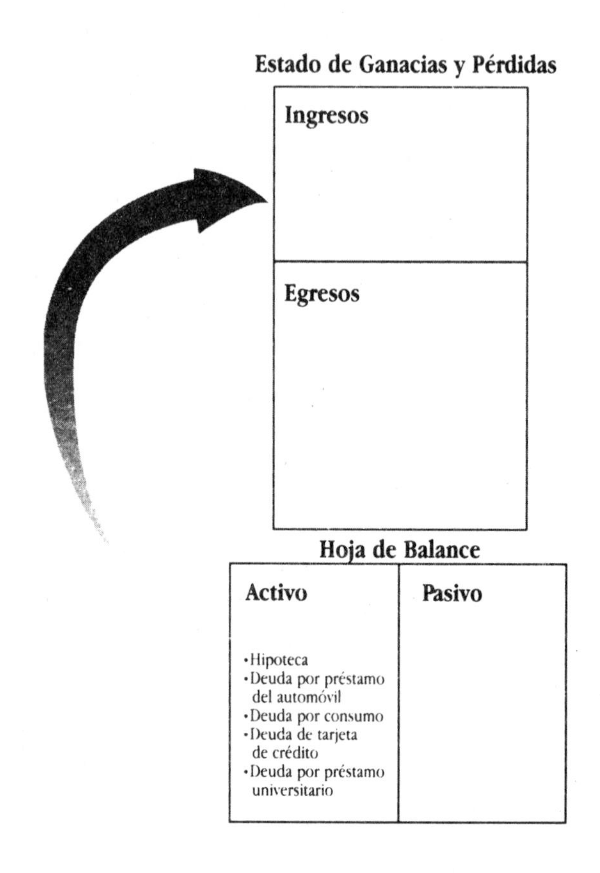

Cada vez que escuche estas palabras, "Bajo anticipo, cómodas cuotas mensuales" o "No se preocupe, el gobierno le dará un crédito fiscal por esas pérdidas," entonces ya sabe que alguien lo está haciendo entrar al juego con engaños. Si quiere ser libre financieramente, tiene que ser un poco más inteligente que eso.

La mayoría de las personas no tiene créditos a su favor. No tienen activos reales (cosas que pongan dinero en su bolsillo)... y a menudo ellos le deben a los demás. Por esa razón se aferran a la seguridad laboral y luchan financieramente. Si no fuera por su empleo, quebrarían en una fracción de segundo. Se dice que el estadounidense promedio está a menos de tres sueldos de la quiebra, tan sólo por haber sido arrollado por el juego al ir en busca de una vida mejor. Se encuentran en una situación muy desventajosa. Aún piensan que su casa, el automóvil, los equipos de golf, su ropa, la casa de fin de semana y otras cosas superfluas, son activos. Creen lo que alguien más les dijo. Tienen que creerlo porque no pueden leer los números de las finanzas. No pueden distinguir hechos de opiniones. Muchos van a la escuela y aprenden a ser jugadores en el juego, pero nadie les explicó el juego. Nadie les dijo que el nombre del juego es "¿Quién le debe a quién?" Y como nadie se lo dijo, ellos son los que deben a todos los demás.

EL DINERO ES UNA IDEA

Una de mis canciones favoritas es *El Jugador (The gambler)*, de Kenny Rogers. Una de sus líneas resume todo el capítulo: "Muchacho, si vas a participar del juego, tienes que aprender a jugarlo bien."

Espero que ahora comprenda las bases del *Cuadrante del FLUJO de DINERO*, y que sepa que el dinero es en realidad una idea que se ve en forma más clara con la mente que con los ojos. Aprender el juego del dinero y cómo jugarlo es una parte importante de su viaje hacia la libertad financiera. Sin embargo, creo que más importante es en quién necesita usted convertirse para moverse hacia el lado derecho del *Cuadrante del FLUJO de DINERO*. La segunda parte de este libro se centrará en "obtener lo mejor de usted" y en analizar la fórmula:

SER - HACER - TENER

* Publicado por TIME & MONEY NETWORK EDITIONS en Buenos Aires, Argentina, año 2001. www.timemoneynet.com

** Todas las aclaraciones entre paréntesis, son notas del traductor.

PARTE II

Hacer salir lo mejor de su interior

CAPÍTULO 7

"Llegar a ser quien eres"

"Carecer de hogar no es lo que importa," dijo mi padre rico. "Se trata de quién eres. Continúa esforzándote y llegarás a ser alguien. Abandona y también llegarás a ser alguien... pero no la misma persona."

LOS CAMBIOS POR LOS QUE USTED DEBE PASAR

Para aquellos que estén pensando en pasar de la seguridad laboral a la seguridad financiera, todo lo que puedo ofrecerles son palabras de aliento. Kim y yo tuvimos que carecer de hogar y estar desesperados antes de que yo hallara el valor para moverme hacia adelante. Ese fue nuestro camino, pero definitivamente no tiene por qué ser el suyo. Como describí anteriormente, actualmente existen sistemas que pueden ayudarlo a cruzar el puente hacia el lado derecho del *Cuadrante*.

La verdadera cuestión pasa por los cambios que usted debe atravesar interiormente, y en quién se convierte en el proceso. Para algunas personas, ese proceso es fácil. Para otras, el viaje es imposible.

EL DINERO ES UNA DROGA

Padre rico siempre nos decía a Mike y a mí, "El dinero es una droga."

La razón principal por la que se rehusó a pagarnos cuando trabajábamos para él, fue que nunca quiso que nos hiciéramos adictos a trabajar por el dinero. "Si te haces adicto al dinero," decía, "es difícil romper esa adicción."

Cuando, ya de adulto, le telefoneé desde California para pedirle dinero, él no estuvo dispuesto a romper el modelo que había comenzado con Mike y conmigo cuando teníamos 9 años. De niños no nos daba dinero, y no iba a comenzar a hacerlo ahora. En lugar de eso, siguió siendo duro, apartándome de la adicción a trabajar por el dinero.

Llamaba droga al dinero porque había observado que algunas personas eran felices cuando lo tenían, y alteradas o malhumoradas cuando carecían de él. De igual modo que los adictos a la heroína, que levantan su ánimo cuando se inyectan la droga y se tornan malhumorados y violentos cuando no la tienen.

"Cuídense del poder adictivo del dinero," decía a menudo. "Una vez que te acostumbras a recibirlo, la adicción te mantiene apegado a la forma en que lo conseguiste."

Visto de otra manera, si usted recibe dinero como empleado, tenderá a acostumbrarse a esa forma de obtenerlo. Si se acostumbra a generar dinero en forma independiente (autoempleado), será difícil romper el apego a esa forma de ganar dinero. Y si se acostumbra a las limosnas del gobierno, también ése será un patrón difícil de romper.

"Lo que hace más difícil desplazarse del lado izquierdo hacia el derecho es el apego que uno tiene a la forma con la que ha estado ganando el dinero," decía padre rico. Es más que romper un hábito; es romper una adicción."

Por eso nos remarcaba a Mike y a mí que nunca trabajásemos por el dinero. Insistía en que aprendiéramos a crear nuestros propios sistemas como medio de adquirirlo.

LOS MODELOS

Para Kim y para mí, la parte más difícil en nuestro intento de convertirnos en personas que generaran ingresos en el cuadrante "D", era que todos los condicionamientos de nuestro pasado aún nos retenían. Era muy duro cuando los amigos nos decían, "¿Por qué están haciendo esto? ¿Por qué simplemente no consiguen un empleo?"

Era aún más difícil porque había una parte de nosotros que también quería retroceder a la seguridad de un sueldo.

Padre rico nos explicó que el mundo del dinero era un gran sistema. Y nosotros como individuos aprendemos a operar en cierto modelo dentro de ese sistema. Por ejemplo:

Un "E" trabaja para un sistema.

Un "A" es el sistema en sí.

Un "D" crea, posee y controla un sistema.

Un "I" invierte en el sistema.

Padre rico hablaba del modelo instalado en nuestro cuerpo, mente y alma, de cómo gravitamos de manera natural en relación al tema dinero.

"Cuando una persona siente la necesidad del dinero," explicaba padre rico, "un 'E' automáticamente buscará empleo, un 'A' a menudo hará algo solo, un 'D' creará o comprará un sistema que produzca dinero, y un 'I' buscará una oportunidad para invertir en un activo que produzca más dinero."

POR QUÉ ES DIFÍCIL CAMBIAR UN MODELO

"La razón por la que es difícil cambiar un modelo," dijo padre rico, "es porque hoy el dinero es esencial para la vida. En la Era Agraria el dinero no era tan importante porque la tierra podía proveer alimento, refugio, calor y agua, sin dinero. Al mudarnos a las ciudades durante la Era Industrial, el dinero significó la vida misma. Hoy, hasta el agua cuesta dinero."

Padre rico continuó explicando que cuando uno comienza a moverse, por ejemplo, del cuadrante 'E' al cuadrante 'D', una parte de sí mismo que es adicta a ser un 'E' o que teme que la vida termine, comienza a patear y a resistirse. Es algo así como alguien que se está ahogando y lucha por respirar, o un hombre hambriento dispuesto a comer cualquier cosa por sobrevivir.

"Esta batalla que se libra en tu interior es lo que lo hace tan difícil. Es la batalla entre quien dejaste de ser y en quién quieres convertirte lo que constituye el problema," me explicó papá rico a través del teléfono. "La parte de ti que aún busca seguridad está en guerra con la parte de ti que busca libertad. Sólo tú puedes decidir cuál ganará. O construyes esa empresa, o das la vuelta y vuelves a encontrar empleo-para-siempre."

"ENCUENTRA TU PASIÓN"

"¿Quieres realmente avanzar?" preguntó padre rico.

"¡Sí!" Respondí apresuradamente.

"¿Has olvidado lo que te propusiste hacer? ¿Has olvidado tu pasión y la causa que, originalmente, te condujo a este aprieto?" preguntó padre rico.

"Oh," respondí, un tanto sorprendido. Lo había olvidado. De manera que me quedé allí en el teléfono público, aclarando mis ideas a fin de poder recordar qué fue lo que primeramente me condujo a este embrollo.

"Lo sabía," dijo padre rico, haciendo retumbar su voz en el teléfono. Estás más preocupado por tu supervivencia personal que por mantener vivo tu sueño. Tu temor ha desplazado a tu pasión. La mejor manera de seguir andando es mantener encendida la llama en tu corazón. Recuerda siempre lo que te propusiste hacer, y el viaje será fácil. Comienza a preocuparte más por ti mismo, y tu temor empezará a consumir tu alma. La pasión construye negocios y empresas. No el temor. Has llegado lejos en esto. Estás cerca, no te vuelvas ahora. Recuerda lo que te propusiste hacer, mantén ese recuerdo en tu corazón y mantén la llama encendida. Puedes abandonar en cualquier momento... entonces, ¿por qué hacerlo ahora?"

Con eso, padre rico me deseó suerte y colgó el teléfono.

Tenía razón. Había olvidado por qué me embarqué en este viaje. Había olvidado mi sueño y permitido que mis miedos invadieran tanto mi mente como mi corazón.

Hacía apenas unos pocos años que se había estrenado una película titulada "Flash Dance". El tema musical decía algo así como, "Toma tu pasión y haz que suceda."

Sí, había olvidado mi pasión. Ahora era tiempo de hacer que sucediera o regresar a casa y olvidarlo todo. Permanecí allí un instante, y escuché las últimas palabras de padre rico nuevamente: "Puedes abandonar en cualquier momento... entonces, ¿por qué hacerlo ahora?"

Decidí postergar el abandonar hasta después de haber logrado que las cosas sucedieran.

CONVERTIRSE EN UN MAESTRO PROPIETARIO DEL SISTEMA

Me quedé parado junto a la cabina telefónica después de que cortamos la comunicación. Mis miedos y la falta de éxito estaban abatiéndome, y mi sueño había sido empujado a un lado. Mi sueño de crear una clase diferente de sistema de enseñanza. Un programa educativo para personas que quisieran ser empresarios e inversionistas. Mientras permanecía ahí parado, mi mente retrocedió a los días de la escuela secundaria.

Cuando tenía 15 años, mi consejero guía me preguntó, "¿Qué vas a ser cuando seas grande? ¿Vas a ser maestro como tu padre?"

Mirándolo fijamente, mi respuesta fue directa, fuerte y con convicción. "Nunca seré maestro. Ser maestro es lo último que haría."

La escuela no me disgustaba. La odiaba. Odiaba absolutamente que me forzaran a sentarme y escuchar a alguien, que particularmente no me gustaba ni respetaba, hablando durante meses de una materia en la que yo no tenía ningún interés. Me ponía inquieto, me retorcía, y causaba problemas al fondo del aula, a menos que faltara en vez de asistir a clase.

Así fue que cuando mi consejero guía me preguntó si planeaba buscar una carrera siguiendo la huella de mi padre como maestro, casi me salgo de mí.

En ese entonces, poco sabía yo acerca de que la pasión es una combinación de amor y odio. Amaba aprender, pero odiaba la escuela. Detestaba absolutamente sentarme allí y ser programado para convertirme en algo que no quería ser. No estaba solo.

CITAS NOTABLES SOBRE EDUCACIÓN

Winston Churchill dijo en una oportunidad: "Siempre estoy listo para aprender, pero no siempre me gusta que me enseñen."

John Updike dijo: "Los padres pioneros decidieron, en su sabiduría, que los niños eran una carga antinatural para sus padres. Por eso suministraron cárceles llamadas escuelas, equipadas con tormentos conocidos como educación."

Norman Douglas dijo: "La educación es la fábrica de ecos controlada-por el-estado."

H. L. Mencken dijo: "Los días de escuela, creo, son los más desgraciados del lapso total de la existencia humana. Cargados de aburrimiento, tareas incomprensibles, nuevos y desagradables reglamentos, y graves violaciones al sentido y decencia común."

Galileo dijo: "No puedes enseñar nada a una persona; sólo puedes ayudarla a que lo encuentre dentro de sí misma."

Mark Twain dijo: "Nunca permití que la enseñanza interfiriera con mi educación."

Albert Einstein dijo: "Hay, en general, demasiada educación, especialmente en la escuelas estadounidenses."

UN REGALO DE MI PADRE INSTRUIDO

La persona que compartió estas citas conmigo fue mi padre altamente instruido, aunque pobre. El también despreciaba el sistema escolar... aunque le fue bien en él. El se hizo maestro porque soñaba con cambiar ese sistema de 300 años de antigüedad, pero en vez de eso, el sistema lo aplastó. Con toda su pasión, trató de cambiarlo, y se estrelló contra una pared de ladrillos. Era un sistema con el que demasiadas personas estaban ganando dinero, y ninguno quería que cambiara... aunque se hablaba mucho acerca de la necesidad de cambio.

Tal vez mi consejero guía era adivino porque, por cierto, años más tarde, yo seguí la huella de mi padre. Sólo que no lo hice dentro del mismo sistema. Yo estaba poniendo su misma pasión en crear mi propio sistema. Y por esa razón me hallaba sin hogar. Mi pasión era crear un sistema educativo que enseñara a las personas de forma diferente.

Cuando mi padre instruido supo que Kim y yo estábamos luchando financieramente, poniendo lo mejor de nosotros para instaurar un nuevo sistema educativo, nos envió esas citas. Garabateadas en la parte superior de la página de las citas, estaban estas palabras:

"Sigue adelante. Con amor, Papá."

Hasta ese momento, no me había dado cuenta de cuánto mi padre instr ..lo había odiado al sistema, y lo que éste producía en los jóvenes. Pero después de este gesto de estímulo, las cosas comenzaron a tener sentido. La pasión que me guiaba por ese entonces era la misma pasión que lo había guiado a él años atrás. Yo era exactamente como mi padre verdadero, e inconscientemente había tomado su antorcha. Era maestro de alma... tal vez por eso odiaba tanto el sistema.

Retrospectivamente, me había convertido en ambos padres. De mi padre rico había aprendido los secretos para ser un capitalista. De mi padre altamente instruido, heredé la pasión por enseñar. Y dada esta combinación de ambos padres, ahora podía hacer algo con el sistema educativo. No deseaba ni podía cambiar el sistema actual. Pero tenía el conocimiento para crear mi propio sistema.

LOS AÑOS DE ENTRENAMIENTO COMIENZAN A RENDIR

Durante años, mi padre rico me preparó para ser alguien que creara negocios y sistemas empresariales. La empresa que inicié, en 1977, era una compañía manufacturera. Fuimos una de las primeras compañías productoras de "carteras para surfistas" de nylon con velcro, que venían en colores brillantes. A continuación de ese producto lanzamos el "bolsillo para zapato deportivo" –una cartera en miniatura, también realizada en nylon y velcro, que se prendía a los cordones de los zapatos deportivos. En 1978, la nueva manía era correr, y los corredores siempre querían un lugar para poner sus llaves, y llevar dinero o credenciales de identidad en caso de que resultaran heridos. Por esa razón diseñé el "bolsillo para zapato deportivo" y lo comercialicé por todo el mundo.

Nuestro meteórico éxito fue fenomenal, pero pronto la pasión por la empresa y la línea de productos, se fue a la deriva. Comenzó a debilitarse cuando mi pequeña compañía comenzó a ser golpeada por la competencia extranjera. Países como Taiwán, Corea, y Hong Kong comenzaron a exportar productos idénticos al mío y a aniquilar a los mercados que habíamos desarrollado. Sus precios eran tan bajos que no había forma de que pudiéramos competir. Colocaban productos al por menor por debajo de lo que nos costaba fabricarlos.

Nuestra pequeña compañía estaba frente a un dilema: pelear contra ellos o unírseles. Los socios se dieron cuenta de que no podíamos pelear contra la competencia. Las compañías que inundaban el mercado con productos baratos eran demasiado fuertes. Se votó, y decidimos unirnos a ellos.

La tragedia fue que, a fin de permanecer a flote, tuvimos que dejar ir a nuestro personal más fiel y trabajador. Eso me partió el corazón. Cuando comencé a inspeccionar las nuevas fábricas con las que firmamos contratos a fin de fabricar en Corea y Taiwán, de nuevo mi alma murió otro poco. Las condiciones en que estos obreros jóvenes eran forzados a trabajar eran crueles e inhumanas. Vi a cinco obreros amontonados uno sobre otro, en un espacio donde nosotros solamente permitiríamos uno. Mi conciencia comenzó a afligirme profundamente. No sólo por los obreros que dejamos ir en los Estados Unidos, sino por estos obreros que ahora estaban trabajando para nosotros en el extranjero.

A pesar de que habíamos resuelto el problema financiero de la competencia extranjera y comenzamos a ganar mucho dinero, mi corazón ya no estaba más en el negocio... y el negocio comenzó a hundirse. Su espíritu se había ido porque también se había ido el mío. Ya no quería ser rico si eso significaba explotar a tantos obreros tan mal remunerados. Comencé a pensar en educar personas para que fueran dueños de empresas, no empleados de ellas. A los 32 años, comenzaba a convertirme en maestro, si bien no era conciente en ese momento. El negocio comenzó a decaer no por falta de sistemas, sino por falta de corazón o pasión. Cuando Kim y yo iniciamos nuestra nueva empresa comercial, la compañía de billeteras había desaparecido.

REDUCCIONES POR VENIR

En 1983, me invitaron a dar una charla para la clase de Master en Administración de Empresas en la Universidad de Hawai. Expuse mis puntos de vista sobre estabilidad laboral. No les gustó lo que dije: "Dentro de unos pocos años, muchos de ustedes perderán sus empleos, o se verán forzados a trabajar por cada vez menos dinero, con cada vez menos seguridad."

Debido a que mi trabajo hizo que viajara por el mundo, fui testigo directo del poder combinado de la mano de obra barata con las innovaciones tecnológicas. Comencé a darme cuenta de que un obrero en Asia o Europa o Rusia o Sudamérica en realidad estaba compitiendo con los obreros de Estados Unidos. Supe que la idea de sueldos altos y empleo seguro y estable para obreros y gerentes promedio, era una idea cuyo tiempo había pasado. Las grandes empresas pronto tendrían que hacer cortes, tanto en la cantidad de personal como en los dólares que pagaban a los empleados, a fin de poder competir globalmente.

Nunca volvieron a llamarme de la Universidad de Hawai. Unos pocos años después, la palabra "REDUCCIÓN" se convirtió en una práctica estándar. Cada vez que una gran compañía se fusionaba y sobraban trabajadores, ocurría una reducción. Cada vez que los dueños querían proporcionar felicidad a sus accionistas, tenía lugar una reducción. Y en cada uno, veía a la gente de la cima hacerse más y más rica, y a los de abajo pagar el precio.

Cada vez que oía a alguien decir, "Voy a enviar a mi hijo a una buena universidad a fin de que consiga un trabajo estable y seguro," me horrorizaba. Estar preparado para un empleo es una buena idea para el corto plazo, pero no es suficiente para el largo plazo. En forma lenta pero segura, me estaba convirtiendo en un maestro.

CONSTRUYA UN SISTEMA ALREDEDOR DE SU PASIÓN

Aunque mi compañía manufacturera se había recuperado y nos iba bien nuevamente, mi pasión había desaparecido. Mi padre rico resumió mi frustración cuando dijo: " Los días de escuela terminaron. Es tiempo de construir un sistema alrededor de tu corazón. Construye un sistema alrededor de tu pasión. Deja la compañía manufacturera y construye lo que sabes que debes construir. Has aprendido bien de mí, pero aún eres el hijo de tu padre. En lo profundo de sus almas, tú y tu padre son maestros."

Kim y yo empacamos todo y nos mudamos a California para aprender nuevos métodos de enseñanza, a fin de crear una empresa en torno a esos métodos. Antes de lograr el despegue de la empresa, nos quedamos sin dinero y estábamos en la calle. Fue ese llamado telefónico a mi padre rico, mi esposa parada a mi lado, el enojo conmigo mismo, y un resurgimiento de la pasión, lo que nos sacó del embrollo en el que estábamos metidos.

Pronto estábamos otra vez construyendo una compañía. Era una compañía educativa que utilizaba métodos de enseñanza que eran casi el opuesto a los utilizados por las escuelas tradicionales. En lugar de pedir a los estudiantes que se sentaran quietos, los animábamos para que estuviesen activos. En lugar de enseñar tipo conferencia, enseñábamos haciendo juegos. En lugar de ser aburridos, insistíamos en que nuestros maestros fuesen divertidos. En lugar de maestros, buscábamos gente de negocios que hubiera dado inicio a sus propias compañías, y les enseñábamos nuestro estilo de enseñar. En lugar de calificar a los estudiantes, los estudiantes calificaban al maestro. Si el maestro obtenía una calificación pésima, era puesto en un programa de entrenamiento intensivo, o se le pedía que se marchara.

No se tenía en cuenta edad, antecedentes educativos, sexo ni creencias religiosas. Todo lo que requeríamos era un deseo sincero de aprender, y de hacerlo rápidamente. Eventualmente, podíamos enseñar el equivalente a un año de contabilidad en un día.

Aunque enseñábamos principalmente a adultos, teníamos mucha gente joven, algunos de 16 años de edad, aprendiendo al lado de ejecutivos de 60 años, bien instruidos y con altos ingresos. En vez de competir en pruebas, les pedíamos que cooperaran en equipos. Luego teníamos el equipo rindiendo una prueba, compitiendo contra otros equipos rindiendo la misma prueba. En lugar de esforzarse por notas, apostábamos dinero. "El ganador se lleva todo." La competencia y el deseo de trabajar mejor como un equipo, eran feroces. El maestro no tenía que motivar a la clase. El maestro sólo tenía que apartarse una vez que comenzaba la competencia de aprendizaje. En lugar de tranquilidad al momento de la prueba, había chillidos, gritos, risas y lágrimas. La gente estaba entusiasmada por aprender. Estaban "encendidos" por aprender... y querían aprender más.

Nos concentramos en enseñar tan sólo dos materias: espíritu empresarial e inversión. El lado "D" e "I" del Cuadrante. Acudieron multitudes de personas que querían aprender estas materias con nuestro estilo de enseñanza. No hicimos propaganda. Nos conocieron por el poder de la recomendación. La gente que acudía a nosotros eran personas que querían crear empleos, y no que los buscaban.

Después de compaginar mi mente para no abandonar, aquella noche en la cabina telefónica las cosas comenzaron a encaminarse. En menos de cinco años teníamos un negocio multimillonario con 11 oficinas alrededor del mundo. Habíamos construido un sistema nuevo de enseñanza, y al mercado le encantaba. Nuestra pasión lo hizo posible, porque la pasión y un buen sistema superaron al temor y a la programación del pasado.

UN MAESTRO PUEDE SER RICO

Toda vez que escucho a maestros decir que no ganan lo suficiente, me preocupo por ellos. La ironía es que ellos son un producto de la programación de su propio sistema. Parecería que son maestros con el enfoque de vista del cuadrante "E", más que de los cuadrantes "D" o "I". Recuerde que usted puede ser lo que quiera ser, en cualquiera de los cuadrantes... inclusive un maestro.

PODEMOS SER LO QUE QUERAMOS

La mayoría de nosotros tiene el potencial para ser exitoso en cualquiera de los cuadrantes. Todo depende de cuán determinados para tener éxito estemos. Como decía mi padre rico, "La pasión construye negocios y empresas. No el temor."

El problema para cambiar de cuadrante se encuentra a menudo en nuestro condicionamiento pasado. Muchos de nosotros provenimos de familias en las que la emoción del miedo se utilizaba como motivación principal para hacernos pensar y actuar de una forma determinada. Por ejemplo:

"¿Hiciste tu tarea? Si no haces tu tarea, reprobarás en la escuela y todos tus amigos se reirán de ti."

"Si sigues haciendo muecas, tu cara va a quedar atascada en esa posición." Y el clásico, "Si no obtienes buenas calificaciones, no vas a conseguir un trabajo estable, seguro y con beneficios."

Bien, hoy son muchos los que han logrado buenas calificaciones, pero hay menos trabajos estables y seguros, y menos aún con beneficios tales como planes de jubilación. Por eso mucha gente, inclusive aquellos con buenas calificaciones, necesitan "ocuparse de sus propios negocios" y no sólo buscar un empleo donde deberán ocuparse del negocio de otra persona.

EL LADO IZQUIERDO ES RIESGOSO

Sé de muchos amigos que aún buscan seguridad en un empleo o una posición. Irónicamente, la marcha de la tecnología continúa moviéndose a un ritmo aún mayor. Para mantenerse en el mercado laboral, cada persona necesitará capacitarse en forma permanente en la última tecnología. Si de cualquier manera usted va a ser re-capacitado, ¿por qué no invertir algo de tiempo capacitándose en las aptitudes requeridas en el lado derecho del Cuadrante? Si la gente pudiera ver lo que yo veo cuando viajo por el mundo, no estarían buscando más seguridad. La seguridad es un mito. Aprenda algo nuevo y enfrente a este intrépido mundo nuevo. No se esconda de él.

También es riesgoso para quienes trabajan en forma independiente, según mi parecer. Si se enferman, se accidentan o mueren, sus ingresos sufren un impacto directo. A medida que envejezco, encuentro cada vez más autoempleados de mi misma edad que están desgastados física, mental y emocionalmente por trabajar intensamente. Cuanta más fatiga soporta una persona, menos seguridad tiene, y más aumenta el riesgo de que sufra un accidente.

EL LADO DERECHO ES MÁS SEGURO

La ironía es que, en realidad, la vida es más segura en el lado derecho del Cuadrante. Por ejemplo, si usted tiene un sistema seguro que produce más y más dinero con cada vez menos esfuerzo, entonces lo cierto es que no necesita un empleo, ni tiene que preocuparse por perderlo, ni necesita vivir su vida por debajo de sus ingresos. En vez de vivir por debajo de sus ingresos, expanda sus recursos. Para ganar más dinero, tan sólo expanda el sistema y contrate más gente.

A los inversionistas de alto nivel, no les preocupa si el mercado se expande o se contrae porque, de cualquier manera, su conocimiento les permitirá ganar dinero. Si en los próximos treinta años hay un derrumbe o una crisis en el mercado, muchos de los nacidos en el pico de natalidad post guerra (*baby boomers*) entrarán en pánico, y perderán gran parte del dinero que han ahorrado para su jubilación. Si eso sucede en su tercera edad, en vez de jubilarse, tendrán que seguir trabajando tanto como les sea posible.

En lo que se refiere al miedo a perder dinero, los inversores profesionales son personas que arriesgan poco del dinero propio y aún así obtienen los rendimientos más altos. Son los que saben poco sobre cómo invertir quienes corren riesgos y obtienen un mínimo rendimiento. Desde mi punto de vista, todos los riesgos están en el lado izquierdo del Cuadrante.

POR QUÉ EL LADO IZQUIERDO ES MÁS RIESGOSO

"Si no puedes leer los números, entonces debes considerar la opinión de alguien más," dijo padre rico. "Si se trata de comprar una casa, tu padre simplemente acepta a ciegas la opinión de su banquero acerca de que su casa es un activo."

Tanto Mike como yo observamos su énfasis en la expresión "a ciegas."

"La mayoría de las personas en el lado izquierdo no necesitan ser tan hábiles con las cifras financieras. Pero si quieres tener éxito en el lado derecho del Cuadrante, entonces los números se convertirán en tus ojos. Los números te permiten ver lo que la mayor parte de la gente no puede ver," prosiguió padre rico.

"Es como la visión de rayos-X de Superman," dijo Mike.

Padre rico sonrió y asintió. "Exactamente," dijo. "La habilidad para leer números, sistemas financieros y sistemas empresariales te da una visión que los simples mortales no tienen." Incluso, él se rió de esa comparación simple. "Tener visión financiera disminuye tu riesgo. Ser ciego financieramente aumenta los riesgos. Pero esa visión sólo es necesaria si quieres operar en el lado derecho del Cuadrante. En realidad, la gente en el lado izquierdo piensa en palabras, y para tener éxito en el derecho, en especial en el cuadrante "I", debes pensar en números... no en palabras. Por cierto, es riesgoso tratar de ser un inversionista mientras se continúe pensando principalmente en palabras."

"¿Estás diciendo que la gente en el lado izquierdo del Cuadrante no necesita saber acerca de cifras financieras?" pregunté.

"Para la mayoría de ellos, eso es correcto," dijo padre rico. "Mientras estén conformes con operar estrictamente dentro de los límites que implica ser un 'E' o un 'A', entonces es suficiente con los números que aprenden en la escuela. Pero si quieren sobrevivir en el lado derecho, entender cifras y sistemas financieros se torna crucial. Si quieres construir una empresa pequeña, no necesitas ser un experto en números. Pero si quieres construir una gran empresa de nivel mundial, los números lo son todo. No las palabras. Por esa razón muchas grandes empresas son dirigidas a menudo por gerentes obsesionados por los números."

Padre rico continuó su lección: "Si quieres tener éxito en el lado derecho, cuando se trata de dinero, tienes que conocer la diferencia entre hechos y opiniones. No puedes aceptar ciegamente asesoramiento financiero en la forma en que lo hacen las personas del lado izquierdo. Debes conocer tus números. Debes conocer los hechos. Y los números te dicen los hechos."

¿QUIÉN PAGA POR ASUMIR EL RIESGO?

"Además de ser riesgoso, en el lado izquierdo las personas pagan por asumir ese riesgo," dijo padre rico.

"¿Qué quieres decir con esa última observación?" pregunté. "¿No es que todo el mundo paga por correr riesgos?"

"No," dijo padre rico. "No en el lado derecho."

"¿Estás tratando de decir que la gente en el lado izquierdo paga por asumir riesgos y que a la gente en el lado derecho le pagan por asumirlos?"

"Es exactamente lo que quiero decir," dijo sonriendo. "Esa es la mayor diferencia entre el lado izquierdo y el derecho. Por eso el lado izquierdo es más riesgoso que el derecho."

"¿Puedes darme un ejemplo?" pregunté.

"Seguro," dijo padre rico. "Si compras acciones de una empresa, ¿quién asume el riesgo financiero? ¿Tú o la empresa?"

"Supongo que yo," dije aún intrigado.

"Y si soy una empresa de seguros de salud, y aseguro tu salud y asumo el riesgo por ello, ¿te pago?"

"No," dije. "Si ellos aseguran mi salud, y asumen ese riesgo, yo pago por ello."

"Correcto," dijo padre rico. "Aún tengo que encontrar una compañía de seguro que asegure tu salud o riesgo de accidente, y te pague por ese privilegio. Pero eso es lo que hace la gente en el lado izquierdo del cuadrante."

"Es un poco confuso," dijo Mike. "Aún no le veo sentido."

Papá rico sonrió, "Una vez que conozcas mejor el lado derecho, comenzarás a ver las diferencias con mayor claridad. La mayor parte de la gente no sabe que hay una diferencia. Ellos asumen que todo es riesgoso... y pagan por ello. Pero a medida que los años pasan, y comienzas a sentirte más a gusto con tu experiencia y capacitación en el lado derecho del Cuadrante, tu visión mejorará y comenzarás a ver lo que la gente en el lado izquierdo no puede ver. Y comprenderás por qué buscar seguridad para evitar el riesgo es la cosa más riesgosa que puedes hacer. Desarrollarás tu propia visión financiera y no tendrás que aceptar las opiniones de otras personas sólo porque tienen un título laboral de banquero, o corredor de bolsa, o contador, o lo que fuere. Podrás ver por ti mismo, y saber la diferencia entre hechos financieros y opiniones financieras."

Fue un buen día. En realidad, fue una de las mejores lecciones que pueda recordar. Fue grandiosa porque comenzó a abrir mi mente a cosas que mis ojos no podían ver.

LOS NÚMEROS REDUCEN EL RIESGO

Dudo que hubiera podido construir con mi pasión el sistema educativo de mis sueños sin aquellas lecciones simples de mi padre rico. Sin su insistencia sobre la alfabetización y precisión financieras, sé que no podría haber invertido tan sabiamente, con tan poco de mi propio dinero, y haber obtenido ganancias tan altas. Siempre recordé que cuanto más grande sea el proyecto y cuanto más rápido se quiera tener éxito, más necesario se hace proceder con precisión. Si usted quiere hacerse rico en forma lenta, o sencillamente trabajar toda su vida y dejar que algún otro administre su dinero, entonces no necesita proceder con tanta precisión. Cuanto más rápido quiera hacerse rico, tanto más exacto debe ser con los números.

La buena noticia es que gracias a los avances tecnológicos y a los nuevos productos, hoy es mucho más fácil aprender las aptitudes necesarias para construir su propio sistema y desarrollar rápidamente su alfabetización financiera.

PUEDE IR RÁPIDO... PERO NO TOME ATAJOS

"Para reducir sus impuestos, compre una casa más grande y endéudese más, a fin de poder obtener una cancelación impositiva."

"Su casa debería ser su mayor inversión."

"Debería comprar ahora porque los precios siempre aumentan."

"Hágase rico lentamente."

"Viva por debajo de sus posibilidades."

Si usted dedica tiempo a estudiar y aprender los temas requeridos en el lado derecho del Cuadrante, tales afirmaciones no tendrán mucho sentido. Podría tenerlo para alguien en el lado izquierdo, pero no para alguien en el lado derecho. Puede hacer lo que le plazca, ir tan rápido como guste y ganar tanto dinero como desee, pero tiene que pagar el precio. Puede ir muy rápido, pero recuerde, no hay atajos.

Este libro no se trata de respuestas. Se trata de mirar a los desafíos y objetivos financieros desde un punto de vista diferente. No se trata de que un punto de vista sea mejor que otro; simplemente, es más inteligente tener más de un punto de vista.

Al leer los próximos capítulos, usted podrá comenzar a ver las finanzas, los negocios y la vida desde un punto de vista diferente.

CAPÍTULO 8

"¿Cómo me hago rico?"

Cuando me preguntan "dónde aprendí mi fórmula para hacerme rico," contesto, "jugando al juego llamado Monopoly cuando era un niño."

Algunos piensan que estoy bromeando, y otros, imaginando que es un chiste, esperan el remate gracioso. Sin embargo, no hay ningún chiste, y no estoy bromeando. La fórmula para hacerse rico en el Monopoly es sencilla y funciona en la vida real así como en el juego.

CUATRO CASAS GRANDES... UN HOTEL ROJO

Es posible que recuerde que el secreto de la riqueza cuando se juega Monopoly es sencillamente comprar cuatro casas verdes y luego darlas como parte de pago para comprar un gran hotel rojo. Eso es todo lo que implica, y esa es la misma fórmula de inversión que utilizamos mi esposa y yo para obtener riqueza.

Cuando el mercado inmobiliario estaba realmente mal, compramos, con el poco dinero que teníamos, tantas casas pequeñas como nos fue posible. Cuando el mercado mejoró, dimos las cuatro casas verdes como parte de pago y compramos un gran hotel rojo. No tenemos que trabajar nunca más, ya que el flujo de efectivo proveniente de nuestro gran hotel rojo, casas de departamentos y mini-depósitos, paga nuestro estilo de vida.

TAMBIÉN FUNCIONA CON LAS HAMBURGUESAS

O bien, si no le gustan los bienes inmuebles, todo lo que tiene que hacer es elaborar hamburguesas, construir una empresa alrededor de dicha hamburguesa, y franquiciarla. Al cabo de unos pocos años, el creciente flujo de efectivo le generará más dinero que el que pueda gastar.

En realidad, el paso hacia la riqueza extraordinaria puede ser así de simple. En otras palabras, en este mundo de alta tecnología, los principios de la gran riqueza siguen siendo simples y de baja tecnología. Diría que simplemente se trata de sentido común. Desafortunadamente, cuando se trata de dinero, el sentido común es poco común.

Por ejemplo, no tiene sentido para mí darle a las personas una exención impositiva para que pierdan dinero y pasen su vida endeudados. O llamar activo a su casa cuando en realidad es un pasivo que agota su efectivo a diario. O tener un gobierno nacional que gasta más dinero que el que recauda en impuestos. O enviar a un niño a estudiar con la esperanza de que obtenga un empleo, pero no enseñarle a ese niño nada referente al dinero.

ES FÁCIL HACER LO QUE HACE LA GENTE RICA

Hacer lo que hace la gente rica es fácil. Una de las razones por las que hay tanta gente rica a la que no le fue bien en la escuela, es porque lo referente al "hacer" es la parte más sencilla en lo que a obtener riqueza se refiere. Usted no tiene que ir a la escuela para hacerse rico. Para volverse rico, lo referente al "hacer" no es definitivamente ciencia espacial.

Hay un libro clásico que le recomiendo que lea: *Piense y Hágase Rico (Think and Grow Rich)* de Napoleon Hill. Leí este libro cuando era un adolescente, y ejerció gran influencia en la dirección de mi vida. En realidad, fue mi padre rico el primero en recomendarme que leyera este libro y otros similares.

Hay una buena razón por la que se titula *Piense y Hágase Rico*, en lugar de "Trabaje Intensamente y Hágase Rico" o "Consiga un Empleo y Hágase Rico". Lo cierto es que la gente que más duro trabaja no es la que finalmente se hace rica. Si quiere ser rico, usted necesita "pensar". Pensar en forma independiente en lugar de seguir a la multitud. En mi opinión, un gran activo de los ricos es que piensan de manera diferente a cualquier otra persona. Si usted hace lo que todos los demás hacen, acabará teniendo lo que todos los demás tienen. Y para la mayor parte de la gente, "lo que tienen" se compone de años de trabajo intenso, impuestos injustos y toda una vida con deudas.

Cuando alguien me pregunta, "¿Qué tengo que hacer para moverme desde el lado izquierdo del *Cuadrante* hacia el lado derecho?" mi respuesta es, "No es lo que tienes que 'hacer' lo que debe cambiar. Es lo que debes 'pensar', lo que debe modificarse en primer lugar. En otras palabras, se trata de quién tienes que 'ser' a fin de 'hacer' lo que debe hacerse."

¿Quiere ser la clase de persona que piensa que comprar cuatro casas verdes y entregarlas como pago de un hotel rojo es fácil? ¿O quiere ser la clase de persona que piensa que comprar cuatro casas verdes y entregarlas como pago de un hotel rojo es difícil?

Años atrás, yo estaba en una clase sobre "establecer metas". Fue a mediados de la década del 70 y, por cierto, yo no podía creer que estuviera gastando u$s 150 y un hermoso fin de semana para aprender cómo establecer metas. Hubiera preferido hacer surf. En vez de eso, ahí estaba yo, pagando a alguien para que me enseñara a fijar metas. Estuve a punto de echarme atrás en varias ocasiones, pero lo que aprendí en esas clases me ha ayudado a conseguir lo que quiero en la vida.

La instructora presentó en la pizarra estas tres palabras:

SER – HACER – TENER

Ella dijo entonces, "De entre estas tres palabras, las metas corresponden al 'tener'. Metas tales como tener un lindo cuerpo, o tener la relación perfecta, o tener millones de dólares, o tener una salud maravillosa, o tener fama. Una vez que la mayoría de las personas se imagina lo que quiere tener, es decir fija su meta, comienza a hacer una lista de lo que tiene que 'hacer'. Esa es la razón por la cuál la mayoría de las personas tiene listas de 'cosas para hacer'. Fijan su meta y luego comienzan a 'hacer'."

Ella utilizó como primer ejemplo, la meta del cuerpo perfecto. "Lo que hace la mayoría de la gente cuando quiere un cuerpo perfecto es ponerse a dieta, y luego ir al gimnasio. Esto dura unas pocas semanas y luego la mayoría vuelve a su antigua dieta de papas fritas y pizza, y en lugar de ir al gimnasio, mira deportes por televisión. Este es un ejemplo de 'hacer' en lugar de 'ser'."

"Lo que importa no es la dieta; lo que importa es quién tiene que ser para seguir la dieta. Aún así, cada año millones de personas buscan la dieta perfecta para seguirla, a fin de adelgazar. Se concentran en lo que tienen que hacer, y no en lo que tienen que ser. Una dieta no ayudará si sus ideas no cambian."

Ella utilizó el golf como ejemplo siguiente: "Muchas personas compran un juego nuevo de palos de golf con la esperanza de poder mejorar su juego, en lugar de comenzar por la actitud, disposición y creencias de un golfista profesional. Un golfista pésimo con un juego nuevo de palos de golf sigue siendo un golfista pésimo."

Luego, habló de inversiones: "Muchas personas piensan que comprar acciones o fondos de inversión los hará ricos. Bien, el simple hecho de comprar acciones, fondos de inversión, bienes inmuebles y bonos no los hará ricos. El mero hecho de hacer lo que hacen los inversores profesionales no garantiza el éxito financiero. Una persona que tiene una mentalidad perdedora va a perder siempre, sin importar qué acción, bono, bien inmueble o fondo de inversión compre."

A continuación, utilizó un ejemplo referido a encontrar a la pareja romántica perfecta: "Tantas personas van a los bares o al trabajo o a su iglesia en busca de la persona perfecta, la persona de sus sueños. Eso es lo que 'hacen'. Lo que 'hacen' es ir y buscar a 'la persona correcta' en vez de trabajar para 'ser la persona correcta'."

Aquí va uno de sus ejemplos acerca de las relaciones: "En el matrimonio, muchas personas tratan de cambiar a la otra persona con la intención de tener un matrimonio mejor. En lugar de tratar de cambiar al otro, lo que a menudo conduce a peleas; es mejor que primero cambie uno," dijo. "No trabaje en la persona del otro; trabaje en sus propias ideas acerca de ese otro."

Mientras ella hablaba acerca de las relaciones, mi mente divagaba pensando en aquellas tantas personas que conocí a lo largo de los años, que querían salir a cambiar el mundo pero que no llegaban a ninguna parte. Querían cambiar a todos los demás, pero no a sí mismos.

Para su ejemplo en relación al dinero, dijo: "Y cuando se trata de dinero, muchas personas tratan de 'hacer' lo que hacen los ricos y 'tener' lo que tienen los ricos. Entonces salen a comprar una casa como la de los ricos, un auto como el de los ricos, y envían a sus hijos a las escuelas a las que los ricos envían los suyos. El efecto es que para 'hacer' esto las personas trabajan más, y llegan a 'tener' más deudas, lo que los lleva a trabajar aún más... que no es lo que hacen los verdaderos ricos."

Yo asentía con mi cabeza sentado al fondo del aula, expresando mi acuerdo. Padre rico no utilizaba estas mismas palabras para explicar las cosas, pero a menudo me decía, "La gente piensa que trabajar arduamente por el dinero, y luego comprar cosas que los hagan parecer ricos, los hará ricos. En la mayoría de los casos no es así. Esto sólo los cansa más. Ellos lo llaman 'seguirle el ritmo a los de al lado,' y si presta atención, los de al lado están extenuados."

Durante esa clase de fin de semana, mucho de lo que mi padre rico me había contado comenzaba a tener más sentido. Durante años él vivió modestamente. En lugar de trabajar mucho para pagar cuentas, trabajó intensamente para adquirir activos. Si uno lo veía por la calle, lucía como todos los demás. Conducía una camioneta, no un auto caro. Pero un día, cerca de los 40 años, emergió como una central eléctrica financiera. La gente lo advirtió cuando de repente compró una de las mejores propiedades en Hawai. Sólo después de que su nombre apareciera en los periódicos, la gente se dio cuenta de que este hombre tranquilo y modesto, era dueño de muchas otras empresas y varios de los inmuebles principales, y cuando habló, sus banqueros lo escucharon. Pocas personas vieron alguna vez la modesta casa en la que había vivido. Después de ser inundado con efectivo, más el flujo de dinero proveniente de sus activos, recién entonces compró una amplia casa nueva para su familia. No solicitó un préstamo. Pagó en efectivo.

Después de esa clase de fin de semana sobre establecimiento de metas, me di cuenta de que muchas personas intentaban "hacer" lo que creían que los ricos hacían, y trataban de "tener" lo que los ricos tenían. A menudo compraban casas grandes e invertían en el mercado bursátil porque pensaban que eso es lo que hacían los ricos. Sin embargo, lo que mi padre rico trataba de decirme era que si ellos aún pensaban y tenían ideas y creencias de una persona pobre o de clase media, y luego hacían lo que hacían los ricos, aún así terminarían teniendo lo que tiene el pobre y la clase media. "Ser – Hacer – Tener" comenzaban a cobrar sentido.

El Cuadrante del FLUJO DE DINERO TRATA SOBRE "SER"... y NO SOBRE "HACER"

Moverse del lado izquierdo al lado derecho del *Cuadrante* no implica tanto "hacer", sino más bien "ser".

No es tanto lo que hacen los "D" o "I" lo que establece la diferencia; se trata más de cómo "piensan". "Quiénes son" en la esencia de su ser.

La buena noticia es que no cuesta mucho dinero cambiar su forma de pensar. En realidad puede hacerlo en forma gratuita. La mala noticia es que algunas veces es difícil cambiar ciertas formas de pensar referentes al dinero muy profundamente arraigadas, transmitidas de generación en generación, o ideas que aprendió de sus amigos, en el trabajo y en la escuela. Sin embargo, se puede hacer. Y principalmente, de esto trata este libro. No se trata tanto de un libro del tipo "Cómo-Hacerlo" explicando "Qué-Hacer" para ser libre financieramente. Este libro no trata acerca de qué acciones comprar, o qué fondo de inversión es más seguro. Este libro trata esencialmente sobre cómo fortalecer su forma de pensar (ser), a fin de que pueda tomar las acciones (hacer) que le permitirán ser libre financieramente (tener).

PARA LOS "E", EL FIN ES LA SEGURIDAD

En general, cuando de dinero se trata, la gente orientada al cuadrante "E" suele dar un gran valor a la seguridad. Para ellos, muchas veces es cierto que el dinero no es tan importante como la seguridad. En otros aspectos de sus vidas pueden incluso correr grandes riesgos, como practicar paracaidismo; pero no cuando se trata de dinero.

PARA LOS "A", EL FIN ES EL PERFECCIONISMO

Nuevamente, esto es una generalización... sin embargo lo que comúnmente he observado entre las personas que están en el cuadrante "A", aunque estén intentando trasladarse del cuadrante izquierdo al cuadrante derecho, es la mentalidad del "hazlo tú mismo". Les gusta "hacerlo por sí mismos" porque a menudo tienen una gran necesidad de asegurarse que las cosas se hacen "correctamente". Y dado que les resulta muy difícil encontrar a algún otro que lo haga "correctamente", lo hacen por su cuenta.

Para muchos "A" el verdadero fin es el "control". Necesitan tener el control. Odian cometer errores. Lo que odian más aún es que otra persona cometa errores y los haga quedar mal. Eso es lo que los hace excelentes "A", y esa es la razón por la cual uno los contrata para que hagan ciertos trabajos. Usted quiere que su odontólogo sea un perfeccionista. Quiere que su abogado sea un perfeccionista. Quiere que su neurocirujano y su arquitecto sean perfeccionistas. Para eso les paga. Esa es la fortaleza que poseen. Y es también su debilidad.

INTELIGENCIA EMOCIONAL

Una gran parte de "ser" un ser humano es ser humano. Y ser humano significa tener emociones. Todos nosotros tenemos las mismas emociones. Todos sentimos temor, tristeza, enojo, amor, odio, desilusión, alegría, felicidad y otras emociones. Lo que nos hace singulares es cómo cada uno de nosotros controlamos esas emociones.

Cuando se trata de arriesgar dinero, todos experimentamos temor... inclusive los ricos. La diferencia está en cómo manejamos ese temor. Para mucha gente, la emoción del temor genera el pensamiento: "Juega a lo seguro. No corras riesgos."

Para otros, especialmente aquellos en el lado derecho, el temor a perder dinero podría hacer que piensen así: "Juega en forma inteligente. Aprende a manejar el riesgo."

Misma emoción, diferente pensar... diferente ser... diferente hacer... diferente tener.

EL MIEDO A PERDER DINERO

En mi opinión, la causa más importante de la lucha financiera del ser humano es el miedo a perder dinero. Y debido a este miedo, la gente suele operar en forma demasiado segura, o con demasiado control personal o, sencillamente, entrega su dinero a alguien a quien considera experto, y espera y ruega que el dinero esté ahí para cuando lo necesite.

Si el temor lo hace a usted prisionero en uno de los cuadrantes financieros, yo le recomiendo que lea *Inteligencia Emocional (Emotional Intelligence)* de Daniel Goleman. En su libro, Goleman explica el viejo enigma de por qué a las personas a quienes les va bien académicamente en la escuela, no siempre les va bien financieramente en el mundo real. Su respuesta es que el Coeficiente Emocional es más fuerte que el Coeficiente Académico. Por esa razón a la gente que corre riesgos, comete errores y se recupera, a menudo le va mejor que a los que aprendieron a no cometer errores porque temían el riesgo. Muchas personas salen de la escuela con títulos, sin embargo no están preparados emocionalmente para correr riesgos... especialmente riesgos financieros. La razón por la que muchos maestros no son ricos es porque operan en un "ambiente que castiga a quienes cometen errores," y a menudo ellos mismos son personas que, emocionalmente, temen cometer errores. En lugar de eso, para ser libres financieramente, necesitamos aprender cómo cometer errores y manejar el riesgo.

Si la gente pasa su vida aterrorizada por perder dinero, temerosa de hacer las cosas de manera diferente a como las hace la multitud, entonces hacerse rico es casi imposible, aunque sea tan simple como comprar cuatro casas verdes y darlas como parte de pago de un gran hotel rojo.

EL COEFICIENTE EMOCIONAL ES MÁS FUERTE

Después de leer el libro de Goleman, comencé a darme cuenta de que el Coeficiente Financiero es 90 por ciento Coeficiente Emocional y sólo 10 por ciento información técnica sobre finanzas o dinero. Goleman cita al humanista del siglo XVI Erasmus de Rotterdam, quien escribió unas líneas en sátira sobre la eterna tensión entre razón y emoción. En su escrito, Erasmus utiliza la proporción de 24:1 para comparar el potencial del juicio emocional respecto al juicio racional. En otras palabras, cuando las emociones están en alta velocidad, son 24 veces más fuertes que la mente racional. Yo no sé si ahora esa proporción es válida, pero tiene cierta utilidad como una referencia al potencial del pensamiento emocional vs. el pensamiento racional.

24 : 1
Inteligencia Emocional : Inteligencia Racional

Todos nosotros, si somos humanos, hemos experimentado en nuestras vidas, hechos en que nuestras emociones rebasaron nuestros pensamientos racionales. Estoy seguro de que muchos de nosotros hemos:

1. Dicho en algún momento de ira algo que luego hubiéramos deseado no haber dicho.
2. Sentido atracción por alguien que sabíamos que no era bueno para nosotros... pero aún así salimos con él o ella, o lo que es peor, nos casamos.
3. Llorado, o hemos visto llorar a alguien desconsoladamente, por la pérdida de un ser amado.
4. Hecho algo intencionalmente para lastimar a alguien que amamos por haber sido lastimados.
5. Tenido nuestro corazón roto, sin lograr sobreponernos por mucho tiempo.

Estos son sólo unos pocos ejemplos en los que las emociones han sido más fuertes que el pensamiento racional.

A veces las emociones son más que 24:1, y se las llama frecuentemente:

1. Adicciones –tales como comer, fumar, tener sexo, comprar, o consumir drogas en forma compulsiva.
2. Fobias –tales como temor a las serpientes, alturas, espacios cerrados, la oscuridad, los extraños.

Estos y otros comportamientos se manejan emocionalmente casi en un 100 por ciento. Es muy bajo el poder que el pensamiento racional tiene sobre el pensamiento emocional cuando se trata de algo tan fuerte como adicciones y fobias.

FOBIA A LAS SERPIENTES

Cuando estaba en la escuela de vuelo, tenía un amigo que tenía fobia a las serpientes. Durante una clase sobre cómo sobrevivir en un ambiente salvaje después de ser derribado, el instructor trajo una inofensiva serpiente de jardín para mostrarnos cómo comerla. Mi amigo, un hombre adulto, pegó un salto, gritó y salió corriendo de la habitación. No podía controlarse. No sólo su fobia a las serpientes era muy fuerte, sino que la idea de comer una fue para él algo demasiado insoportable emocionalmente.

FOBIA AL DINERO

Cuando se trata de arriesgar dinero, he visto que las personas hacen lo mismo. En lugar de investigar acerca de la inversión, también pegan un salto, gritan y salen corriendo de la habitación.

Cuando el tema es el dinero, hay fobias emocionales muy profundas... demasiadas para enumerar. Yo las tengo. Usted las tiene. Todos nosotros las tenemos. ¿Por qué? Porque nos guste o no, el dinero es un tema emocional. Y como es un tema emocional, la mayoría de la gente no puede pensar de manera lógica en lo referente al dinero. Si usted no piensa que el dinero es emocional, tan sólo observe el mercado bursátil. En la mayoría de los mercados, no hay lógica... sólo emociones de codicia y temor. O simplemente observe a la gente que se sube a un auto nuevo y huele el cuero interior. Todo lo que los vendedores tienen que hacer es susurrarle estas mágicas palabras al oído, "Bajo anticipo, cómodas cuotas mensuales," y toda lógica se va por la ventana.

LOS PENSAMIENTOS EMOCIONALES SUENAN LÓGICOS

El problema de los pensamientos emocionales esenciales es que suenan lógicos. Cuando la emoción del temor se hace presente, el pensamiento lógico para alguien en el cuadrante "E" es: "Juega en forma segura, no corras riesgos." Sin embargo, para alguien en el cuadrante "I", este pensamiento no suena lógico.

Para las personas en el cuadrante "A", cuando aparece el tema de confiar en otra persona para hacer un buen trabajo, su pensamiento lógico puede ser este: "Mejor lo haré yo."

Esa es la razón por la que muchos negocios del tipo "A" son a menudo negocios de familia. Hay un mayor sentido de confianza. Para ellos, "Definitivamente la sangre es más densa que el agua."

Así que, diferentes cuadrantes... diferente lógica... diferentes ideas... diferentes acciones... diferente tener... mismas emociones. Por lo tanto, las emociones nos hacen seres humanos, y reconocer que tenemos emociones es una parte importante del hecho de ser humano.

Lo que determina qué hacemos, es la manera en que respondemos individualmente a esas emociones.

NO ME SIENTO CON GANAS

Una forma de saber si uno está pensando emocionalmente en lugar de racionalmente es observando si utiliza la palabra "sentir". Por ejemplo, muchas personas que están gobernadas por sus emociones o sus sentimientos dirán cosas como: "Hoy no me siento con ganas de hacer ejercicio." Lógicamente, ellos saben que deberían ejercitarse.

Muchas personas que luchan financieramente no pueden controlar sus sentimientos, o permiten que sus sentimientos dicten sus pensamientos. Les escucho decir:

"No me siento con ganas de aprender a invertir. Es muy difícil."

"No siento que invertir sea correcto para mí."

"No siento ganas de contar a mis amigos acerca de mis negocios."

"Odio la sensación de ser rechazado."

PADRE – NIÑO – ADULTO

Esos son pensamientos generados a partir de las emociones, más que de la racionalidad. En psicología moderna, es la batalla entre el padre y el niño. Por lo general el padre habla en "deberías". Por ejemplo, un padre diría, "Deberías estar haciendo tu tarea," mientras que el niño habla en "cómo me siento". Como respuesta a la tarea, un niño diría, "Pero no me siento con ganas de hacerla."

Financieramente el padre dentro suyo diría en silencio, "Deberías ahorrar más dinero." Pero el niño dentro suyo contestaría, "Pero lo que realmente siento son ganas de tomarme vacaciones. Voy a cargar las vacaciones a mi tarjeta de crédito."

¿CUÁNDO ES USTED UN ADULTO?

Para movernos desde el cuadrante izquierdo al cuadrante derecho, necesitamos ser adultos. Todos necesitamos crecer financieramente. En lugar de ser padre o niño, necesitamos tener una visión adulta tanto del dinero, como del trabajo y las inversiones. Y ser adulto significa saber lo que tenemos que hacer y hacerlo, aún cuando no nos sintamos con ganas.

CONVERSACIONES EN SU INTERIOR

Para las personas que consideran hacer el cruce de un cuadrante a otro, una parte importante del proceso es ser consciente de su diálogo interior... o de las conversaciones dentro suyo. Recuerde siempre la importancia del libro *Piense y Hágase Rico*. Una parte importante del proceso es estar constantemente atento a sus pensamientos silenciosos, su diálogo interno; y recordar siempre que lo que suena lógico en un cuadrante no tiene sentido en el otro. El proceso de ir de la seguridad laboral o financiera hacia la libertad financiera es básicamente un proceso de cambiar su forma de pensar. Es un proceso que implica poner lo mejor de usted a fin de saber qué pensamientos tienen base emocional y cuáles base lógica. Si puede mantener sus emociones bajo control e ir tras lo que sabe que es lógico, usted tiene una buena oportunidad de hacer el viaje. No importa lo que le puedan estar diciendo desde afuera, siempre, la conversación más importante es la que usted mantiene consigo mismo en su interior.

Cuando Kim y yo carecíamos provisoriamente de hogar y éramos financieramente inestables, nuestras emociones estaban fuera de control. Muchas veces, lo que sonaba lógico era pura conversación emocional. Nuestras emociones nos decían lo mismo que nuestros amigos: "Jueguen a lo seguro. Tan sólo consigan un trabajo estable y garantizado, y disfruten de la vida."

Sin embargo, como es lógico, ambos coincidíamos en que para nosotros la libertad tenía más sentido que la seguridad. Al ir tras la libertad financiera, sabíamos que podríamos encontrar un sentido de seguridad que la estabilidad laboral nunca podría darnos. Eso tenía sentido para nosotros. Lo único que se interponía en nuestro camino eran nuestros pensamientos originados por nuestras emociones. Pensamientos que sonaban lógicos pero que no tenían sentido en el largo plazo. La buena noticia es que una vez que los superamos, las viejas ideas dejaron de hacerse oír, y las nuevas que deseábamos, se convirtieron en nuestra realidad... las ideas provenientes de los cuadrantes "D" e "I".

Hoy comprendo las emociones de una persona cuando dice:

"No puedo correr riesgos. Tengo una familia en la cual pensar. Debo tener un trabajo seguro."

O "Es necesario el dinero para generar dinero. Por esa razón es que no puedo invertir."

O "Lo haré por mí mismo."

Siento sus pensamientos, porque yo mismo los he tenido. Pero mirando a través del Cuadrante, y habiendo alcanzado la libertad financiera de los cuadrantes "D" e "I", puedo decir, sin dudar, que lograr libertad financiera es una forma de pensar mucho más tranquila y segura.

DIFERENCIAS ENTRE "E" (empleado) y "D" (dueño de empresa)

Los valores emocionales de nuestro ser esencial producen distintos puntos de vista. La lucha comunicacional entre los propietarios de una empresa y los empleados de la misma, se produce a menudo por las diferencias en los valores emocionales. Siempre ha existido una lucha entre "E" y "D" porque uno quiere recibir más sueldo y el otro más trabajo. Por eso a menudo oímos, "Se me exige por demás y se me paga de menos."

Y por el otro lado oímos a menudo, "¿Qué podemos hacer para motivarlos a que trabajen mucho más y sean más leales, sin pagarles más?"

DIFERENCIAS ENTRE "D" (dueño de empresa) e "I" (inversor)

Otra tensión constante es la que existe entre operadores de empresas y los inversores de dichas empresas, comúnmente llamados accionistas, los "D" y los "I". Uno quiere más dinero para operar y el otro quiere mayores dividendos.

Una conversación en una asamblea de accionistas podría sonar así:

Gerentes de la empresa: "Necesitamos un jet privado para que nuestros ejecutivos puedan llegar más rápido a sus reuniones."

Inversionistas: "Necesitamos menos ejecutivos. De esa manera, no necesitaríamos un jet privado."

DIFERENCIAS ENTRE "A" (autoempleado) y "D" (dueño de empresa)

En transacciones comerciales, he visto a menudo a un "A" brillante, por ejemplo un abogado, cerrar un acuerdo multimillonario para un "D", dueño de una empresa, y luego de la transacción, al abogado se lo veía perturbado en silencio porque el "D" ganaba millones y él, como "A", ganaba simplemente los honorarios de una hora.

Sus palabras podrían sonar así:

Abogado: "Hicimos todo el trabajo, y él ganó todo el dinero."

El "D": "¿Por cuántas horas esos muchachos nos pasan la factura? Podríamos haber comprado todo el estudio de abogados por lo que nos facturaron."

DIFERENCIAS ENTRE "E" (empleado) e "I" (inversor)

Otro ejemplo es un gerente de banco que otorga un préstamo a un inversionista para comprar algún inmueble. El inversionista gana cientos de miles de dólares libres de impuestos, y el banquero recibe un cheque por su sueldo que está gravado por altos impuestos. Ese sería un ejemplo de un "E" tratando con un "I" que a menudo produce una sutil reacción emocional.

El "E" podría decir: "Le doy a ese tipo un préstamo, y ni siquiera dice 'Gracias'. No creo que sepa lo mucho que trabajamos para él."

El "I" podría decir: "Tío, estos muchachos son melindrosos. Mira todo este papelerío inútil que tenemos que hacer sólo para conseguir un miserable crédito."

MATRIMONIO PERTURBADO EMOCIONALMENTE

El matrimonio más perturbado emocionalmente que alguna vez haya visto, era una pareja en la que la esposa era una "E" de alma que creía en el trabajo y la seguridad financiera. El marido, por otro lado, fantaseaba con que era un prometedor "I". Pensaba que sería un Warren Buffet pero en realidad era un "A", de profesión vendedor a comisión, que en el fondo era un jugador crónico. Siempre estaba buscando la inversión que lo ayudara a "volverse rico rápidamente." Era todo oídos para cualquier nueva oferta de acciones, o esquemas de inversiones *off shore* que prometieran ganancias ultra elevadas, o cualquier negocio inmobiliario en el que pudiera tener una participación. Esta pareja aún sigue unida, aunque en realidad no sé por qué. Cada uno vuelve loco al otro. Uno de ellos se mueve en el riesgo; el otro lo odia. Diferentes cuadrantes, diferentes valores esenciales.

SI USTED ES CASADO O ESTÁ EN PAREJA

Si usted es casado o está en pareja, marque con un círculo el cuadrante en el que usted genera la parte principal de sus ingresos, y luego marque con un círculo el cuadrante en el que su cónyuge o pareja genera el suyo.

La razón por la que le pido que haga esto es porque la discusión entre los miembros de una pareja es a menudo difícil si uno de los dos no comprende de dónde viene el otro.

LA BATALLA ENTRE EL RICO Y EL INSTRUIDO

He notado que hay otro campo de batalla no expresado o tácito, que resulta de las diferencias en los puntos de vista entre instruidos y ricos.

Durante mis años de investigación sobre las diferencias entre los distintos cuadrantes, he oído a menudo a banqueros, abogados, contadores y otros por el estilo, quejarse en silencio acerca de que ellos son los instruidos, y que a menudo quien gana "fortunas" es la supuesta persona-menos-instruida. Esto es lo que yo llamo la batalla entre el instruido y el rico, lo cual refleja a menudo las diferencias entre las personas del lado izquierdo del *Cuadrante* y las personas del lado derecho... o los "E-A" vs. los "D-I". No es que las personas en los cuadrantes "D" e "I" no sean instruidas... porque muchas están altamente capacitadas; es que, simplemente, muchos "D" e "I" no fueron niños prodigio en lo académico durante la escuela... y no se capacitaron en las universidades en las que sí lo hicieron los abogados, contadores y quienes ostentan un Master en Administración de Empresas.

Para aquellos de ustedes que leyeron mi libro *Padre Rico Padre Pobre*,* ya saben que se trata de la pugna entre el instruido y el rico. Mi padre pobre pero altamente instruido se sentía orgulloso por el hecho de haber tenido años de estudios avanzados en prestigiosas instituciones como la Universidad de Stanford y la Universidad de Chicago. Mi padre rico fue un hombre que abandonó sus estudios para manejar el negocio de su familia cuando su padre murió... por lo que nunca terminó la secundaria, y sin embargo adquirió una riqueza enorme.

A medida que fui creciendo y parecía estar más influenciado por mi padre rico –aunque poco formado, mi padre instruido tomaba en ocasiones actitudes defensivas de su sitio en la vida. Un día, cuando yo tenía alrededor de 16 años, mi padre instruido dejó escapar, "He obtenido títulos superiores en instituciones prestigiosas. ¿Qué ha logrado el padre de tu amigo?"

Hice una pausa y respondí con calma: "Dinero y tiempo libre".

MÁS QUE UN CAMBIO MENTAL

Como se dijo anteriormente, encontrar el éxito en los cuadrantes "D" o "I" requiere más que un simple conocimiento académico o técnico. A menudo requiere un cambio del pensamiento emocional esencial, de los sentimientos, las creencias y la actitud. Recuerde el

SER – HACER – TENER.

Lo que hacen los ricos es relativamente sencillo. Es el "Ser" lo que es distinto. La diferencia se encuentra en sus pensamientos y, más específicamente, en su diálogo interno con ellos mismos. Por esa razón mi padre rico me prohibía decir:

"No puedo permitírmelo."

"No puedo hacer eso."

"Juega a lo seguro."

"No pierdas dinero."

"¿Qué pasa si fracasas y nunca te recuperas?"

Me prohibía decir esas palabras porque estaba plenamente convencido de que las palabras son las herramientas más poderosas de que disponen los seres humanos. Lo que una persona dice y piensa se hace realidad.

A menudo, si bien no era muy religioso, citaba el siguiente texto de la Biblia: "Y la palabra se hizo carne y habitó entre nosotros."

Padre rico creía firmemente que lo que nos decíamos a nosotros mismos, a nuestra propia esencia, se convertía en nuestra realidad. Por eso sospecho que en el caso de las personas que luchan financieramente, sus emociones a menudo construyen su conversación interna y rigen sus vidas. Hasta que la persona aprende a derrotar esos pensamientos de naturaleza emocional, sus palabras se hacen carne. Palabras tales como:

"Nunca seré rico."

"Esa idea nunca funcionará."

"Es demasiado caro para mí."

Si esos pensamientos tienen base emocional, entonces son muy poderosos. La buena noticia es que con la ayuda de nuevos amigos, ideas nuevas y un poco de tiempo, se los puede cambiar.

Las personas que no puedan controlar su miedo a perder no deberían invertir por cuenta propia. Les resultará mejor delegar ese trabajo a un profesional y no interferir con ellos.

Una mención interesante: he conocido a muchos profesionales que no temen al momento de invertir el dinero de otros y pueden obtener grandes sumas de dinero. Pero cuando se trata de invertir o arriesgar su propio dinero, su miedo a perder se hace tan fuerte que acaban perdiendo. Sus emociones, más que su lógica, determinan sus pensamientos.

También he conocido personas que pueden invertir su dinero y ganar constantemente, pero que pierden la calma cuando alguien les pide que inviertan por ellos.

El ganar y perder dinero es una cuestión emocional. Por eso mi padre rico me confió el secreto para manejar esas emociones. Padre rico decía siempre: "Para tener éxito como inversor o empresario, tienes que ser emocionalmente neutral al ganar y al perder. Ganar y perder son sólo parte del juego."

RENUNCIANDO A MI EMPLEO SEGURO

Mi amigo Mike tenía un sistema que le pertenecía. Su padre lo había construido. Yo no tuve esa buena fortuna. Sabía que algún día tendría que dejar el confort y la seguridad del nido, y comenzar a construir lo mío propio.

En 1978, renuncié a mi seguro empleo de tiempo completo en Xerox, y di el difícil paso hacia adelante sin red de contención. El temor y la duda hacían mucho ruido en mi cabeza. Estaba casi paralizado por el miedo mientras firmaba mi carta de renuncia, recogía mi último cheque de sueldo, y salía por la puerta. Dentro de mí, sonaba una orquesta conformada por mis propios pensamientos y sentimientos dañinos. Hablaba pestes de mí mismo a viva voz y con tal convicción que no podía oír nada más. Eso fue bueno, porque muchos con quienes trabajaba estaban diciendo, "Volverá. Nunca lo logrará."

El problema era que yo me decía esas mismas cosas a mí mismo. Aquellas palabras emocionales de desconfianza en mí mismo me persiguieron durante años hasta que mi esposa y yo tuvimos éxito en ambos cuadrantes, "D" e "I". Hoy, aún escucho aquellas palabras; pero por cierto tienen menos autoridad. En el proceso de poner en su lugar mi propia duda acerca de mí mismo, aprendí a crear otras palabras, palabras de estímulo personal, afirmaciones tales como:

"Mantén la calma, piensa con claridad, mantén la mente abierta, sigue andando, pide algún consejo a alguien que ya haya pasado por esto, confía, y mantén la fe en un poder superior que quiera lo mejor para ti."

"Aprendí a crear estas palabras de aliento en mi interior, aún cuando había una parte de mí que estaba asustada y temerosa."

Sabía que al principio tenía poca oportunidad de tener éxito. Sin embargo, las emociones humanas positivas tales como confianza, fe, valor y los buenos amigos, me hicieron seguir adelante. Sabía que tenía que correr riesgos. Sabía que los riesgos conducían a errores, y los errores conducían a la sabiduría y al conocimiento, elementos de los que carecía. Para mí, el fracaso hubiera sido permitir que el miedo ganara, por eso deseaba seguir adelante con pocas garantías. Mi padre rico me había inculcado la idea de que "el fracaso es parte del proceso del éxito."

VIAJE INTERIOR

El viaje desde un cuadrante al siguiente es un viaje interior. Es un viaje que va desde un conjunto de creencias esenciales y aptitudes técnicas hacia un nuevo conjunto de creencias esenciales y un nuevo conjunto de aptitudes técnicas. El proceso se parece mucho a aprender a andar en bicicleta. Al principio uno se cae muchas veces. En ocasiones resulta frustrante y penoso, en especial si sus amigos lo están observando. Pero después de un tiempo, las caídas acaban y andar se torna automático. Si cae otra vez, ya no resulta tan importante porque, en su interior, ahora sabe que puede levantarse y andar otra vez. Al ir de un encuadre mental emocional de seguridad laboral hacia un encuadre mental emocional de libertad financiera, el proceso es idéntico. Una vez que mi esposa y yo efectuamos el cruce, teníamos menos miedo de fracasar porque teníamos confianza en nuestra capacidad para comenzar nuevamente.

En lo personal, existen dos premisas que son las que me mantuvieron firme. Una es la frase que usó mi padre rico para aconsejarme cuando estaba a punto de abandonar y volver atrás: "Siempre puedes abandonar... así que, ¿por qué hacerlo ahora?"

Esa afirmación mantuvo mi espíritu en alto y mis emociones en calma. Esa afirmación me recordó que me encontraba a mitad de camino... entonces, por qué volver atrás, si la distancia a casa era la misma que la que faltaba para llegar al lado opuesto del cuadrante. Sería como si Colón hubiera abandonado y dado la vuelta a medio camino en medio del Atlántico. De cualquier manera, la distancia era la misma.

Y una palabra de advertencia: inteligencia también es saber cuándo abandonar. Muy a menudo conozco personas, que se mantienen tras un proyecto que no tiene oportunidad de éxito. El problema de saber cuándo abandonar o cuándo seguir, es el problema de siempre para todo aquel que corra riesgos. Una forma de manejar esta situación de "seguir o abandonar", es buscar mentores que ya antes hayan efectuado el cruce con éxito, y escuchar sus consejos. Esa persona, que ya está del otro lado, puede guiarlo mejor. Pero cuídese del consejo de alguien que sólo ha leído libros sobre el cruce y cobra por dar conferencias sobre el tema.

La otra premisa que a menudo me hacía seguir era:

"Los gigantes a menudo tropiezan y caen.
No así los gusanos, porque
todo lo que hacen es cavar y arrastrarse."

La razón principal por la que muchas personas luchan financieramente no es porque carecen de una buena educación, o porque no trabajan lo suficiente. Es porque tienen miedo de perder. Si el temor de perder los detiene, ya han perdido.

LOS PERDEDORES SE DESPRENDEN DE SUS INVERSIONES "GANADORAS" Y SE APEGAN A LAS "PERDEDORAS"

El miedo a "ser" un perdedor afecta lo que "hace" la gente de maneras extrañas. He visto personas comprar acciones por u$s20 y venderlas cuando alcanzan los u$s30, porque temen perder lo que han ganado, solamente para que luego la acción suba a u$s100, baje y vuelva a subir a u$s100.

Esa misma persona, habiendo comprado una acción a u$s20, la verá bajar, digamos... a u$s3, y aún así la mantendrá, con la esperanza de que el precio vuelva a subir... ¡y podrían mantener esa acción de u$s3 durante 20 años! Este es un ejemplo de personas que "tienen" tanto miedo de perder, o de admitir que perdieron, que acaban perdiendo.

LOS GANADORES SE DESPRENDEN DE SUS INVERSIONES "PERDEDORAS" Y SE APEGAN A SUS "GANADORAS"

Los ganadores "hacen" las cosas casi exactamente al revés. A menudo, cuando saben que quedaron en una posición desventajosa, por ejemplo, que el precio de sus acciones comienza a bajar en vez de subir, venderán en forma inmediata y asumirán sus pérdidas. A muchos no les avergüenza decir que perdieron, porque un ganador sabe que perder es parte del proceso de ganar.

Cuando encuentran una "ganadora", la dejarán subir tanto como sea posible. Al momento en que sepan que cesa de subir y que el valor alcanzó su pico máximo, se desprenden de ella y venden.

La clave para ser un gran inversionista es ser neutral para ganar y perder. Así, los pensamientos de índole emocional, tales como el temor y la codicia, ya no podrán dirigir sus ideas.

LOS PERDEDORES HACEN LAS MISMAS COSAS EN LA VIDA

Las personas que temen perder hacen lo mismo en la vida real. Todos sabemos de:

1. Personas que mantienen matrimonios donde ya no hay más amor.
2. Personas que se quedan en empleos sin porvenir.
3. Personas que se aferran a prendas viejas y "cosas" que nunca van a utilizar.
4. Personas que se quedan en ciudades donde no tienen futuro.
5. Personas que mantienen amistades con gente que los jala hacia atrás.

LA INTELIGENCIA EMOCIONAL PUEDE CONTROLARSE

La inteligencia financiera está estrechamente relacionada con la inteligencia emocional. En mi opinión, la mayoría de las personas sufren financieramente porque sus emociones controlan sus pensamientos. Todos nosotros, como SERes humanos, tenemos las mismas emociones. Lo que determina las diferencias en lo que "HACEMOS" y lo que "TENEMOS" en la vida, reside fundamentalmente en cómo manejamos dichas emociones.

Por ejemplo, la emoción del temor puede hacer que algunos de nosotros seamos cobardes. La misma emoción de temor puede hacer que otros seamos valientes. Lamentablemente, cuando se trata del tema dinero, la mayor parte de las personas en nuestra sociedad están condicionadas para ser cobardes en lo financiero. Cuando aparece el temor a perder dinero, las mentes de la mayoría de las personas comienzan automáticamente a hacer sonar estas palabras:

1. "Seguridad," en lugar de "libertad."
2. "Evitar el riesgo," más que "aprender a manejar el riesgo."
3. "Juega sobre seguro," y no "juega con inteligencia."
4. "No puedo pagarlo," en lugar de "¿Cómo puedo pagarlo?"
5. "Es demasiado caro," antes que "¿Vale la pena, a largo plazo?"
6. "Diversificar" en lugar de "centralizar."
7. "¿Qué pensarán mis amigos?" más que "¿Qué pienso yo?"

LA SABIDURÍA DEL RIESGO

Hay una ciencia referida a correr riesgos, especialmente riesgos financieros. Uno de los mejores libros que he leído sobre el tema del dinero y el manejo del riesgo es *Trading For a Living (El comercio como medio de vida)*, del Dr. Alexander Elder.

Aunque se escribió para personas que negocian acciones y opciones profesionalmente, la sabiduría del riesgo y el manejo de dicho riesgo es aplicable a todas las áreas del dinero, su administración, inversión y psicología personal. Una de las razones por las que muchos "D" no siempre tienen éxito como "I", es que no comprenden del todo la psicología que hay detrás del mero hecho de arriesgar dinero. Si bien los "D" comprenden el riesgo que implican los sistemas empresariales y las personas, ese conocimiento no siempre se traduce a los sistemas de dinero generando dinero.

ES MÁS EMOCIONAL QUE TÉCNICO

En síntesis, moverse desde los cuadrantes de la izquierda hacia los cuadrantes de la derecha, es más emocional que técnico. Si las personas no son capaces de controlar sus pensamientos emocionales, yo no les recomendaría el viaje.

La razón por la cual a las personas del lado izquierdo, las cosas les parecen tan riesgosas en el lado derecho del *Cuadrante*, se debe a que la emoción del temor a menudo está afectando sus pensamientos. Las personas en el lado izquierdo piensan que "juega sobre seguro" es un pensamiento lógico. No lo es. Es un pensamiento emocional. Y son los pensamientos emocionales los que mantienen a las personas atascadas en uno u otro cuadrante.

Lo que la gente "HACE" en el lado derecho de la ecuación no es tan difícil. Soy sincero cuando digo que es tan fácil como comprar cuatro casas verdes a precios bajos, esperar hasta que mejore el mercado, venderlas y luego comprar un gran hotel rojo.

La vida es por cierto un juego de Monopoly para las personas en el lado derecho del cuadrante. Por supuesto que hay pérdidas y ganancias, pero eso es parte del juego. Ganar y perder es parte de la vida. Tener éxito en el lado derecho del Cuadrante es "SER" una persona que ama el juego. Tiger Woods pierde más de lo que gana, sin embargo aún ama el juego. Donald Trump quebró y volvió a pelearla. El no abandonó por haber perdido. Perder sólo lo hizo más inteligente y le dio mayor determinación. Mucha gente rica quebró antes de hacerse rica. Esa es una parte del juego.

Si las emociones de una persona gobiernan sus pensamientos, frecuentemente esos pensamientos emocionales la ciegan y no le permiten ver nada más. Y es debido a aquellos pensamientos emocionales de tipo reflejo automático, que la gente reacciona en lugar de pensar. Esas emociones son las que hacen que las personas de distintos cuadrantes discutan entre sí. Las discusiones se deben a que ellos no poseen los mismos puntos de vista emocionales. Es esa reacción emocional la que ciega a una persona y no le permite ver lo fácil, y a menudo exentas de riesgo, que son las cosas en el lado derecho del *Cuadrante*. Si una persona no puede controlar sus pensamientos emocionales, y muchos no pueden hacerlo, entonces no deberían intentar el cruce.

Aliento a todos aquellos de ustedes que estén deseosos de efectuar ese cruce, a que se aseguren de contar con un buen y positivo grupo de apoyo a largo plazo, y un mentor que los guíe desde el otro lado. Para mí, la lucha por la que atravesamos mi esposa y yo valió la pena. Para nosotros, lo más importante de haber cruzado desde el lado izquierdo al lado derecho del *Cuadrante* no es lo que tuvimos que "hacer", sino en quiénes nos convertimos en el proceso. Para mí, eso es inapreciable.

* Publicado por TIME & MONEY NETWORK EDITIONS, Buenos Aires, Argentina, año 2.000.

CAPÍTULO 9

Sea el banco... y no el banquero

Me he enfocado en la parte relativa a "SER" de la fórmula "SER–HACER–TENER" porque sin la disposición mental y actitud apropiadas, usted no estará preparado para los grandes cambios económicos que hoy se nos presentan. Al "SER" alguien con las aptitudes y disposición mental inherentes al lado derecho del *Cuadrante*, usted estará preparado para reconocer las oportunidades que surjan de estos cambios y para "HACER" en consecuencia, lo cual resultará en "TENER" éxito financiero.

Recuerdo un llamado telefónico que recibí de mi padre rico a fines de 1986:

"¿Estás en el mercado inmobiliario o en el mercado bursátil?" preguntó.

"En ninguno," contesté. "Todo lo que tengo fue invertido en construir mi empresa."

"Bien," dijo. "Mantente al margen de todos los mercados. Sigue construyendo tu empresa. Algo grande está por suceder."

Ese año el Congreso de Estados Unidos promulgó el Acta de Reforma Tributaria de 1986. En apenas 43 días, el Congreso quitó muchos de los resquicios legales con los que contaba la gente para ocultar sus ingresos. Aquellos que utilizaban esas "pérdidas pasivas" que derivan del ingreso de sus propiedades, como las deducciones impositivas, de pronto se encontraron con que aún mentenían sus pérdidas, pero el gobierno les había quitado la deducción impositiva. A lo largo de todo el país, los precios de los bienes raíces comenzaron a caer. Los precios de las propiedades comenzaron a bajar, en algunos casos hasta un 70 por ciento. De pronto, la valuación de las propiedades era menor que el monto de sus hipotecas. El pánico se extendió por todo el mercado inmobiliario. Los bancos y las instituciones de ahorro y préstamo comenzaron a temblar, muchos a quebrar. La gente no podía retirar su dinero de los bancos, hasta que finalmente, en Octubre de 1987, Wall Street colapsó. El mundo entró en una crisis financiera.

El Acta de Reforma Tributaria de 1986 eliminó principalmente muchos de los resquicios legales existentes en el lado izquierdo del *Cuadrante*, de los que dependían los "E" y "A" de altos ingresos. Muchos de ellos habían invertido en propiedades inmuebles o en sociedades de responsabilidad limitada a fin de utilizar esas pérdidas para compensar sus ganancias en los cuadrantes "E" y/o "A". Y aunque el estallido y la recesión afectaron a las personas en el lado derecho del *Cuadrante*, es decir, los cuadrantes "D" e "I", muchos de sus mecanismos de evasión de impuestos siguieron vigentes.

Durante este período, los "E" aprendieron una palabra nueva. La palabra era "reducción". Pronto se dieron cuenta de que cuando se anunciaban despidos masivos, el precio de las acciones de la compañía que los anunciaba, subía. Lamentablemente, la mayoría no comprendía por qué. Había muchos "A" que también estaban lidiando con la recesión, debido a una disminución en los negocios, a tasas de seguro más altas, y a las pérdidas en los mercados inmobiliario y bursátil. Como consecuencia, creo que los individuos enfocados mayormente en el lado izquierdo del *Cuadrante*, fueron los más perjudicados; y quienes más sufrieron financieramente como resultado directo del Acta de Reforma Tributaria de 1986.

TRANSFERENCIA DE RIQUEZA

Mientras las personas en el lado izquierdo sufrían, muchas otras que operaban en el lado "D" e "I" del *Cuadrante* se hacían ricos, gracias a la quita que aplicó el gobierno a algunos en pro de otros.

Al modificar el código impositivo, todos los "trucos impositivos" que motivaban a invertir, le fueron quitados a quienes compraban inmuebles con la finalidad de perder dinero. Muchos eran empleados de altos ingresos, o profesionales tales como médicos, abogados, contadores y pequeños empresarios. Con anterioridad a este período, todos ellos tenían un ingreso tan gravado, que sus asesores les sugerían que compraran inmuebles para perder dinero y que posteriormente, todo excedente lo invirtieran en el mercado bursátil. Cuando el gobierno quitó los resquicios legales con el Acta de Reforma Impositiva... tuvo lugar una de las mayores transferencias masivas de riqueza. En mi opinión, una gran parte de la riqueza del lado "E y A" del *Cuadrante* fue llevada gradualmente al lado "D e I".

En lo concerniente a "ahorro y préstamo", cuando quebraron las organizaciones que otorgaban los préstamos "malos", miles de millones de dólares en depósitos fueron puestos en riesgo. El dinero tenía que ser reintegrado. Entonces, ¿quién quedaba para devolver los miles de millones de dólares perdidos en ahorros e hipotecas? Los contribuyentes, por supuesto. La misma gente que ya anteriormente estaba por demás afectada, con la situación tal como era. Y por este cambio en la ley impositiva, los contribuyentes quedaron atrapados con esta cuenta multimillonaria en dólares.

Es problable que algunos de ustedes recuerden también a una agencia gubernamental llamada Resolution Trust Corporation –o RTC, como solía ser denominada. La RTC era la agencia responsable de tomar los juicios hipotecarios provenientes del colapso del mercado inmobiliario, y transferirlos a aquellos que supieran cómo administrarlos. Para mí y para muchos de mis amigos, fue como una bendición del "cielo financiero".

El dinero, como recordarán, se ve con la mente... no con los ojos. Durante este período de tiempo, las emociones se aceleraron y las visiones se tornaron borrosas. La gente vio lo que estaba entrenada para ver. A las personas del lado izquierdo del *Cuadrante* les sucedieron tres cosas.

1. El pánico estaba por todas partes. Cuando las emociones se aceleran, a menudo la inteligencia financiera desaparece. Debido a que la gente estaba tan preocupada por sus empleos, por la caída del valor de sus propiedades, el estallido del mercado bursátil, y la desaceleración general de los negocios, no pudieron ver las oportunidades masivas justo frente a ellos. Sus pensamientos emocionales los habían cegado. En lugar de continuar avanzando despejando la maleza, la mayoría se metió en sus cuevas y se escondió.

2. No tenían las aptitudes técnicas requeridas en el lado derecho del *Cuadrante*. Así como un médico debe contar con aptitudes técnicas producto de años de estudio, y luego, del diario entrenamiento laboral, toda persona en el cuadrante "D" y en el cuadrante "I" también debe poseer aptitudes técnicas altamente especializadas. Aptitudes técnicas que incluyen la alfabetización financiera, es decir, conocer el vocabulario, y también saber cómo reestructurar la deuda, cómo estructurar una oferta, cuál es su mercado, cómo incrementar capital, y otras aptitudes a ser aprendidas.

   Cuando la RTC dijo: "Tenemos en venta un paquete bancario, y dentro de él hay bienes inmuebles que solían estar valuados en u$s 20 millones... pero hoy los pueden adquirir por u$s 4 millones," la mayoría de la gente en el lado izquierdo del Cuadrante no tenía indicio de cómo hacerse de los u$s 4 millones necesarios para comprar el regalo del cielo financiero, ni tampoco sabían cómo diferenciar los buenos de los malos negocios.

3. No contaban con una máquina de efectivo. Durante este período, la mayoría de las personas tuvieron que trabajar aún más tan sólo para poder sobrevivir. Al operar como un "D", mi negocio pudo expandirse con poco esfuerzo físico de mi parte. Para 1990, mi empresa estaba en pie, funcionando y creciendo. Durante este período, pasó de ser un emprendimiento a tener 11 oficinas alrededor del mundo. Cuanto más se expandía, menor era el esfuerzo físico que debía hacer yo, y mayor la cantidad de dinero entrante. El sistema, y la gente en el sistema, estaban trabajando arduamente. Con el dinero extra y el tiempo libre, mi esposa y yo podíamos pasar bastante tiempo analizando "negocios"... y había muchísimos.

FUE EL MEJOR DE LOS MOMENTOS... FUE EL PEOR DE LOS MOMENTOS

Hay un dicho que expresa: "No es lo que acontece en la vida de uno lo que importa... sino el sentido que uno le da a lo que acontece."

El período que va de 1986 a 1996 fue, para algunos, el peor de sus vidas. Para otros, fue el mejor. En 1986, cuando recibí el llamado telefónico de mi padre rico, me di cuenta de la oportunidad fantástica que este cambio económico me ofrecía. Y aunque en ese momento no tenía mucho dinero extra, fui capaz de crear activos utilizando mis habilidades como "D" y como "I". Más adelante en este capítulo, describiré con detalles como creé activos que me ayudaron a liberarme financieramente.

Una de las claves para lograr una vida exitosa y feliz es ser lo suficientemente flexible para responder en forma apropiada a cualquier cambio que aparezca en su camino –para ser capaz de responder y hacer algo bueno a partir de lo que sea. Lamentablemente, la mayoría de la gente no ha estado equipada para manejar los cambios económicos límites que han sucedido y continúan sucediendo. Existe una cualidad que bendice a los seres humanos: por lo general son optimistas, y tienen la habilidad de olvidar. Después de 10 a 12 años, se olvidan... y entonces las cosas cambian nuevamente.

LA HISTORIA VUELVE A REPETIRSE

Hoy en día, la gente se ha olvidado en mayor o menor grado del Acta de Reforma Tributaria de 1986. Los "E" y "A" están trabajando mucho más que nunca.

¿Por qué? Porque les fueron quitados sus resquicios legales impositivos. Como han trabajado mucho para recuperar lo que perdieron, la economía ha mejorado, sus ingresos han aumentado, y sus contadores impositivos han comenzado otra vez a susurrar las mismas antiguas palabras de sabiduría:

"Compre una casa más grande. El interés sobre su deuda es su mejor deducción impositiva. Y además, su casa es un activo, y debería ser su mayor inversión."

De manera que ellos analizan "las cómodas cuotas mensuales," y acaban envueltos en una deuda mayor.

El mercado de la vivienda está en expansión, la gente tiene mayor disponibilidad de ingresos, y las tasas de interés son bajas. La gente está comprando casas más grandes, están eufóricos, y están volcando dinero al mercado bursátil porque quieren hacerse ricos en forma rápida y se han dado cuenta de que necesitan invertir para la jubilación.

Nuevamente, en mi opinión, una gran transferencia de riqueza está por suceder. Puede que no sea este año, pero sucederá. No va a suceder exactamente de la misma forma. Va a ser algo distinto. Por esta razón es que mi padre rico me hizo leer libros sobre historia económica. La economía cambia, pero la historia se repite. Sólo que no se da con el mismo conjunto de circunstancias.

El dinero continúa fluyendo desde el lado izquierdo hacia el lado derecho del *Cuadrante*. Siempre ha sido así. Mucha gente tiene grandes deudas, aún así invierte dinero en el mayor mercado bursátil de la historia mundial. Aquellos que están en el lado derecho del *Cuadrante* venderán en los picos del mercado, justo cuando los últimos cautelosos del lado izquierdo superen sus temores y entren a él. Va a suceder algo de interés periodístico, el mercado va a explotar, y cuando se asiente el polvo, los inversionistas reaparecerán. Recomprarán lo que acaban de vender. Una vez más, tendremos otra gran transferencia de riqueza desde el lado izquierdo hacia el lado derecho del *Cuadrante*.

Llevará al menos otros 12 años para que sanen las cicatrices emocionales de aquellos que perdieron dinero... pero las heridas sanarán, justo cuando otro mercado esté por alcanzar su pico.

Para ese entonces, la gente comenzará a citar a Yogi Berra, el gran jugador de *baseball* de los Yankees de New York: "Ya está visto que todo vuelve a suceder."

¿ES UNA CONSPIRACIÓN?

A menudo escucho decir a la gente, en especial a los del lado izquierdo del *Cuadrante*, que hay una especie de conspiración global, llevada a cabo por unas pocas familias ultra ricas unidas, que controlan a los bancos. Estas teorías acerca de la conspiración bancaria han rondado durante años.

¿Existe una conspiración? No lo sé. ¿Podría haber una conspiración? Todo es posible. Sé que hay familias poderosas que controlan sumas masivas de dinero. ¿Pero que un grupo controle al mundo? No lo creo.

Yo lo veo diferente. Lo veo más o menos así: un grupo de personas en un lado del *Cuadrante* con una actitud mental, y otro grupo de personas en el otro lado del *Cua-*

drante con otra actitud mental totalmente diferente. Todos están jugando este gran juego del dinero, pero cada cuadrante lo está jugando desde un enfoque distinto y con un conjunto diferente de reglas.

El gran problema es que las personas en el lado izquierdo no pueden ver lo que están haciendo los del lado derecho, pero los del lado derecho, saben qué están haciendo los del lado izquierdo.

CACERÍA DE BRUJAS

Muchas personas en el lado izquierdo del *Cuadrante*, en lugar de averiguar qué sabe la gente en el lado derecho que ellos ignoran, inician una cacería de brujas. Tan sólo unos siglos atrás, cuando había una plaga, o algo malo le sucedía a una comunidad, la gente del lugar acostumbraba a iniciar "una cacería de brujas." Necesitaban alguien a quién culpar por su brete. Hasta que la ciencia inventó el microscopio y la gente pudo ver lo que sus simples ojos no podían –microbios, las personas culpaban a otras personas por sus enfermedades. Quemaban brujas en la hoguera para solucionar sus problemas. Poco era lo que sabían acerca de que gran parte de las enfermedades eran causadas por personas que vivían en ciudades con pobres sistemas de desecho de basura y aguas cloacales. La gente había causado sus propios problemas, como resultado de condiciones antihigiénicas... y no a causa de "las brujas."

Y bien, hoy en día las cacerías de brujas continúan. Muchas personas buscan a quien culpar por sus plagas financieras. Esta gente a menudo quiere culpar a los ricos por sus problemas financieros personales, en lugar de tomar conciencia de que muchas veces la razón fundamental de su grave situación es su falta de información acerca del dinero

LOS HÉROES SE CONVIERTEN EN VILLANOS

Cada tanto aparece un nuevo gurú financiero que pareciera tener la nueva fórmula mágica para la riqueza. Hacia fines de los 70, fueron los hermanos Hunt quienes trataron de arrinconar el mercado de la plata. El mundo aplaudió su genio. Casi de un día para el otro, fueron perseguidos como criminales debido a que mucha gente perdió dinero tras seguir su consejo. Hacia fines de los 80, fue Michael Milken, el rey del bono–basura. Un día era un genio financiero, e inmediatamente después del derrumbe, fue rastreado y localizado para ser enviado a la cárcel. Los individuos cambian, pero la historia se repite.

Actualmente, tenemos nuevos genios inversores. Aparecen en televisión, sus nombres están en los periódicos, son las nuevas celebridades. Uno de ellos es Alan Greenspan, el presidente del Comité de la Reserva Federal. Hoy, es casi un dios. La gente piensa que es el responsable de nuestra economía maravillosa. También Warren Buffet es considerado casi como un dios. Cuando compra algo, todos se abalanzan y compran lo mismo. Y cuando él vende, se produce un quiebre de precios. También a Bill Gates se lo observa con cuidado. El dinero lo seguirá en forma irrestricta. Si en el futuro cercano se produce un cambio radical en el mercado, los héroes financieros de hoy ¿serán odiados mañana? Sólo el tiempo lo dirá.

En cada ciclo "favorable" de la economía hay héroes, y en cada ciclo "desfavorable", hay villanos. Al rever la historia, vemos que casi siempre han sido los mismos. La gente siempre va a necesitar brujas para quemar o conspiraciones para culpar debido a su propia ceguera financiera. La historia se repetirá a sí misma... y una gran transferencia de riqueza tendrá lugar nuevamente. Y cuando suceda, ¿en qué lugar de la transferencia se encontrará usted? ¿En el lado izquierdo, o en el derecho?

En mi opinión, las personas sencillamente no pueden darse cuenta de que están en este gran juego global... un virtual casino en el cielo, pero nadie les ha dicho que son jugadores importantes del juego. Y éste es "¿Quién le debe a quién?"

SER EL BANCO... Y NO EL BANQUERO

Cuando tenía veintitantos años, me di cuenta de que el nombre del juego era ser el banco, pero eso no significaba conseguir un empleo como banquero. Mi educación superior estaba por comenzar. Fue durante este período que padre rico me hizo buscar palabras como "hipoteca", "bienes inmuebles" y "finanzas." Estaba comenzando a entrenar mi mente para que viera lo que mis ojos no podían ver.

Me alentó para que aprendiera y comprendiera el juego, y después de que lo hube aprendido, fui capaz de hacer lo que deseara con las opciones que se me presentaban. Decidí compartir mi conocimiento con todo aquel que estuviese interesado.

También me había hecho leer libros sobre los grandes líderes del capitalismo. Personas tales como John D. Rockefeller, J. P. Morgan, Henry Ford. Uno de los libros más importantes que leí fue *Los Filósofos Materialistas* (*The Wordly Philosophers*), de Robert Heilbroner. Para las personas que deseen operar en el lado "D" e "I", este libro es de lectura obligada, porque analiza a los más grandes economistas de todos los tiempos, comenzando con Adam Smith, que escribió *La Riqueza de las Naciones* (*The Wealth of Nations*). Es fascinante asomarse a las mentes de algunos de nuestros filósofos más importantes, los economistas. Estas personas interpretaron la evolución del capitalismo moderno a través de su breve historia. Creo que, si usted aspira a ser un líder en el lado derecho del *Cuadrante*, la visión histórica del desarrollo de la economía es importante para comprender tanto nuestro pasado como nuestro futuro. Después de *The Wordly Philosophers*, recomiendo leer *Riqueza Ilimitada* (*Unlimited Wealth*) de Paul Zane Pilzer, *El Individuo Soberano* (*The Sovereign Individual*) de James Dale Davidson, *La Cresta de la Ola* (*The Crest of the Wave*) de Robert Pretcher, y *La Gran Expansión que se Avecina* (*The Great Boom Ahead*) de Harry Dent. El libro de Heilbroner proporciona una nueva percepción de nuestro origen económico, y los otros autores dan sus puntos de vista acerca de hacia dónde nos dirigimos. Sus contrastantes puntos de vista son importantes porque nos permiten ver lo que nuestros ojos no pueden... algo llamado futuro. Al leer libros como estos, he podido llegar a una interiorización de las alzas y bajas de los ciclos y tendencias de la economía. Un tema común en todos estos libros es que uno de los mayores cambios está justo a la vuelta de la esquina.

CÓMO JUGAR A SER EL BANCO

Después del Acta de Reforma Tributaria de 1986, había oportunidades por todas partes. Se conseguían bienes inmuebles, acciones y negocios a bajos precios. Y mientras resultaba devastador para muchas personas en el lado izquierdo del *Cuadrante*, para mí era maravilloso porque podía utilizar mis habilidades como "D" e "I" para aprovechar las oportunidades a mi alrededor. En lugar de ser codicioso e ir detrás de todo lo que parecía un buen negocio, decidí concentrarme en bienes inmuebles.

¿Por qué bienes inmuebles? Por estas cinco sencillas razones:

1. **Precio.** Los precios de los inmuebles estaban tan bajos que, para la mayor parte de las propiedades, los pagos de hipoteca eran muy inferiores a un alquiler razonable de mercado. Estas propiedades tenían gran sentido económico... lo que significaba que había poco riesgo. Era como ir a una liquidación* en una tienda donde todo estaba rebajado un 50 por ciento.

2. **Financiación**. El banco me daría un préstamo para un inmueble, pero no para acciones. Como yo quería comprar tanto como pudiera mientras el mercado estuviera en baja, compré inmuebles de forma tal de poder combinar todo el dinero que tenía con el financiado por los bancos.

Por ejemplo: Digamos que tenía u$s 10.000 en ahorros para invertir. Si compraba acciones, podía comprar por un valor de u$s 10.000. Podría haberlas comprado por el sistema de márgenes (cuando compra por esta modalidad usted pone parte del costo total y la compañía inversora le presta el resto), pero yo no estaba lo suficientemente sólido financieramente como para arriesgarme a una baja brusca del mercado.

Con u$s 10.000 en bienes raíces, y un préstamo por el 90 por ciento, podía comprar una propiedad de u$s 100.000.

Si ambos mercados subían un 10 por ciento, ganaría u$s 1.000 en acciones, pero u$s 10.000 en bienes inmuebles.

3. **Impuestos**. Si obtuviera u$s 1 millón de ganancia por las acciones, tendría que pagar casi el 30 por ciento de mi ganancia en concepto de impuesto a la renta de capital. En bienes inmuebles, sin embargo, u$s 1 millón podía quedar libre de impuestos en la siguiente transacción inmobiliaria. Además de eso, podía depreciar el valor de la propiedad para obtener aún mayores ventajas fiscales.

Nota importante: Para mí, una inversión debe tener sentido económico antes que beneficio fiscal, para invertir en ella. Cualquier beneficio fiscal simplemente hace la inversión más atractiva.

4. **Flujo de efectivo**. Los alquileres no habían bajado a pesar de la declinación de los precios de las propiedades inmuebles. Esto trajo mucho dinero a mi bolsillo, pagó las hipotecas, y lo más importante es que me permitió "tomarle el tiempo" al mercado. Los alquileres me proporcionaron tiempo para esperar hasta que los precios de los inmuebles volvieron a aumentar. Cuando eso sucedió, pude vender. Aunque tenía una gran deuda, nunca me afectó porque las rentas por alquiler eran muy superiores al costo del préstamo.

5. **Una oportunidad para convertirse en banco.** Los bienes inmuebles me permitieron convertirme en banco, algo que siempre había querido hacer desde 1974.

SEA EL BANCO, Y NO UN BANQUERO

En *Padre Rico Padre Pobre* escribí sobre cómo el rico crea dinero y a menudo juega el rol de banquero. A continuación hay un ejemplo simple que casi todos pueden seguir.

Digamos que encuentro una casa cuyo valor es de u$s 100.000 y a través de una buena negociación pago por ella tan sólo u$s 80.000 (un anticipo de u$s 10.000 más una hipoteca por u$s 70.000 de la que soy responsable.)

Luego publico que la casa está en venta por u$s 100.000, que es su precio estimado, y utilizo estas palabras mágicas en el aviso: "Casa en venta. Dueño desesperado. No es necesario préstamo bancario. Pequeño anticipo. Cómodas cuotas mensuales."

El teléfono suena como loco. La casa se vende en la forma conocida como "paquete" o "contrato de arrendamiento con opción a compra," dependiendo del país en que usted se encuentre. Dicho de un modo sencillo, vendo la casa por un pagaré de u$s 100.000. Así es como se ve la transacción:

En mi hoja de balance:

Mi Hoja de Balance

Activo	Pasivo
u$s 100.000 Pagaré	u$s 70.000 Hipoteca

En el balance del comprador:

Hoja de Balance del Comprador

Activo	Pasivo
	u$s 100.000 Pagaré

Esta transacción se registra luego con un título y queda depositada en fideicomiso en una oficina, la cuál a menudo maneja los pagos. Si la persona no cumple con el pago de los u$s 100.000, sencillamente ejecuto y vendo la propiedad a la siguiente persona que desee una casa para vivir, con "bajo anticipo y cómodas cuotas mensuales." La gente hace fila por la oportunidad de comprar una casa en estos términos.

El efecto neto es que he creado u$s 30.000 en mi columna del activo, por los cuales me pagan intereses, de la misma manera que un banco cobra intereses por los préstamos que otorga.

Estaba comenzando a ser un banco y me encantaba. Si recuerda el último capítulo, padre rico decía: "Sé cauto cuando te endeudes. Si contraes una deuda personal, asegúrate de que sea por poco. Si la deuda es grande, asegúrate de que alguien más pague por ella."

En el idioma del lado derecho del *Cuadrante*, "eliminé" el riesgo, o dicho de otra manera lo traspasé a otro comprador. Ese es el juego en el mundo de las finanzas.

Este tipo de transacción se hace en todo el mundo. Sin embargo, donde quiera que vaya, la gente se me acerca y dice aquellas palabras mágicas, "Eso no se puede hacer aquí."

Lo que la mayoría de los pequeños inversionistas no advierten es que muchos de los grandes edificios comerciales se compran y venden exactamente como lo acabo de describir. A veces lo hacen a través de un banco, pero muchas veces no.

ES COMO AHORRAR u$s 30.000 SIN AHORRAR

Usted recordará que en un capítulo anterior escribí acerca de la razón por la cual el gobierno no le daba a la gente ventajas impositivas por ahorrar dinero. Bien, dudo que los bancos alguna vez soliciten al gobierno que lo haga, ya que los ahorros de las personas son los pasivos del banco. Los Estados Unidos tienen una tasa baja para los ahorros sencillamente porque los bancos no quieren nuestro dinero ni necesitan de nuestros ahorros para funcionar. Por lo tanto este ejemplo resulta una forma de jugar al banco y de aumentar sus ahorros sin necesidad de un gran trato ni esfuerzo. El flujo de dinero en efectivo de estos u$s 30.000 se refleja de la siguiente forma:

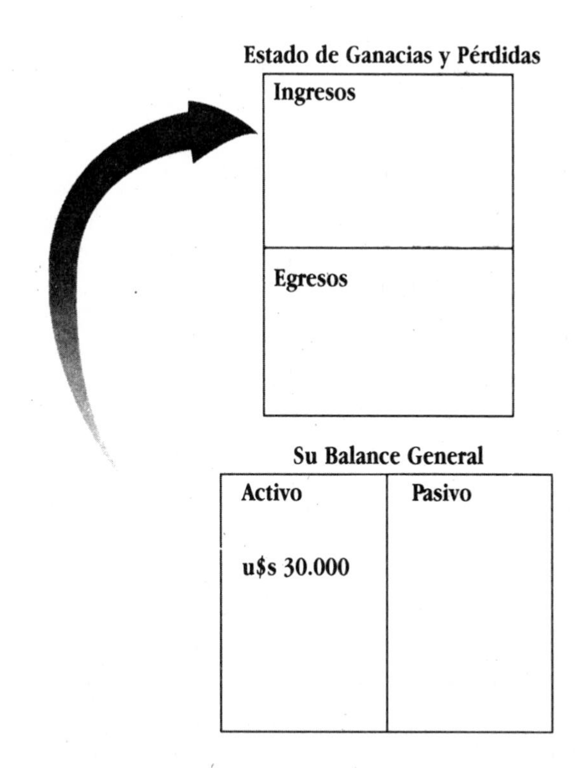

Hay varias cosas interesantes acerca de este diagrama:

1. Determino la tasa de interés por mis u$s 30.000. A menudo es un interés del 10 por ciento. La mayoría de los bancos no le pagan más que un 5 por ciento por sus ahorros hoy en día. Por lo que, aún en el caso de que usara mis propios u$s 10.000 como adelanto –lo que trato de no hacer, el interés sobre esa suma suele ser mejor que el que me pagaría el banco.

2. Es como crear u$s 20.000 (u$s 30.000 menos u$s 10.000 de adelanto) que no existían antes. Tal como lo hace el banco... crea un activo y luego cobra intereses sobre el mismo.

3. Estos u$s 20.000 fueron creados libres de impuestos. A la persona promedio en el cuadrante "E", le llevaría casi u$s 40.000 en salarios poder separar u$s 20.000. El ingreso que gana un empleado es una propuesta 50–50, ya que el gobierno toma su 50 por ciento antes de que usted ni siquiera lo vea en retenciones.
4. Todos los impuestos a la propiedad, mantenimiento y costos de administración son ahora responsabilidad del comprador, al haberle vendido a él la propiedad.

5. Y hay más. Se pueden hacer muchas cosas creativas en el lado derecho del *Cuadrante* para crear dinero de la nada, tan sólo jugando el rol de "banco".

Armar una transacción como ésta puede llevar de una semana a un mes. La pregunta es, cuánto tiempo le llevaría a la mayoría de las personas ganar u$s 40.000 adicionales para lograr ahorrar u$s 20.000, después de exponerse a todos los impuestos y otros gastos en los que incurrirían para ganar ese dinero.

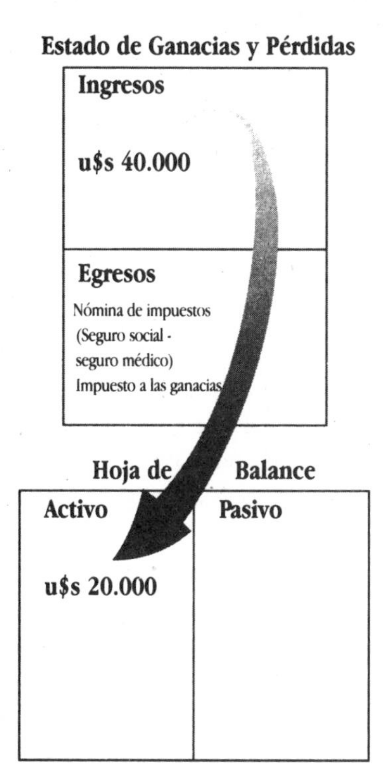

LA CORRIENTE DE INGRESOS ESTÁ ENTONCES OCULTA

En *Padre Rico Padre Pobre*, expliqué brevemente por qué los ricos usan corporaciones:

1. Protección de activos. Si usted es rico, la gente tiende a querer sacarle lo que tiene mediante juicio. Se le llama "busca a alguien con bolsillos profundos." Los ricos a menudo no poseen nada a su nombre. Sus activos son tenidos por corporaciones o en fideicomiso, a fin de protegerlos.

2. Protección de ingresos. Al hacer pasar la corriente de ingresos proveniente de sus activos a través de su propia corporación, mucho de lo que normalmente le saca el gobierno, puede ser ocultado.

La dura realidad: si usted es empleado, la secuencia es así:

GANAR – PAGAR IMPUESTOS – GASTAR

Como empleado, sus ingresos están gravados y son descontados a través de retenciones aún antes de que reciba su sueldo. De manera que si un empleado gana u$s 30.000 anuales, una vez que el gobierno haya realizado sus retenciones, habrá disminuido a u$s 15.000. Luego, con esos u$s 15.000 debe pagar su hipoteca. (Pero al menos obtiene un crédito fiscal sobre los intereses que paga por su hipoteca... que es la excusa con la que el banco lo convence para que compre una casa más grande.)

Si en primer término usted hace pasar su corriente de ingresos a través de una entidad corporativa, el modelo se verá así:

GANAR – GASTAR – PAGAR IMPUESTOS

Si usted hace pasar primero la corriente de ingresos proveniente de los u$s 30.000 que generó a través de una corporación, puede "gastar" muchas de sus ganancias antes de que el gobierno se haga de ellas. Si posee la corporación, usted hace las reglas... en tanto se ajusten al código fiscal.

Por ejemplo, si usted hace las reglas, puede escribir en los estatutos de su compañía que el cuidado de los niños es parte de su oferta de empleo. La compañía puede pagar, por el cuidado de niños, u$s 400 mensuales con dólares a priori de impuestos. Si paga por ese concepto con dólares ya gravados impositivamente, usted tiene que ganar en realidad una suma cercana a los u$s 800 para pagar por ese mismo cuidado de niños con dólares a posteriori de impuestos. La lista es larga y los requerimientos son específicos en cuanto a los aspectos que un dueño de una corporación puede determinar, y un empleado no. Incluso pueden incluirse ciertos gastos por viajes para ser pagados con dólares previos a impuestos, en tanto pueda probar que usted desarrolló alguna gestión de negocios durante dicho viaje (Por ej., tuvo una reunión de alguna junta). Tan sólo asegúrese de que sigue las reglas. Inclusive, en muchos casos, los planes de jubilación son diferentes para dueños y empleados. Habiendo dicho todo esto, quiero remarcar que usted debe seguir las disposiciones que se requieren para hacer deducibles estos gastos. Yo creo en aprovechar la ventaja de las deducciones impositivas permitidas en el código fiscal, pero no recomiendo quebrantar la ley.

Nuevamente, la clave para poder sacar ventaja de alguna de estas disposiciones, está en el cuadrante a partir del cual usted obtiene sus ingresos. Si todos sus ingresos se generan como empleado de una compañía que usted no posee ni controla, habrá poca protección disponible para sus ingresos o activos.

Por eso recomiendo que si es empleado, mantenga su trabajo, pero comience a invertir tiempo en los cuadrantes "D" e "I". Su recta hacia una rápida libertad es a través de esos dos cuadrantes. Para sentirse más seguro financieramente, el secreto está en operar en más de un cuadrante.

TIERRA A CAMBIO DE NADA

Hace unos pocos años, mi esposa y yo queríamos alguna propiedad lejos de la enloquecida multitud. Nos apremiaba poseer algunos acres con robles altos y un arroyo corriendo entre ellos. También queríamos privacidad.

Encontramos una parcela de 20 acres* a un precio de u$s 75.000. El vendedor quería un adelanto del 10 por ciento, y financiar el saldo con el 10 por ciento de interés. Era una transacción justa. El problema es que violaba la regla que me había enseñado padre rico con respecto a la deuda, que era: "Sé cauto cuando te endeudes. Si contraes una deuda personal, asegúrate de que sea por poco. Si la deuda es grande, asegúrate de que algún otro pague por ella."

Mi esposa y yo dejamos pasar esa porción de tierra de u$s 75.000, y continuamos buscando otra que tuviera más sentido. Para mí, u$s 75.000 es una gran deuda porque nuestro flujo de efectivo se habría visto así:

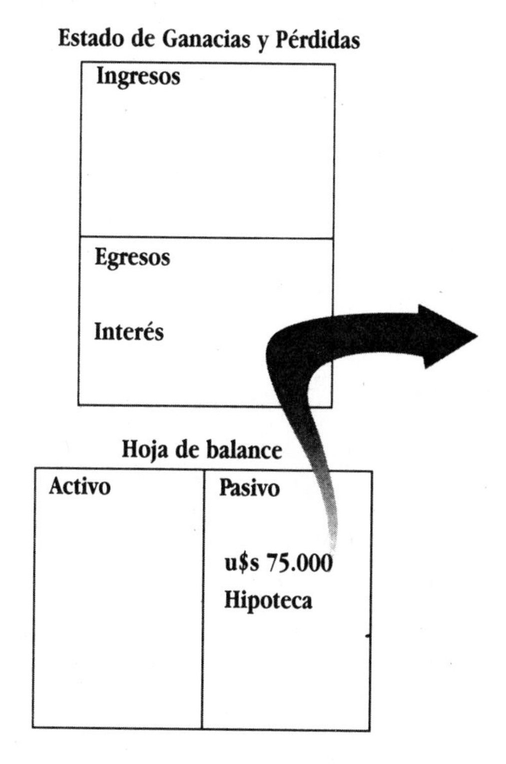

Y recuerden la regla de mi padre rico:

"Si te endeudas y arriesgas, entonces deberían pagarte."

Bien, en esta transacción yo hubiera asumido tanto la deuda como el riesgo, y hubiese pagado por ello.

Alrededor de un mes más tarde, encontramos un lote de tierra aún más hermoso. Tenía 87 acres de robles altos con un arroyo y una casa, por u$s 115.000. Le ofrecí al vendedor el precio total si él aceptaba mis condiciones... y lo hizo. Para hacer corta una larga historia, gastamos unos pocos dólares arreglando la casa y la vendimos junto con treinta acres por u$s 215.000, utilizando la misma idea de "pequeño anticipo, cómodas cuotas mensuales," todo mientras nos quedábamos con 57 acres para nosotros.

Así es como aparece la transacción en mi balance:

Hoja de Balance

Activo	**Pasivo**
u$s 215.000	**u$s 115.000**

El nuevo dueño estaba emocionado porque era una casa hermosa y podía comprarla casi sin anticipo. Por otra parte, él también la compró a través de su compañía para usarla como un retiro corporativo para sus empleados, lo que le permitió depreciar el precio de compra como un activo de la compañía, así como deducir los costos de mantenimiento. A esto se adicionaba la posibilidad de deducir el pago de los intereses. Sus pagos de intereses superaban el pago de mis propios intereses. Unos pocos años más tarde, vendió algunas de las acciones de su compañía y me saldó el préstamo y, a continuación, yo saldé el mío. La deuda se había extinguido.

Con los u$s 100.000 extra que obtuve de ganancia, pude pagar los impuestos por las ganancias de la tierra y la casa.

El resultado neto fue cero deuda, unos pocos dólares de ganancia (u$s 15.000, luego de pagar impuestos), y los 57 acres de magnífica tierra. Fue como hacerse pagar por conseguir algo que uno quiere.

Hoy, mi hoja de balance por esa transacción se ve así:

Hoja de Balance

Activo	**Pasivo**
57 acres de tierra u$s 15.000 en efectivo	

LA "OPI"

Una Oferta Pública Inicial (OPI), o hacer pública una compañía privada mediante una oferta de acciones, se basa en los mismos principios. Aunque las palabras, el mercado y los jugadores sean distintos, hay principios básicos subyacentes que permanecen iguales. Cuando mi organización forma una compañía para hacerla pública, a menudo creamos un valor de la nada, incluso aunque tratamos de basarlo sobre una opinión certera del valor justo de mercado. Luego llevamos la oferta al mercado, y en lugar de vender este valor a una sola persona, se vende a miles de personas, como acciones de una compañía.

EL VALOR DE LA EXPERIENCIA

Esta es otra razón por la cual recomiendo a la gente comenzar en el cuadrante "D" antes de proceder al cuadrante "I". Más allá de que la inversión sea en bienes inmuebles, un negocio, acciones o bonos, hay un "sentido de comprensión comercial" subyacente que es esencial para ser un inversor importante. Algunas personas tienen este sentido comprensivo, pero muchas no. Principalmente porque la escuela nos entrena para estar altamente especializados... pero no entrenados en lo comprensivo.

Una cosa más, a quienes piensan comenzar a moverse por los cuadrantes "D" o "I": les recomiendo comenzar de a poco... y tomarse su tiempo. Haga negocios mayores a medida que crece su confianza y experiencia. Recuerde, la única diferencia entre un negocio de u$s 80.000 y uno de u$s 800.000 es un cero. El proceso de encarar un negocio pequeño es muy similar a encarar una oferta pública multimillonaria. Es sólo una cuestión de más personas, más ceros y más diversión.

Una vez que una persona gana experiencia y buena reputación, requerirá cada vez menos dinero para crear inversiones cada vez mayores. Muchas veces, no se requiere dinero para ganar mucho dinero. ¿Por qué? Se valora la experiencia. Como mencionara anteriormente, si sabe cómo ganar dinero con dinero, la gente y el dinero acudirán a usted masivamente. Comience de a poco y tómese su tiempo. La experiencia es más importante que el dinero.

ES SIMPLE Y FÁCIL

En teoría, los números y transacciones en el lado derecho del *Cuadrante* son así de simples, sin importar si estamos hablando de acciones, bonos, bienes inmuebles o negocios. Estar bien financieramente sólo significa poder pensar de manera diferente... pensar desde distintos cuadrantes y tener el valor de hacer las cosas de forma diferente. Para mí, una de las cosas más difíciles que tiene que superar una persona para quien esta forma de pensar es nueva, es la cantidad incontable de personas que le dirán: "No puedes hacer eso."

Si puede superar esa clase de pensamiento limitado, y buscar a las personas que le digan, "Si, sé como hacer eso. Me encantaría enseñarte," su vida será fácil.

LAS LEYES

Comencé este capítulo con el Acta de Reforma Tributaria de 1986. Si bien ese fue un cambio significativo en las reglas, no es ni será el último. Utilizo el Acta del 86 sólo como un ejemplo de cuán poderosas pueden ser algunas disposiciones y leyes. Si una persona va a tener éxito en el lado "D" e "I" del *Cuadrante*, él o ella necesita ser conciente de las fuerzas del mercado y de cualquier cambio en la ley que las afecte.

Actualmente en Estados Unidos, existen más de 100.000 páginas de código tributario. Y eso es por Hacienda solamente. Las leyes federales superan el número de 1.2 millones de páginas de leyes. A un lector promedio le llevaría 23.000 años leer el código de Estados Unidos en su totalidad. Cada año más leyes se crean, derogan o cambian. Requeriría más que un trabajo de tiempo completo mantenerse al día con esos cambios.

Cada vez que alguien me dice que "eso es contrario a la ley", respondo preguntándole si ha leído cada línea del código estadounidense. Si responde que "si", me voy lentamente, caminando de espaldas hacia la puerta. Nunca vuelva la espalda a alguien que piensa que conoce cada ley.

Para tener éxito en el lado derecho del *Cuadrante* se requiere ver un 5 por ciento con sus ojos y 95 por ciento con su mente. Comprender las leyes y las fuerzas del mercado es vital para el éxito financiero. Grandes transferencias de riqueza tienen lugar a menudo cuando cambian las leyes y los mercados. Por eso es importante prestar atención si quiere que aquellos cambios trabajen a su favor y no en su contra.

EL GOBIERNO NECESITA DE SU DINERO

Creo en el pago de impuestos. Sé que el gobierno provee muchos servicios importantes y esenciales para el buen desarrollo de la civilización. Lamentablemente, en mi opinión, el gobierno está mal administrado, es demasiado grande y ha hecho demasiadas promesas que no puede mantener. Pero no es culpa de los políticos ni de los legisladores que están hoy en el poder, porque la mayoría de los problemas financieros que enfrentamos en la actualidad, fueron creados por sus predecesores, más de 60 años atrás. Los legisladores de hoy están intentando manejar el problema y encontrar soluciones. Lamentablemente, si los legisladores quieren permanecer en el poder, no pueden decir la verdad a las masas. Si lo hicieran, serían echados fuera del poder... porque las masas aún confían en que el gobierno va a solucionar sus problemas financieros y médicos. El gobierno no puede. El gobierno se está reduciendo, y los problemas están creciendo.

Mientras tanto, el gobierno tendría que continuar creando más impuestos... aunque los políticos prometan que no lo harán. Por eso el Congreso sancionó el Acta de Reforma Tributaria de 1986. Necesitaba tapar un resquicio legal impositivo a fin de recaudar más en impuestos. En los años venideros, muchos de nuestros gobiernos de occidente deberán comenzar a recaudar aún más impuestos para evitar el incumplimiento de algunas de aquellas promesas realizadas tiempo atrás. Promesas tales como el Seguro Médico y el Seguro Social, así como pensiones federales que se adeudan a millones de trabajadores federales. Una toma de conciencia pública y masiva no tendrá lugar ahora probablemente, pero la magnitud del problema será notoria para el 2010. El mundo se dará cuenta de que Estados Unidos no podrá prestar salida a estos problemas.

La revista Forbes estimó la siguiente proyección sobre la deuda estadounidense en aumento:

"Si se observa, decrece hasta el 2010, y luego se incrementa. Se incrementa a medida que el mayor grupo de personas en la historia de América comience a jubilarse. En el año 2010 los primeros bebés nacidos en el pico de natalidad de posguerra, tendrán 65 años. Para ese entonces, en lugar de aportar dinero al mercado bursátil, esas generaciones comenzarán a retirar dinero de allí... si no lo hacen antes. Alrededor de ese año, 75 millones de estas personas decidirán que su mayor "activo", su casa, es demasiado grande dado que los hijos se han ido, y comenzarán a vender sus grandes casas a fin de mudarse a una región del país con menor índice delictivo, la pequeña ciudad americana."

De pronto, los vehículos comunes de jubilación, llamados 401(k) en Estados Unidos, o los Fondos de Retiro en muchos países de la Comunidad Británica de Naciones (*Commonwealth*), comenzarán a mermar. Y mermarán porque están sujetos a las fluctuaciones del mercado... lo que implica que suben y bajan con él. Los fondos mutuos o fondos comunes de inversión comenzarán a liquidar sus acciones a fin de pagar las órdenes de venta de las personas que, en edad de jubilarse, necesitarán disponer del dinero para tal fin. En forma repentina, estas personas recibirán el impacto de enormes impuestos a las rentas de capital sobre las ganancias acumuladas por estos fondos de inversión, y que les serán gravados al retirarlos. Las rentas de capital provendrán de la venta de estas acciones sobrevaluadas a precios más altos, que los fondos transferirán a sus miembros. En lugar de efectivo, muchas de estas personas quedarán atrapadas por una factura de impuesto sobre ganancias de capital que nunca recibieron. Recuerde, el recaudador siempre obtiene el dinero primero.

En forma simultánea, la salud de millones de estas personas empobrecidas comenzará a decaer porque, históricamente, la gente de menores recursos ve más afectada su salud que las personas con mayor disponibilidad. Los seguros médicos estarán en bancarrota, y el grito por un mayor apoyo gubernamental se levantará por todas las ciudades de América.

A esta decadencia, sumemos el eclipsamiento que sobre Estados Unidos producirá China, como la nación con el mayor Producto Bruto Nacional, y el advenimiento de la Unión Monetaria Europea. Sospecho que tanto los salarios como los precios de los bienes tendrán que bajar... y/o la productividad deberá dispararse a fin de afrontar los desafíos de estos dos grandes bloques económicos.

Todo esto sucederá alrededor del año 2010, para el cual no falta mucho. La nueva gran transferencia de riqueza tendrá lugar, no por conspiración sino por ignorancia. Estamos ante el ahogado grito final de la mentalidad de la Era Industrial acostumbrada a la protección de los grandes gobiernos y los grandes negocios, y estamos entrando oficialmente en la Era de la Información. En 1989, cayó el muro de Berlín. A mi entender, ese evento fue tan significativo como el año 1492, cuando Colón se topó con América en su búsqueda de Asia. En algunos círculos, 1492 fue el comienzo oficial de la Era Industrial. El fin fue marcado en 1989. Las reglas han cambiado.

LA HISTORIA ES UNA GUÍA

Mi padre rico me alentó a que aprendiera bien el juego. Ya que entonces, después de aprenderlo bien, podría hacer lo que quisiera con lo que sabía. Yo escribo y enseño, a raíz de mi preocupación y sentir de que una creciente cantidad de personas necesita saber cómo cuidar de sí mismos financieramente... y no depender del gobierno o de una empresa para ser mantenidos de por vida.

Espero estar equivocado acerca del panorama económico que se avecina.

Tal vez los gobiernos puedan mantenerse haciendo promesas de cuidar a la gente: continuar aumentando los impuestos, y seguir endeudándose aún más. Tal vez el mercado bursátil se mantenga siempre en alza y nunca vuelva a caer... y tal vez los precios de los bienes raíces siempre suban y su casa sea su mejor inversión. Y quizás millones de personas encuentren la felicidad ganando un salario mínimo y sean capaces de proveer una buena vida a sus familias. Puede que todo esto suceda. Pero no lo creo. No si la historia es una guía.

Históricamente, si una persona vivía hasta los 75 años de edad, atravesaba dos recesiones y una depresión. Los de nuestra generación hemos pasado por dos recesiones, pero aún no hemos visto una depresión. Tal vez nunca haya nuevamente una depresión. Pero la historia no dice eso. La razón por la que mi padre rico me hizo leer libros sobre los grandes capitalistas y economistas, fue para que pudiera tener una mayor visión y una mejor perspectiva acerca de desde dónde hemos venido y hacia dónde nos dirigimos.

Así como hay olas en un océano, hay grandes olas en los mercados. En lugar de ser movidas por el viento y el sol como las del océano, las olas de los mercados financieros son movidas por dos emociones humanas: codicia y miedo. Yo no creo que las depresiones sean cosas del pasado, porque todos somos seres humanos y siempre tendremos esas emociones de codicia y miedo. Y cuando chocan la codicia y el miedo, y una persona pierde mucho, la siguiente emoción humana es la depresión. La depresión está compuesta por dos emociones humanas: enojo y tristeza. Enojo con uno mismo y tristeza por la pérdida. Las depresiones económicas son depresiones emocionales. La gente pierde y se deprime.

A pesar de que la economía en general puede dar la impresión de estar en muy buen estado, hay millones de personas que están en diversas etapas de depresión. Es probable que tengan un empleo, pero en lo más profundo saben que no están logrando avanzar financieramente. Están enojados con ellos mismos y tristes por su pérdida de tiempo. Pocos se dan cuenta de que han sido atrapados por la idea de la Era Industrial de "encuentra un empleo estable y seguro, y no te preocupes por el futuro."

UN GRAN CAMBIO... Y OPORTUNIDAD

Estamos entrando en una era de grandes cambios y oportunidades. Para algunos, será el mejor de los tiempos y para otros será el peor.

El Presidente John Kennedy dijo: "Se aproxima un gran cambio."

Kennedy fue un hombre que provenía del lado "D - I" del *Cuadrante*, y trató en forma desesperada de elevar la vida de aquellos que quedaron atascados en la trama del tiempo. Desafortunadamente, millones de personas están todavía en esa trama del tiempo, siguiendo con ideas en sus mentes que fueron desechadas mucho tiempo atrás. Ideas tales como "ve a la escuela para poder conseguir un empleo seguro." La educación es más importante que nunca antes, pero necesitamos enseñar a la gente a pensar un poco más allá del mero hecho de buscar un empleo seguro y esperar que la compañía o el gobierno se haga cargo de ellos al finalizar su vida laboral. Esa es una idea de la Era Industrial... y no estamos más en ella.

Nadie dijo que fuera justo... porque éste no es un país justo. Somos un país libre. Hay personas que trabajan de forma más ardua, son más inteligentes, están más orientadas hacia el éxito, son más talentosas, o están más deseosas que otros de la buena vida. Somos libres de perseguir esas ambiciones si tenemos la determinación. Sin embargo cada vez que a alguien le va mejor, algunos dicen que es injusto. Esas mismas personas piensan que sería justo si los ricos compartieran con los pobres. Bien, nadie dijo que fuera justo. Y cuanto más tratamos de hacer que las cosas sean justas, menos libres nos volvemos.

Estoy de acuerdo cuando alguien me dice que existe una discriminación racial o un "cielo de vidrio." Sé que existen tales cosas. Personalmente, detesto cualquier clase de discriminación y, como descendiente de japoneses, he experimentado la discriminación en carne propia. En el lado izquierdo del *Cuadrante*, la discriminación existe, especialmente en las empresas. Su apariencia, su escuela, si es blanco o negro o marrón o amarillo, o si es hombre o mujer... todo ello cuenta en el lado izquierdo del *Cuadrante*. Pero no en el derecho. En el lado derecho no importan la imparcialidad ni la seguridad, sino la libertad y el amor por el juego. Si quiere jugar el juego en el lado derecho, los jugadores le darán la bienvenida. Si juega y gana, bien. Lo recibirán mejor aún, y le preguntarán por sus secretos. Si juega y pierde, tomarán todo su dinero con simpatía, pero no se queje ni culpe a alguien más por sus fracasos. Esa no es la forma de jugar el juego en el lado derecho del *Cuadrante*. No se pretende que sea justo. Ser justo no es el nombre del juego.

ENTONCES ¿POR QUÉ EL GOBIERNO DEJA SOLO AL LADO "D - I"?

En realidad, el gobierno no deja solo al lado "D – I". Sucede que el lado "D – I" tiene más formas de escapar y esconder la riqueza. En *Padre Rico Padre Pobre*, hablé acerca del poder de las corporaciones. Una razón importante por la que los ricos conservan más de su riqueza es, sencillamente, porque operan como cuerpos corporativos y no como cuerpos humanos. Un cuerpo humano necesita un pasaporte para ir de país en país. Un cuerpo corporativo no. Un cuerpo corporativo viaja sin obstáculos por el mundo y puede trabajar libremente. Un cuerpo humano necesita registrarse con el gobierno, y en Estados Unidos necesita una "tarjeta verde de identificación" (*green card*) para trabajar. Un cuerpo corporativo no.

Si bien a los gobiernos les gustaría sacarle más dinero a los cuerpos corporativos, se dan cuenta de que si sancionan leyes impositivas abusivas, los cuerpos corporativos se llevarán su dinero y sus empleos a algún otro país. En la Era Industrial, la gente hablaba acerca de "el exterior" refiriéndose a un país. Los ricos siempre han buscado refugios fiscales donde su dinero fuera tratado con amabilidad. Hoy, "el exterior" no es un país; es el ciberespacio. El dinero, siendo una idea y siendo invisible, puede ahora esconderse en la invisibilidad, o por lo menos fuera de la vista del ojo humano. Pronto, si no está ocurriendo aún, las personas harán sus trámites bancarios por medio de un satélite geosincrónico orbitando en el espacio... fuera del alcance de las leyes, o podrán elegir operar en un país cuyas leyes sean más favorables para la gente rica.

En *Padre Rico Padre Pobre*, comenté que las corporaciones se volvieron populares en el comienzo de la Era Industrial... poco después de que Colón descubriera un nuevo mundo lleno de riquezas. Cada vez que los ricos enviaban un buque al mar se exponían a un riesgo, ya que si el barco no regresaba los ricos no querían estar en deuda con las familias de los marineros que hubieran muerto. De manera que las corporaciones se formaron a los efectos de protegerse legalmente, y limitar el riesgo de pérdida a la suma de dinero aventurada, y no más que eso. Así que los ricos arriesgaban sólo su dinero, y las tripulaciones arriesgaban sus vidas. Mucho no ha cambiado desde entonces.

En cualquier lugar del mundo por el que viajo, las personas con las que hago negocios lo hacen principalmente en esta forma... como empleados de sus propias corporaciones. En teoría, no poseen nada y no existen en realidad como ciudadanos privados. Existen como oficiales de sus ricas corporaciones, pero como ciudadanos privados no poseen nada. Y dondequiera que vaya, encuentro gente que me dice, "No puede hacer eso en este país. Es contrario a la ley."

De lo que muy pocos se dan cuenta es de que las leyes de la mayoría de los países en el mundo Occidental son similares. Pueden usar distintas palabras para describir la misma cosa, pero en principio, sus leyes son prácticamente las mismas.

Recomiendo que, en lo posible, al menos considere ser un empleado de su propia corporación. Es especialmente recomendable para los "A" y "D" de altos ingresos, inclusive para quienes poseen franquicias u obtienen sus ingresos a través del *network marketing*. Busque el consejo de asesores financieros competentes. Ellos pueden ayudarlo a elegir e implementar la mejor estructura para su situación particular.

HAY DOS CLASES DE LEYES

A primera vista, pareciera que existen leyes para los ricos y leyes para los demás. Pero en realidad, las leyes son las mismas. La única diferencia es que los ricos utilizan las leyes a su favor, mientras que los pobres y la clase media no. Esa es la diferencia fundamental. Las leyes son las mismas... están escritas para todos... y enfáticamente sugiero que contrate asesores inteligentes y obedezca las leyes. Es demasiado fácil ganar dinero legalmente, más que quebrantar las leyes y acabar en prisión. Además, sus asesores legales servirán como sistema temprano de advertencia para los cambios legales venideros... y cuando cambian las leyes, la riqueza cambia de manos.

DOS OPCIONES

Una ventaja de vivir en una sociedad libre es la libertad de elección. En mi opinión, hay dos grandes opciones... la opción de seguridad y la opción de libertad. Si elige seguridad, hay un precio enorme que pagar por ella bajo la forma de impuestos excesivos y pago de intereses punitorios. Si elige la libertad, entonces necesita aprender la totalidad del juego, y luego jugarlo. Es su elección desde qué cuadrante quiere jugar el juego.

En la primera parte de este libro se definieron los aspectos particulares del *Cuadrante del FLUJO de DINERO*, mientras que en la segunda parte el enfoque se puso en desarrollar la disposición mental y la actitud de aquellos que eligen el lado derecho del *Cuadrante*. De manera que ahora usted debería comprender donde se ubica actualmente en el *Cuadrante*, así como tener en claro dónde quisiera estar. También debería tener una mejor comprensión del proceso y la disposición mental con que se opera desde el lado derecho del *Cuadrante*.

Como ya le he mostrado formas para cruzar del lado izquierdo al lado derecho del *Cuadrante*, ahora me gustaría brindarle aspectos más específicos. En la sección final del libro, la parte III, identificaré 7 pasos para encontrar la propia vía financiera rápida, lo que considero esencial para moverse hacia el lado derecho del *Cuadrante*.

NOTA DEL AUTOR

En 1943, los Estados Unidos comenzaron a gravar a todos los trabajadores por deducción directa de la nómina de sueldos. En otras palabras, el gobierno cobraba antes que las personas del cuadrante "E". Cualquiera que fuera meramente un "E", tenía pocas posibilidades de escapar del gobierno. También significaba que en lugar de gravar sólo a los ricos, lo que era la esperanza de la décimosexta Enmienda, ahora todos en el lado izquierdo del *Cuadrante* serían gravados, sean ricos o pobres. Como se dijera anteriormente, en la actualidad, en Estados Unidos, los menos remunerados pagan en impuestos un porcentaje mayor sobre el total de sus ingresos que los ricos y la clase media.

En 1986, el Acta de Reforma Tributaria fue tras los profesionales altamente remunerados del cuadrante "A". El acta enlistó específicamente a médicos, abogados, arquitectos, odontólogos, ingenieros, y otras profesiones similares, y les hizo difícil, si no imposible, ocultar sus ingresos en la forma en que pueden hacerlo los ricos en los cuadrantes "D" e "I".

Estos profesionales se vieron forzados a operar sus negocios por medio de corporaciones S en vez de corporaciones C, o a pagar una multa impositiva. Los ricos no pagan dicha multa. Los ingresos de estos profesionales altamente remunerados pasan entonces a través de la corporación S y se gravan con la mayor tasa impositiva individual posible. No tienen la oportunidad de ocultar sus ingresos por medio de deducciones permitidas a las corporaciones C. Y, al mismo tiempo, se cambió la ley para forzar a todas las corporaciones S a tener un pago a término por año calendario. Esto nuevamente forzó a que todos los ingresos fueran gravados a la tasa más alta.

Recientemente, discutiendo estos cambios con mi contadora, ella me recordó que la conmoción mayor para los nuevos trabajadores independientes –autoempleados–, ocurre por lo general hacia el final de su primer año comercial, cuando se dan cuenta de que el mayor impuesto que están pagando es un impuesto al "autoempleo". Este impuesto es el doble para los "A" o autoempleados, en relación a lo que pagaban como "E" o empleados. Y se calcula en base al ingreso, antes de que el individuo pueda deducir cualquier ítem deducible o incluir exenciones personales. Para una persona autoempleada es posible que, a pesar de no contar con ingresos gravables, deba pagar el impuesto al autoempleo. Las corporaciones, por otro lado, no pagan dicho impuesto.

Efectivamente, el Acta de Reforma Tributaria de 1986 también empujó a los "E" y "A" de Estados Unidos fuera de la inversión en bienes inmuebles, y los llevó hacia inversiones en papeles, tales como acciones y fondos comunes. Cuando comenzaron las reducciones, millones de ellos se sintieron no sólo menos seguros en relación a sus empleos, sino también respecto a sus jubilaciones, sencillamente porque estaban basando su bienestar financiero futuro en activos constituidos por papeles sujetos a las alzas y bajas del mercado.

El Acta de Reforma Tributaria de 1986 también pareciera haber tenido la intención de cerrar los pequeños bancos comunales y cambiar toda la banca a grandes bancos nacionales. Sospecho que la razón por la que se hizo esto fue para que Estados Unidos pudiera competir con los grandes bancos de Alemania y Japón. Si esa era la intención, tuvo éxito. Hoy, la banca es menos personal y se guía exclusivamente por los números, cuyo resultado neto es que, para ciertas clases de personas, se hace más difícil calificar para préstamos hipotecarios. En lugar de un banquero de una ciudad pequeña que lo conoce por su personalidad, hoy una computadora central elimina automáticamente su nombre si usted no encaja en sus impersonales requisitos de calificación.

Después del Acta de Reforma Tributaria de 1986, los ricos continúan ganando más, trabajando menos, pagando menos impuestos, y disfrutando de una mayor protección de sus activos utilizando la fórmula que mi padre rico me dio 40 años atrás, y que era: "Construye una empresa y compra bienes inmuebles." Gane mucho dinero a través de corporaciones C, y resguarde su dinero mediante bienes inmuebles. Mientras millones y millones de estadounidenses trabajan, pagan más y más impuestos, y vuelcan luego miles de millones mensualmente en fondos de inversión, los ricos, silenciosamente, están vendiendo las acciones de sus corporaciones C, lo que los hace aún más ricos, y luego invirtiendo miles de millones en bienes raíces. Una parte en acciones de una corporación C le permite al comprador participar del riesgo de ser dueño de la compañía. Esa parte de acciones no le permite al tenedor las ventajas de poseer una corporación C e invertir en ofertas de bienes raíces.

¿Por qué mi padre rico recomendaba construir negocios como corporaciones C y luego comprar bienes inmuebles? Porque las leyes impositivas recompensan a quienes operan de esa forma... pero esta es una cuestión que está más allá del alcance de este libro. Tan sólo recuerde las palabras de personas tan enormemente ricas como Ray Kroc, fundador de Mc Donald's:

"Mi negocio no está en las hamburguesas. Mi negocio está en los bienes raíces."

Y de mi padre rico, que me repetía hasta el cansancio:

"Construye una empresa y compra bienes inmuebles."

En otras palabras, buscar mi fortuna en el lado derecho del *Cuadrante del FLUJO de DINERO* para aprovechar todas las ventajas de las leyes impositivas.

En 1990, el Presidente George Bush elevó los impuestos luego de prometer, "Observen mis labios. No más impuestos." En 1992, el Presidente Clinton convirtió en ley el mayor aumento impositivo de la historia reciente. Nuevamente, esos aumentos afectaron a los "E" y "A", pero los "D" e "I" en general, no fueron afectados.

A medida que avanzamos más y más, alejándonos de la Era Industrial para adentrarnos en la Era de la Información, todos necesitamos seguir reuniendo información de los distintos cuadrantes. En la Era de la Información, la calidad de la misma es nuestra inversión más importante. Como dijo Erik Hoffer en una oportunidad:

"En tiempos de cambio...
quienes estudian heredan la tierra,
mientras que los eruditos
se ven magníficamente equipados
para negociar con un mundo
que ya no existe más."

RECUERDE

La situación financiera de cada uno es diferente. Por eso es que siempre recomiendo:

1. Busque el mejor profesional y consultor financiero que pueda encontrar. Por ejemplo, mientras que una corporación C puede funcionar bien en al-

gunas instancias, no funciona bien en todas. Y hay ocasiones en que una corporación S puede ser apropiada, aún en el lado derecho del Cuadrante;

2. Recuerde que hay distintas clases de asesores para los ricos, los pobres, y la clase media, así como hay distintos asesores para las personas que ganan su dinero en el lado derecho y en el izquierdo. También considere buscar consejo de personas que ya están donde usted quiere ir.

3. Nunca haga negocios o invierta por razones impositivas. Una exención impositiva es una ventaja adicional por hacer las cosas en la forma que el gobierno desea. Debería ser una ventaja, y no el motivo.

4. Si usted es un lector que no es ciudadano de los Estados Unidos, el consejo es el mismo. Nuestras leyes pueden ser distintas, sin embargo los principios referentes a buscar asesoramiento competente son los mismos. Las personas en el lado derecho operan en forma muy similar en todo el mundo.

*Un acre= 0.405 has. (N. del E.)

PARTE III

Cómo llegar a ser un "D" e "I" exitoso

CAPÍTULO **10**

Avance con pasitos de bebé

La mayoría de nosotros hemos escuchado el dicho, "Un viaje de mil millas comienza con un solo paso." Me gustaría modificar un poco esa afirmación. En lugar de eso yo diría: "Un viaje de mil millas comienza con un pasito de bebé."

Enfatizo esto porque he visto a demasiada gente intentar dar el "Gran Salto Adelante" en lugar de dar pasos de bebé. Todos nosotros hemos visto personas, que están completamente fuera de estado, y de pronto deciden perder 20 libras para estar en forma. Comienzan una dieta drástica, van dos horas a un gimnasio, y luego corren diez millas. Esto puede durar una semana. Pierden unas pocas libras y luego el dolor, aburrimiento, y hambre comienzan a erosionar su voluntad y determinación. A la tercera semana, sus viejos hábitos de comer en exceso, la falta de ejercicio y la televisión, vuelven a controlarlos.

En vez de dar un "Gran Salto Adelante" insisto en recomendar el dar de a un paso de bebé hacia delante. El éxito financiero a largo plazo no se mide por lo grande que pueda ser su zancada. El éxito financiero a largo plazo se mide por el número de pasos, la dirección hacia la cual se mueve y el número de años que le lleva. En realidad, esa es la fórmula del éxito o fracaso en cualquier intento. Cuando se trata de dinero, he visto a demasiadas personas, y me incluyo, intentar hacer demasiado con muy poco... y luego estrellarse y quemarse. Es difícil dar un paso de bebé hacia adelante cuando primero necesita una escalera para salir del pozo financiero que usted mismo ha cavado.

¿CÓMO COME USTED A UN ELEFANTE?

Esta sección del libro describe siete pasos para guiarlo en su camino hacia el lado derecho del *Cuadrante*. Con la guía de mi padre rico, comencé a trabajar y a actuar de acuerdo a estos siete pasos desde que tenía 9 años. Continuaré siguiéndolos durante el resto de mi vida. Lo prevengo antes de que lea los siete pasos porque, para algunas personas, la tarea puede ser abrumadora y lo será si intenta hacer todo en una semana. Por lo tanto tenga a bien comenzar con pasos de bebé.

Todos nosotros hemos escuchado el dicho, "Roma no se construyó en un día." El dicho que utilizo cuando yo mismo me encuentro abrumado por lo mucho que tengo que aprender es "¿Cómo come usted a un elefante?" La respuesta es "De a un bocado a la vez." Y de esta forma es como le recomendaría que proceda si se encuentra a sí mismo abrumado, aunque sea un poco, por lo mucho que tiene que aprender, a fin de hacer el viaje desde el lado "E" y "A" hacia el lado "D" e "I". Por favor sea bondadoso con usted mismo y comprenda que la transición es más que un simple aprendizaje mental; el proceso también incluye aprendizaje emocional. Luego de que pueda dar pasos de bebé durante seis meses a un año, ya estará listo para el siguiente dicho que es, "Tienes que caminar antes de poder correr." En otras palabras, puede pasar de pasos de bebé a caminar, y luego a correr. Este es el camino que recomiendo. Si no le gusta este camino, entonces puede hacer lo que hacen millones de personas que quieren hacerse ricos rápidamente de forma fácil y rápida, que es comprar un billete de lotería. ¿Quién sabe? Podría ser su día de suerte.

LA ACCIÓN VENCE A LA INACCIÓN

Para mí, una de las razones principales por las que los "E" y "A" tienen dificultades para moverse al lado "D" e "I", es que tienen demasiado temor de cometer errores. A menudo dicen, "Tengo miedo de fracasar." O dicen, "Necesito más información," o "¿Puede recomendarme otro libro?" Esencialmente, lo que los mantiene atrapados en su cuadrante es su temor o duda de sí mismos. Por favor, tómese el tiempo de leer los 7 pasos y complete los pasos de acción al final de cada uno. Para la mayoría, este paso de bebé es suficiente como para mantenerlos en movimiento hacia el lado "D-I". Tan sólo dar estos 7 pasos de acción abrirá mundos completamente nuevos de posibilidades y cambio. Luego sólo manténgase dando pequeños pasos de bebé.

El slogan de Nike "Sólo hazlo" lo expresa de la mejor manera. Lamentablemente nuestras escuelas también dicen: "No cometas errores." Millones de personas altamente instruidas que quieren entrar en acción están paralizadas por el temor emocional de cometer errores. Una de las lecciones más importantes que he aprendido como maestro, es que el verdadero aprendizaje requiere aprendizaje mental, emocional y físico. Por eso es que la acción siempre vence a la inacción. Si usted entra en acción y comete un error, al menos habrá aprendido algo, ya sea mental, emocional, y/o físicamente. Una persona que busca continuamente la respuesta "correcta" está a menudo afectada por la enfermedad conocida como "parálisis por análisis" que parece afectar a muchas personas bien instruidas. En última instancia, la forma en que aprendemos es cometiendo errores. Aprendimos a caminar y a andar en bicicleta cometiendo errores. Las personas que temen entrar en acción, como consecuencia de su miedo a cometer errores, pueden ser inteligentes mentalmente, pero incapacitados emocional y físicamente.

Hace unos años se había hecho un estudio sobre ricos y pobres alrededor del mundo. Dicho estudio intentaba descubrir cómo personas que nacían en la pobreza eventualmente se hacían ricas. El estudio reveló que estas personas, sin importar el país en que vivieran, poseían tres cualidades a saber:

1. Mantenían una visión y un plan a largo plazo.
2. Creían en la gratificación postergada.
3. Utilizaban a su favor el poder de combinar.*

El estudio encontró que estas personas pensaban y planeaban a largo plazo y sabían que, en última instancia, podían lograr finalmente el éxito financiero aferrándose a un sueño o a una visión. Tenían voluntad para hacer sacrificios en el corto plazo a fin de obtener el éxito a largo plazo, base de la gratificación postergada. Albert Einstein estaba asombrado de cómo el dinero podía multiplicarse simplemente por el poder de la combinación. Él consideraba a la combinación de dinero como uno de los inventos más asombrosos del ser humano. Este estudio llevó la combinación a otro nivel, más allá del dinero. El estudio reforzó la idea de los pasos de bebé... porque cada paso de bebé en el aprendizaje se combina a lo largo de los años. Las personas que no han dado ningún paso no tuvieron la potenciación resultante de la acumulación magnificada de conocimiento y experiencia que proviene de la combinación.

El estudio también descubrió qué era lo que hacía que las personas pasaran de la riqueza a la pobreza. Existen muchas familias ricas que pierden la mayor parte de su riqueza después de tan sólo tres generaciones. No sorprende entonces que el estudio revelara que estas personas poseían las siguientes tres cualidades:

1. Tenían visión a corto plazo.
2. Deseaban la gratificación instantánea.
3. Abusaban del poder de combinar.*

Actualmente, encuentro gente que se frustra conmigo porque quieren que les diga cómo hoy pueden ganar más dinero. No les gusta la idea de pensar a largo plazo.

Muchos están desesperados buscando respuestas a corto plazo porque tienen que resolver problemas de dinero... problemas de dinero tales como deudas de consumo y falta de inversiones, causados por su deseo incontrolable de gratificación instantánea. Tienen la idea de "Comamos, bebamos y seamos felices mientras somos jóvenes." Este es un abuso del poder de combinación, lo que conduce a deuda a largo plazo, en lugar de riqueza a largo plazo.

Quieren la respuesta rápida y quieren que les diga "Qué hacer." En vez de escuchar "Quiénes necesitan 'ser' a fin de 'hacer' lo que necesitan hacer para adquirir gran riqueza," quieren respuestas a corto plazo para un problema de largo plazo. En otras palabras, demasiadas personas están obsesionadas por la filosofía de vida de "Hágase rico rápidamente." A estas personas les deseo suerte porque suerte es lo que van a necesitar.

UN CONSEJO PARA TENER MUY EN CUENTA

Muchos de nosotros hemos escuchado que las personas que escriben sus metas tienen más éxito que aquellas que no lo hacen. Hay un maestro llamado Raymond Aaron, de Ontario, Canadá, que ofrece seminarios y grabaciones sobre materias tales como ventas, establecimiento de metas, duplicación de su ingreso, y cómo ser mejor en *network marketing*. Si bien estas son materias que mucha gente enseña, recomiendo su trabajo simplemente porque él tiene algunas concepciones fascinantes en estos importantes temas. Concepciones que pueden ayudarlo a lograr más de lo que usted desea en el mundo de los negocios e inversión.

Acerca de la fijación de metas, él recomienda algo que sigue la línea de la idea de dar pasos de bebé, y no grandes saltos hacia delante. Recomienda tener grandes sueños y deseos a largo plazo. Sin embargo, cuando se trata de establecer metas, en vez de tratar de ser alguien que obtiene más resultados de lo esperado, recomienda ser alguien que obtiene menos resultados. En otras palabras, dar pasos de bebé. Por ejemplo, si uno quisiera tener un cuerpo hermoso, en vez de tratar de dar un gran salto hacia delante, él recomienda alcanzar resultados inferiores haciendo menos de lo que uno querría. En vez de ir una hora al gimnasio, comprométase a ir sólo 20 minutos. En otras palabras, fíjese una meta más baja y esfuércese en prenderse de ella. El resultado será que en lugar de sentirse abrumado, se sentirá liberado. Al sentirme liberado, me he encontrado a mí mismo esperando ansioso por ir al gimnasio, o por realizar cualquier cosa que necesite hacer o cambiar en mi vida. Lo extraño es que hoy en día obtengo mis logros realizando pequeños logros, en lugar de matarme por obtener grandes logros. En síntesis, sueñe a lo grande sueños desafiantes, y luego reduzca los resultados esperados a una pequeña dosis diaria. En otras palabras, pasos de bebé en vez de grandes saltos sobre el precipicio. Establezca metas alcanzables para cada día, que al lograrlas le generen un refuerzo positivo y lo ayuden a permanecer en el camino hacia la gran meta.

Un ejemplo de la forma en que apunto un poco más bajo es que establezco una meta escrita de escuchar dos *cassettes* de audio por semana. Puedo escuchar la misma cinta dos o más veces si es buena... pero aún así siguen siendo mis dos semanales. Mi esposa y yo también tenemos una meta escrita de concurrir por lo menos a dos seminarios por año sobre temas referidos a los cuadrantes "D" e "I". Nos vamos de vacaciones con personas que son expertas en temas referidos a los cuadrantes "D" e "I". Nuevamente, aprendemos mucho mientras jugamos, descansamos y salimos a comer. Estos son métodos de bajar los compromisos y aún así mantenerse en movimiento hacia sueños grandes y audaces. Agradezco a Raymond Aaron y su grabación sobre fijación de metas por ayudarme a lograr más con mucho menos estrés.

Ahora continúe leyendo, y recuerde soñar a lo grande, pensar a largo plazo, bajar un poco los objetivos diarios, y dar pasos de bebé. Esa es la clave para el éxito a largo plazo y la clave para cruzar, desde el lado izquierdo del *Cuadrante del FLUJO de DINERO*, hacia el lado derecho.

SI QUIERE SER RICO, TIENE QUE CAMBIAR SUS REGLAS

A menudo se citan mis palabras: "Las reglas han cambiado." Cuando la gente escucha estas palabras, asiente con la cabeza y dice, "Sí. Las reglas han cambiado. Ya nada es lo mismo." Pero continúan haciendo las mismas cosas obsoletas.

DECLARACIONES DE ESTADOS FINANCIEROS DE LA ERA INDUSTRIAL

Cuando doy clases sobre el tema "Poniendo la vida financiera en orden," comienzo pidiendo a los estudiantes que completen una declaración de ingresos personal. A menudo se torna en una experiencia de cambio de vida. Las declaraciones financieras se parecen mucho a los rayos–X. Tanto las declaraciones de ingresos como los rayos–X le permiten ver lo que sus ojos, por sí solos, no pueden ver. Luego de que los miembros de la clase han completado sus formularios, es fácil ver quién tiene "cáncer financiero" y quién está financieramente saludable. Por lo general, los que tienen cáncer financiero son aquellos con ideas de la Era Industrial.

¿Por qué digo eso? Porque en la Era Industrial, la gente no tenía que "pensar en el mañana." Las reglas eran, "Trabaja mucho y tu empleador o el gobierno cuidarán de ti el día de mañana." Y por esto muchos de mis amigos y familiares solían decir, "Consigue un empleo en el gobierno. Tiene grandes beneficios." O: "Asegúrate de que la compañía para la que trabajas cuente con un plan de jubilación excelente." O: "Asegúrate de que la industria para la que trabajas tenga un sindicato fuerte." Esos son consejos basados en las reglas de la Era Industrial, a la que llamo mentalidad de "derechos". Aunque las reglas han cambiado, muchas personas no han cambiado sus reglas personales... en especial sus reglas financieras. Todavía están gastando como si no hubiera necesidad de planificar para el mañana. Eso es lo que analizo cuando leo una declaración financiera de una persona: si tienen o no un mañana.

¿TIENE USTED UN MAÑANA?

Para simplificar las cosas, esto es lo que busco en una declaración de estado fina ciero personal.

Estado de Ganacias y Pérdidas

Ingresos
Egresos (Hoy)

Hoja de Balance

Activo	**Pasivo**
(Mañana)	(Ayer)

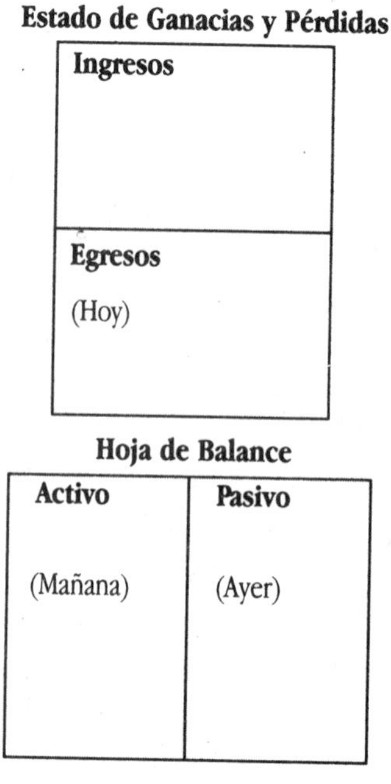

Las personas que no tiene activos, que malgastan el flujo de dinero, no tienen un mañana. Cuando encuentro personas que no tienen activos, por lo general están trabajando mucho por un sueldo a fin de pagar sus cuentas. Si observa la "columna de egresos" de la mayor parte de la gente, los dos mayores egresos mensuales son impuestos y débitos por obligaciones –pasivos– a largo plazo. Su estado de egresos se ve así:

Estado de Ganancias y Pérdidas

Ingresos

Egresos
Impuestos (Aproximadamente 50%)
Deudas (Aproximadamente 35%)
Gastos para vivir

Hoja de Balance

Activo	Pasivo

En otras palabras, el gobierno y el banco cobran su dinero antes que ellos. Las personas que no pueden controlar el flujo de su dinero en efectivo, no tienen futuro financiero y se encontrarán en serios problemas en los próximos años.

¿Por qué? Una persona que opera sólo en el cuadrante "E" tiene poca protección en lo que hace a impuestos y deudas. Incluso un "A" puede hacer algo respecto de estos dos cánceres financieros.

Si esto no tiene sentido para usted, le sugeriría que lea y relea *Padre Rico Padre Pobre*, que hará más fáciles de comprender este capítulo y los que siguen.

TRES MODELOS DE FLUJO DE DINERO

Como dije en *Padre Rico Padre Pobre*, hay tres modelos de flujo de dinero: uno para los ricos, uno para los pobres, y uno para la clase media. Este es el modelo de flujo de dinero del pobre:

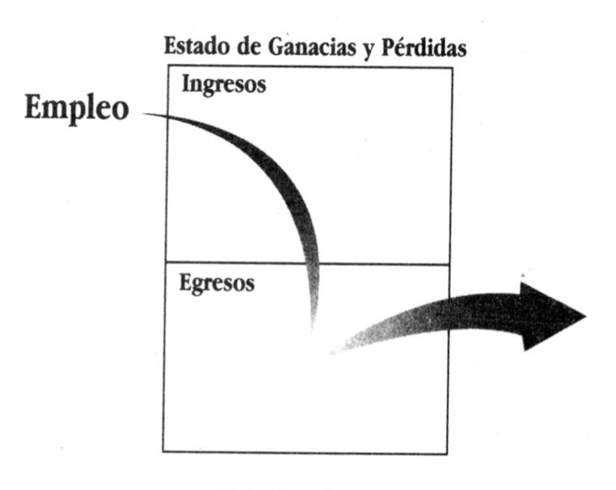

Hoja de Balance

Activo	Pasivo

Este es el modelo de flujo de dinero de la clase media:

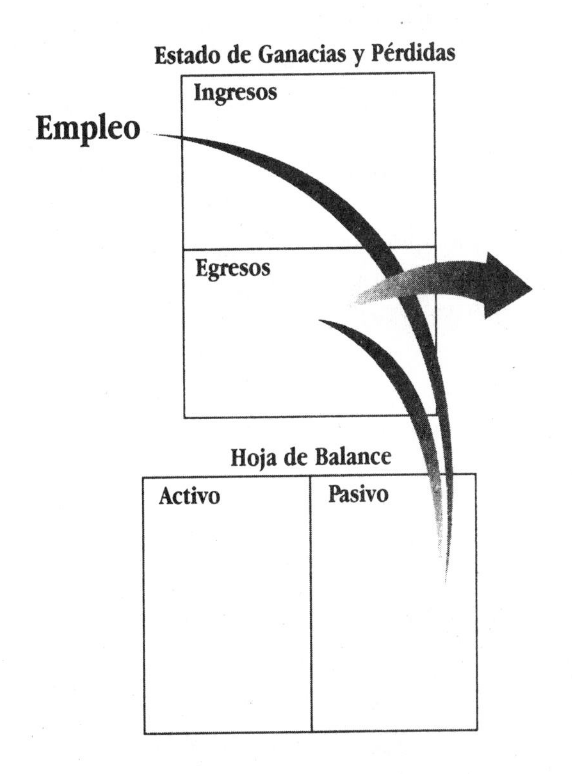

Nuestra sociedad considera a este modelo de flujo de dinero como "normal" e "inteligente". Después de todo, las personas que encuadren en este modelo probablemente tengan empleos de altos ingresos, lindas casas, automóviles y tarjetas de crédito. Esto es lo que mi padre rico llamaba "el sueño de la clase trabajadora."

Cuando juego con adultos a *CASHFLOW*, mi juego de mesa educativo, ellos suelen luchar mentalmente... ¿Por qué? Porque se los está introduciendo a la alfabetización financiera, lo que significa comprender los números y palabras referentes al dinero. Lleva varias horas jugar el juego, no porque sea largo, sino porque los jugadores están aprendiendo un tema totalmente nuevo. Es casi como aprender una lengua extranjera. Pero la buena noticia es que esta nueva alfabetización se puede aprender con rapidez, y luego el juego se torna más veloz. Y esto sucede porque los jugadores se hacen más astutos... y cuanto más juegan el juego, más listos y más rápidos se vuelven, y todo mientras se divierten.

También sucede algo más. Debido a que ahora se están ilustrando financieramente, muchos comienzan a darse cuenta de que, en lo personal, están en problemas financieros, incluso aunque el resto de la sociedad piense que son "normales" en esa área. Como verá, encuadrar en el modelo de flujo de dinero de la clase media era normal en la Era Industrial, pero podría ser desastroso en la Era de la Información.

Muchas personas, una vez que aprenden y comprenden el juego, comienzan a buscar nuevas respuestas. Esto se convierte en una "llamada de despertador" para su salud financiera personal, así como un pequeño ataque cardíaco es un alerta acerca de la salud de una persona.

En ese momento de comprensión, muchas personas empiezan a pensar como ricos en lugar de hacerlo como una persona de clase media trabajadora. Después de jugar *CASHFLOW* varias veces, algunos comienzan a buscar un modelo de flujo de dinero que se parece a éste:

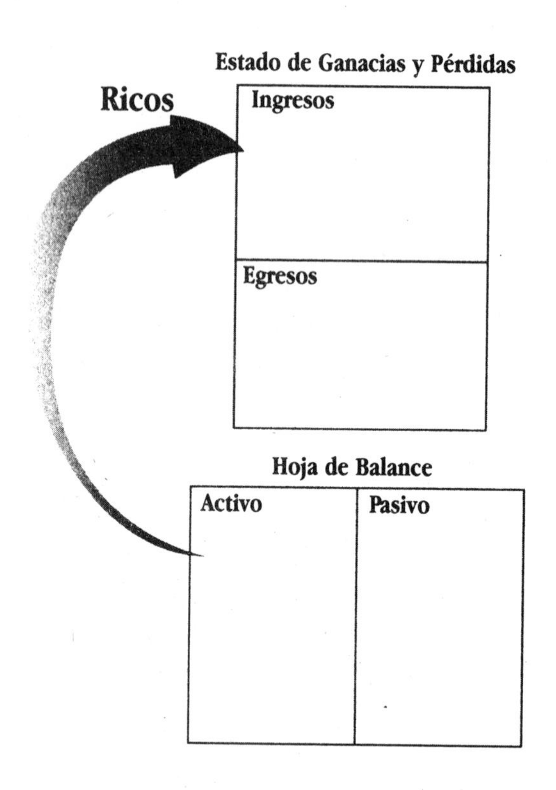

Este es el modelo de pensamiento que mi padre rico quería que su hijo y yo tuviéramos de chicos, por lo cual dejó de pagarnos el sueldo y se rehusó a aumentarnos. Él nunca quiso que nos hiciéramos adictos a la idea de empleos altamente remunerados. Él quería que desarrolláramos el modelo mental de pensar sólo en activos e ingresos bajo la forma de ganancias de capital, dividendos, ingresos por rentas, ingresos residuales por negocios, y regalías.

Las personas que quieran tener éxito en la Era de la Información, cuanto más rápido comiencen a desarrollar su inteligencia financiera y emocional para pensar de acuerdo a este modelo, tanto más rápido se sentirán seguras financieramente y encontrarán la libertad financiera. En un mundo con cada vez menor seguridad laboral, este modelo de flujo de dinero tiene mucho más sentido para mí. Y para lograr este modelo una persona necesita ver el mundo desde los cuadrantes "D" e "I", no sólo desde los cuadrantes "E" y "A".

También llamo a esto declaración de estado financiero de la Era de la Información, porque el ingreso se genera estrictamente desde la información, no desde el trabajo intenso. En la Era de la Información, la idea de trabajar mucho no significa lo mismo que en la Era Agraria y en la Era Industrial. En la Era de la Información, a las personas que más trabajen físicamente se les pagará menos. Hoy en día ya es una realidad y lo ha sido a través de la historia.

Sin embargo, cuando hoy la gente dice, "No trabajes mucho, trabaja en forma inteligente," no se refieren a trabajar en forma inteligente en los cuadrantes "E" o "A. En realidad quieren decir trabajar inteligentemente en los cuadrantes "D" o "I". Este es el modo de pensar de la Era de la Información, lo que explica por qué la inteligencia financiera y la emocional son vitales hoy y lo serán en el futuro.

ENTONCES ¿CUÁL ES LA RESPUESTA?

Obviamente, mi respuesta es reeducarse usted mismo para pensar como una persona rica, no como una persona de clase media o pobre. En otras palabras, pensar y mirar al mundo desde el cuadrante "D" o "I". Sin embargo, la solución no es tan simple como volver a la escuela y tomar unos pocos cursos. Para tener éxito en los cuadrantes "D" o "I" se necesita inteligencia financiera, inteligencia en sistemas e inteligencia emocional. Estas cosas no pueden aprenderse en la escuela.

La razón por la que estas inteligencias son difíciles de aprender se debe a que la mayoría de los adultos están "conectados" al modo de vida de "trabajar mucho y gastar." Sienten ansiedad financiera, por eso se esmeran por trabajar cada vez más arduamente. Llegan a su casa y escuchan sobre el mercado bursátil que sube y baja. La ansiedad crece, entonces salen a comprar una casa o un nuevo automóvil, o van a jugar golf para evitar la ansiedad.

El problema es que la ansiedad vuelve el lunes por la mañana.

¿CÓMO COMIENZA USTED A PENSAR IGUAL QUE UNA PERSONA RICA?

La gente suele preguntarme cómo comenzar a pensar como una persona rica. Siempre recomiendo comenzar poco a poco y buscar capacitación, en lugar de salir corriendo y sencillamente comprar un fondo de inversión o una propiedad para alquilar. Si las personas tienen seriedad respecto a aprender y entrenarse a sí mismas a fin de pensar como una persona rica, les recomiendo mi juego de mesa *CASHFLOW*.

He creado el juego para ayudar a las personas a mejorar su inteligencia financiera. Les proporciona el entrenamiento mental, físico y emocional requerido para permitirles hacer el cambio gradual de la forma de pensar de una persona de clase media o pobre, a la forma de pensar de una persona rica. Les enseña a pensar acerca de lo que mi padre rico decía que era importante... lo cual no era un buen sueldo ni una casa grande.

EL FLUJO DE DINERO, Y NO EL DINERO, CALMA LA ANSIEDAD

La lucha financiera y la pobreza son en realidad problemas de ansiedad financiera. Son círculos viciosos mentales y emocionales que mantienen a las personas atascadas en lo que llamo la "carrera de ratas." Si no se rompen los eslabones mentales y emocionales, el modelo queda intacto.

Trabajé con un banquero hace unos pocos meses para romper su modelo de lucha financiera. No soy un terapeuta, pero he tenido la experiencia de romper mis propios hábitos financieros inculcados por mi familia.

Este banquero gana más de u$s 120.000 anuales, pero siempre se halla en algún tipo de problema financiero. Tiene una familia hermosa, tres automóviles, una casa grande, una casa de fin de semana, y luce como un banquero próspero. Sin embargo, cuando miré su estado financiero, encontré que tenía un cáncer financiero que sería terminal en unos pocos años, de no cambiar sus costumbres.

La primera vez que él y su esposa jugaron *CASHFLOW*, luchaba y se movía en forma casi incontrolable. Su mente se dispersaba, y no parecía captar el juego. Después de jugar cuatro horas, aún estaba atascado. Todos los demás habían completado el juego, pero él todavía se hallaba en la "Carrera de Ratas."

Entonces, mientras guardábamos el juego, le pregunté qué era lo que sucedía. Su única respuesta fue que el juego era muy difícil, demasiado lento y demasiado aburrido. Entonces le recordé lo que le había dicho antes de comenzar a jugar: que todo juego es el reflejo de la gente que lo juega. En otras palabras, un juego es como un espejo que le permite a uno mirarse a si mismo.

Esa afirmación lo hizo enojar, entonces volví atrás, y le pregunté si todavía estaba comprometido a ordenar su vida financiera. Él dijo que aún lo estaba, entonces lo invité a él y a su esposa, que amaba el juego, a volver a jugar nuevamente con un grupo de inversión que yo estaba entrenando.

Una semana más tarde apareció mostrándose reticente. Esta vez, unas pocas luces comenzaron a encenderse dentro de su mente. Para él, la parte contable era fácil, ya que era naturalmente prolijo y ordenado con sus números, lo cual es importante para que el juego sea valioso. Pero ahora estaba comenzando a comprender el mundo de los negocios y la inversión. Finalmente, pudo "ver" con su mente sus propios patrones de vida, y lo que estaba haciendo que causaba su propia lucha financiera. Después de cuatro horas, aún no había terminado el juego, pero estaba comenzando a aprender. Esta vez, al irse, él mismo se invitó a volver.

En el tercer encuentro, era un hombre nuevo. Ahora tenía el control del juego, de su contabilidad y sus inversiones. Su confianza había crecido, y esta vez salió exitosamente de la "Carrera de Ratas" y se hallaba en la "Vía Rápida". Al momento de irse, compró un juego y dijo, "Voy a enseñarle a mis hijos."

En el cuarto encuentro, me dijo que sus propios gastos personales estaban disminuyendo, había cambiado sus hábitos de gastar y cancelado varias tarjetas de crédito, y ahora tenía un vivo interés en aprender a invertir y construir la columna de su activo. Su pensamiento ya estaba encaminado para convertirlo en un pensador de la Era de la Información.

En el quinto encuentro compró un juego *CASHFLOW 202*, que es el avanzado para gente que ha dominado *CASHFLOW (101)*, el juego original. Ahora estaba listo y ansioso por jugar el juego rápido y riesgoso que juegan los verdaderos "D" e "I". La mejor noticia es que había tomado el control de su futuro financiero. Este hombre era completamente distinto a aquel que me había pedido hacer más fácil *CASHFLOW* la primera vez que lo jugó. Le dije que si quería un juego más fácil, debería jugar al Monopoly, que también es un juego de aprendizaje excelente. Unas pocas semanas después, en lugar de querer que las cosas fueran más fáciles, buscaba en forma activa mayores desafíos y era optimista acerca de su futuro financiero.

Se había reeducado a sí mismo no sólo mentalmente sino también –lo que es más importante– emocionalmente, por el poder del proceso de aprendizaje repetitivo que proviene de un juego. En mi opinión, los juegos son una herramienta de enseñanza superior porque requieren que el jugador se involucre totalmente en el proceso de aprendizaje, mientras se divierte. Jugar involucra a la persona mental, emocional y físicamente.

*El autor hace referencia al uso de elementos financieros, tales como créditos, refinanciamientos, etc., combinados entre sí y empleados a favor o en contra de uno mismo, según sea el caso. (N. de E.)

Los 7 pasos para encontrar su "Vía Rápida" financiera

CAPÍTULO 11

PASO 1: Es tiempo de ocuparse de su propio negocio

¿Ha estado trabajando mucho y haciendo que otro se haga rico? Desde una temprana edad, la mayor parte de la gente está programada para atender los negocios de otro y hacer que otros se enriquezcan. Esto se inicia de una forma muy inocente con consejos tales como estos:

1. "Ve a la escuela y obtén buenas calificaciones, así podrás encontrar un trabajo bueno y seguro, con buen sueldo y excelentes beneficios."
2. "Trabaja mucho para que puedas comprarte la casa de tus sueños. Después de todo, tu casa es una inversión, la inversión más importante."
3. "Tener una hipoteca muy grande es bueno, porque el gobierno le otorga una deducción de impuestos sobre sus pagos de interés."
4. "Compre ahora, pague después," o "Bajo anticipo, cómodas cuotas mensuales." O, "Venga y ahorre dinero."

La gente que sigue a ciegas estos consejos a menudo se convierte en:

1. Empleados, haciendo ricos a sus jefes y patrones.
2. Deudores, haciendo ricos a los bancos y prestamistas.
3. Contribuyentes, haciendo rico al gobierno.
4. Consumidores, enriqueciendo los negocios de muchos otros.

En lugar de encontrar su propia vía rápida financiera, ayudan a cualquier otra persona a encontrar la suya. En lugar de ocuparse de su propio negocio, trabajan toda su vida atendiendo el de alguien más.

Mirando el Estado de Ganacias y Pérdidas y Hoja de Balance, usted puede fácilmente comenzar a ver cómo hemos sido programados desde una temprana edad para atender el negocio de otro, e ignorar el propio.

Estado de Ganacias y Pérdidas

Ingresos
1. Usted se ocupa de los negocios de su jefe
Egresos
2. Usted se ocupa de los negocios del gobierno a través de los impuestos. Y con cada ítem en la línea siguiente, atiende muchos negocios de terceros

Hoja de Balance

Activo	**Pasivo**
4. Este es su negocio	3. Usted atiende los negocios de su banquero.

ENTRE EN ACCIÓN

En mis clases, suelo pedirle a la gente que complete su estado financiero. Para muchos, esos formularios no resultan un cuadro hermoso por la sencilla razón de que han sido engañados para que se ocupen de los negocios de todos los demás en vez de ocuparse de los propios.

1) SU PRIMER PASO:

Complete su estado financiero personal. He incluido una muestra de estado financiero y hoja de balance similar a la del juego *CASHFLOW*.

Para poder llegar adonde quiere ir, necesita saber donde está. Este es su primer paso para tomar el control de su vida y pasar más tiempo ocupándose de su propio negocio.

2) ESTABLECER METAS FINANCIERAS:

Establezca una meta financiera a largo plazo para determinar dónde quiere estar en cinco años, y una meta financiera más corta, a corto plazo, para fijar dónde quiere estar en doce meses. (La meta financiera más corta, es un escalón en el camino hacia su meta a cinco años.) Establezca metas realistas y alcanzables.

A) Dentro de los doce meses siguientes:
1) Quiero disminuir mi deuda en u$s __________.
2) Quiero incrementar el flujo de dinero proveniente de mis activos, o ingreso pasivo, (ingreso pasivo es ingreso que se obtiene sin tener que trabajar por él) a u$s ___________ por mes.

B) Mis metas financieras a cinco años son:
1) Aumentar el flujo de dinero de mis activos a u$s ____________por mes.
2) Contar con estos vehículos de inversión en mi columna del activo (por ejemplo bienes inmuebles, acciones, negocios, etc.)

____

____

____

C) Utilizar sus metas a 5 años para ampliar su estado de ganacias y pérdidas y hoja de balance durante 5 años a partir de hoy.

Ahora que sabe dónde está hoy financieramente y ha establecido sus metas, necesita tomar el control del flujo de su dinero, a fin de alcanzar sus metas.

Profesión ____________ *Jugador* ____________

Meta: Salir de la Carrera de Ratas y entrar en la Vía Rápida construyendo su Ingreso Pasivo para que sea mayor que su Total de Egresos

Estado de Ganancias y Pérdidas

Ingresos

Salario:
Interés:
Dividendos:

Bienes Inmuebles: **Flujo de Dinero**

Negocios: **Flujo de Dinero**

Auditor

Persona a su derecha

Ingreso Pasivo= ____________
(Interés + Dividendos + Bienes Inmuebles + Flujo de Dinero de los Negocios)

Ingreso Total: ____________

Egresos

Impuestos:
Hipoteca de la casa:
Pago Préstamo Educativo:
Pago del Automóvil:
Pago de Tarjetas de Crédito:
Pago de Compras para Consumo:
Otros Egresos:
Gastos de los Hijos:
Pago del Préstamo Bancario

Número de Hijos: ____________
(Comience el juego con 0 Hijos)
Total de Gastos: ____________

Total de Egresos ____________

Flujo de Dinero **Mensual:** ____________ **(Sueldo)**

Hoja de Balance

Activo

Ahorros:

Acciones / Fondos de Inversión/C.D./ Nº de Acciones: **Costo/Acción:**

Bienes Inmuebles: **Adelanto:** **Costo:**

Negocio: **Adelanto:** **Costo:**

Pasivo

Hipoteca de la Casa:
Préstamos Educativos:
Préstamo del Automóvil:
Tarjetas de Crédito:
Deudas por Consumo:
Refinanciación por Hipoteca:

Pasivo: (Negocio)

Préstamo Bancario:

CAPÍTULO **12**

PASO 2: Controle el flujo de su dinero (en efectivo)

Muchas personas creen que el simple hecho de tener más dinero resolverá sus problemas financieros pero, en la mayoría de los casos, sólo causa mayores problemas económicos.

La razón primaria por la que muchas personas tienen problemas con el dinero, es que nunca se los instruyó en la ciencia de administrar el flujo de dinero. Se les enseñó a leer, escribir, conducir automóviles o nadar, pero nunca se los instruyó para manejar el flujo de su dinero. Sin este entrenamiento acaban teniendo problemas económicos, y entonces trabajan más, creyendo que van a resolver el problema con más dinero.

Como decía a menudo mi padre rico, "Si el problema es la administración del flujo de dinero, más dinero no resolverá el problema."

LA HABILIDAD MÁS IMPORTANTE

Después de haber tomado la decisión de ocuparse de su propio negocio, el paso siguiente como *director general* del negocio de su propia vida, es controlar el flujo de su dinero. Si no lo hace, ganar más dinero no lo hará más rico... de hecho, más dinero empobrece más a las personas ya que a menudo, cada vez que obtienen un aumento, salen a endeudarse aún más.

¿QUIÉN ES MÁS INTELIGENTE: USTED O SU BANQUERO?

La mayoría de las personas no prepara estados financieros personales. Como mucho, ellos intentan balancear mensualmente su cuenta de cheques. Así que felicítese, ahora está por delante de la mayoría de sus colegas tan sólo por completar su estado financiero y por fijarse metas personales.

Como director general de su propia vida, puede aprender a ser más inteligente que la mayor parte de la gente, incluido su banquero.

Muchas personas dirán que llevar "dos juegos de libros" es ilegal. Y eso es cierto en algunas instancias. Sin embargo, en realidad, si usted comprende verdaderamente el mundo de las finanzas, siempre existen dos juegos de libros. Una vez que se dé cuenta de eso, será tan inteligente, o probablemente más, que su banquero. El que sigue es un ejemplo de "dos juegos de libros" legales –el suyo y el de su banquero.

Como director general de su vida, siempre recuerde estas simples palabras y diagramas de mi padre rico, quien a menudo decía, "Por cada pasivo que tienes, eres un activo de alguien más."

Y dibujaba este simple diagrama:

Su Balance General

Activo	**Pasivo**
	Hipoteca

Hoja de Balance de su Banco

Hoja de Balance del Banco

Activo	**Pasivo**
Su Hipoteca	

Como director general de su vida, debe recordar siempre que por cada uno de sus pasivos, o deudas, usted es el activo de alguna otra persona. Ese es el verdadero "doble juego de libros contables." Por cada pasivo—por ejemplo una hipoteca, un préstamo para el automóvil, préstamo educativo o tarjeta de crédito– usted es un empleado de la persona que le presta el dinero. Usted está trabajando mucho para hacer rica a otra persona.

DEUDA BUENA Y DEUDA MALA

Padre rico siempre me advirtió acerca de "deuda buena y deuda mala." Decía a menudo, "Cada vez que le debes dinero a alguien, te conviertes en empleado de su dinero. Si sacas un préstamo a 30 años, te conviertes en su empleado a 30 años, y ellos no van a darte un reloj de oro cuando saldes la deuda."

Padre rico pedía dinero prestado, pero hacía un esfuerzo máximo para no convertirse en la persona que tuviera que pagarlo. Nos explicaba a su hijo y a mí que la deuda buena es la deuda que alguien más paga por uno, y deuda mala es la deuda que uno paga con el sudor y la propia sangre. Por eso le encantaban las propiedades para alquilar. Él me alentaba para que comprara propiedades para alquilar porque "el banco te da el préstamo, pero tu inquilino lo paga."

INGRESOS Y EGRESOS

Lo referente a los dos juegos de libros no se aplica únicamente al activo y pasivo, sino también a los ingresos y egresos. La lección verbal más completa de mi padre rico, fue ésta: "Para todo activo, prácticamente, debe haber un pasivo, pero estos no aparecen en el mismo juego de estados financieros. Así mismo, también para cada gasto debe haber siempre un ingreso pero, nuevamente, estos no aparecen en el mismo juego de estados financieros."

Este esquema simple aclarará más la lección:

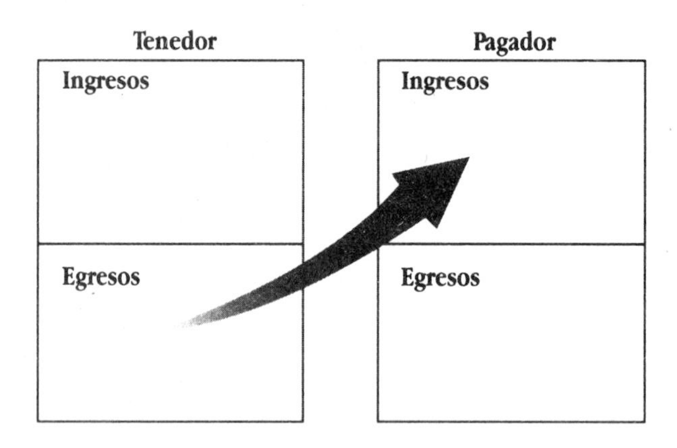

Mucha gente no puede salir adelante financieramente porque todos los meses tienen cuentas por pagar. Tienen facturas telefónicas, impuestos, facturas de combustible, facturas de tarjetas de crédito, cuentas por compra de alimentos, y así sucesivamente. Y cada mes, las personas pagan primero a los demás, y en último lugar a si mismos, si es que les queda algo. Por lo tanto, la mayor parte de la gente viola la regla dorada de las finanzas personales, que es, "Primero páguese a usted mismo."

Por esa razón, padre rico remarcaba la importancia de la administración del flujo de dinero y la alfabetización financiera básica. Padre rico solía decir, "Las personas que no pueden controlar el flujo de su dinero en efectivo, trabajan para las que sí pueden."

LA VÍA RÁPIDA FINANCIERA Y LA CARRERA DE RATAS

El concepto de "dos juegos de libros" resulta útil para mostrar la "Vía Rápida Financiera" y la "Carrera de Ratas". Hay muchas clases de vías financieras rápidas. El diagrama que sigue es uno de los más comunes. Es la vía entre un acreedor y un deudor.

Está muy simplificada, sin embargo si se toma el tiempo para estudiarla, su mente comenzará a ver lo que los ojos de la mayoría no pueden ver. Estúdiela y verá la relación entre el rico y el pobre, el tener y el no tener, los que piden prestado y los que prestan, y aquellos que crean empleos y los que los solicitan.

ESTA ES LA VÍA FINANCIERA RÁPIDA Y USTED YA ESTÁ EN ELLA

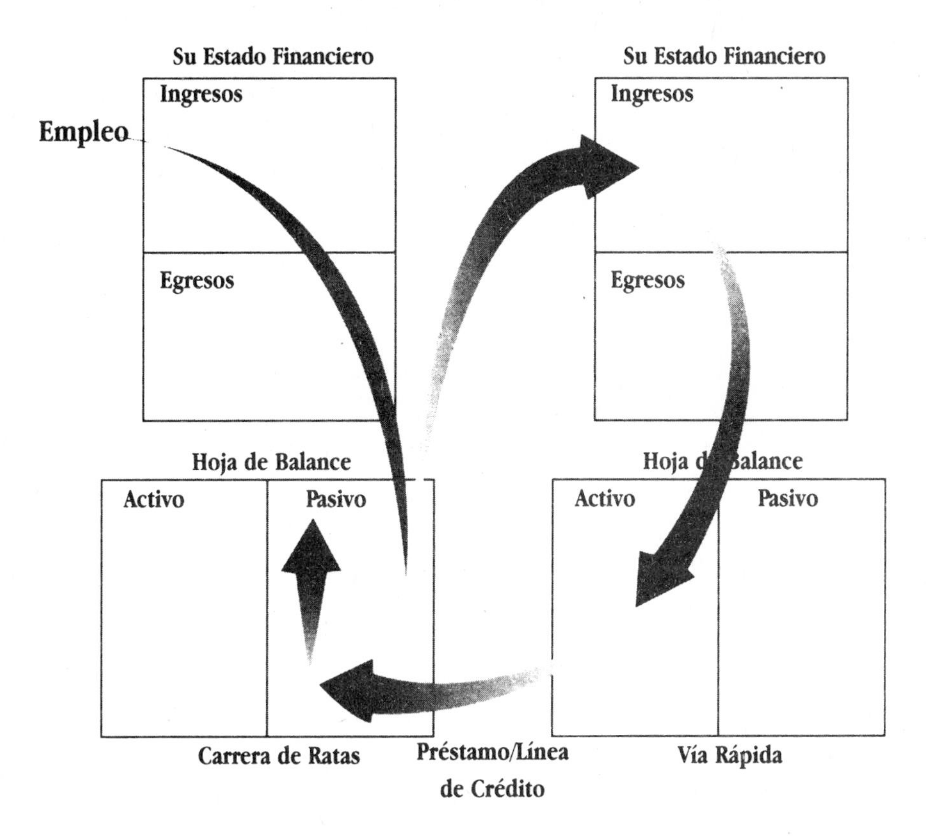

En este punto, el acreedor dirá, "Debido a su buen historial de crédito, nos gustaría ofrecerle un préstamo de consolidación de saldos." O: "¿Le gustaría abrir una línea de crédito para el caso de que necesitara algún dinero extra en el futuro?"

¿SABE USTED LA DIFERENCIA?

El camino del dinero fluyendo entre dos juegos de libros es lo que mi padre rico llamó la "Vía Rápida Financiera." También es la "Carrera de Ratas Financiera." Para que una exista, debe existir la otra. Por lo tanto, debe haber como mínimo dos estados financieros. La pregunta es ¿cuál es el suyo?, y ¿cuál de ellos quiere tener?

Por eso mi padre rico me decía constantemente, "Si el problema es la administración del flujo de dinero, ganar más dinero no resolverá tus problemas," y "la gente que comprende el poder de las cifras financieras tiene poder sobre aquellos que no lo comprenden."

Esta es la razón por la cual el Paso Número 2 para encontrar su propia vía rápida financiera es: "Tome el control del flujo de su dinero."

Necesita sentarse y trazar un plan para tomar el control de sus hábitos de gastar. Minimice su deuda y pasivos. Viva acorde a sus medios antes de intentar aumentar sus medios. Si necesita ayuda, búsquela con un planificador financiero calificado. El o ella pueden ayudarlo a trazar un plan con el que pueda mejorar su flujo de dinero y comenzar a pagarse a usted primero.

ENTRE EN ACCIÓN

1) Revea sus estados financieros de acuerdo al capítulo anterior.

2) Determine de qué cuadrante del *Cuadrante del FLUJO de DINERO* recibe hoy sus ingresos. ______________________

3) Determine de qué cuadrante quiere recibir el grueso de sus ingresos dentro de cinco años.____________________

4) Comience su "Plan de Administración del Flujo de Dinero":

A) Páguese usted primero. Ponga aparte un porcentaje establecido de cada sueldo o cada pago que reciba de otra procedencia. Deposite ese dinero en una cuenta de ahorros de inversión. Una vez que el dinero entre en la cuenta NUNCA lo saque, hasta que esté listo para invertirlo.

¡Felicitaciones! Acaba de comenzar a administrar el flujo de su dinero.

B) Concéntrese en reducir su deuda personal.

Los que siguen son algunos consejos sencillos y listos-para-aplicar para reducir y eliminar su deuda personal.

Consejo # 1: Si tiene tarjetas de crédito con saldos pendientes...

1. Corte todas sus tarjetas de crédito, excepto 1 ó 2.
2. Cualquier cargo nuevo que haga a sus tarjetas 1 ó 2, debe ser pagado cada mes. No incurra en ningún tipo de deuda a largo plazo.

Consejo # 2: Ahorre u$s 150 – u$s 200 extra por mes. Ahora que se está capacitando cada vez más en lo financiero esto debería ser fácil de hacer. Si no puede generar u$s 150 – u$s 200 adicionales por mes, entonces sus chances de libertad financiera quizás tan sólo sean un sueño imposible.

Consejo # 3: Aplique los u$s 150 – u$s 200 adicionales a su pago mensual de SOLO UNA de sus tarjetas de crédito. Ahora pagará el pago mínimo MÁS los u$s 150 – u$s 200 en esa tarjeta de crédito.

Pague sólo la cantidad mínima en todas las demás tarjetas de crédito. A menudo la gente trata de pagar un poco más cada mes en todas sus tarjetas, pero sorpresivamente esas tarjetas nunca se saldan.

Consejo # 4: Una vez que la primera tarjeta esté saldada, destine entonces la cantidad total que pagaba cada mes a su siguiente tarjeta de crédito. Ahora está pagando la cantidad mínima en la segunda tarjeta MÁS el pago mensual total que venía pagando en su primera tarjeta de crédito.

Continúe este proceso con todas sus tarjetas de crédito y otros créditos de consumo tales como cargos por compras en tiendas, etc. Y a cada deuda que salde, destine la cantidad total que venía pagando por esa deuda al pago mínimo de su siguiente deuda. A medida que paga cada deuda, aumentará el monto mensual que paga en la deuda siguiente.

Consejo # 5: Una vez que todas sus tarjetas de crédito y otras deudas por consumo estén saldadas, continúe entonces el procedimiento con los pagos de su automóvil y su casa.
Si sigue este procedimiento, se asombrará del poco tiempo que le va a llevar liberarse por completo de todas sus deudas. La mayoría de la gente puede quedar libre de deudas entre 5 y 7 años.

Consejo # 6: Ahora que está completamente libre de deudas, tome el importe mensual que estuvo pagando en su última deuda, e invierta ese dinero. Construya su columna del activo.

Es así de simple.

CAPÍTULO *13*

PASO 3: Conozca la diferencia entre riesgo y riesgoso

A menudo escucho a la gente decir: "Invertir es riesgoso." No estoy de acuerdo. En su lugar yo digo, "No estar capacitado es riesgoso."

¿QUÉ ES LA ADMINISTRACIÓN CORRECTA DEL FLUJO DE DINERO?

La administración correcta del flujo de dinero comienza por conocer la diferencia entre un activo y un pasivo... que no es la definición que le da su banquero.

El diagrama que sigue es un cuadro de un individuo que tiene 45 años y que ha administrado correctamente su flujo de dinero.

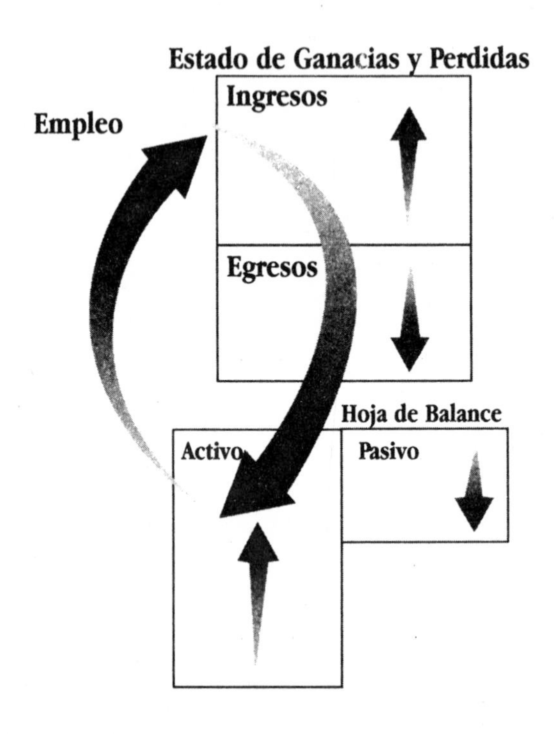

Utilizo la edad de 45 años porque es el punto medio entre los 25, cuando la mayor parte de la gente comienza a trabajar, y los 65, edad en que la mayoría planea su jubilación. A los 45, si han administrado su flujo de dinero en forma adecuada, sus columnas del activo deberían ser mayores que sus columnas del pasivo.

El anterior es un cuadro financiero de personas que se arriesgan, pero no en forma riesgosa.

Además, se trata de personas que están por sobre el 10 por ciento de la población. Pero si hacen lo que hace el otro 90 por ciento, que es administrar mal su flujo de dinero y no comprender la diferencia entre un activo y un pasivo, a sus 45 años, su cuadro financiero luciría como sigue:

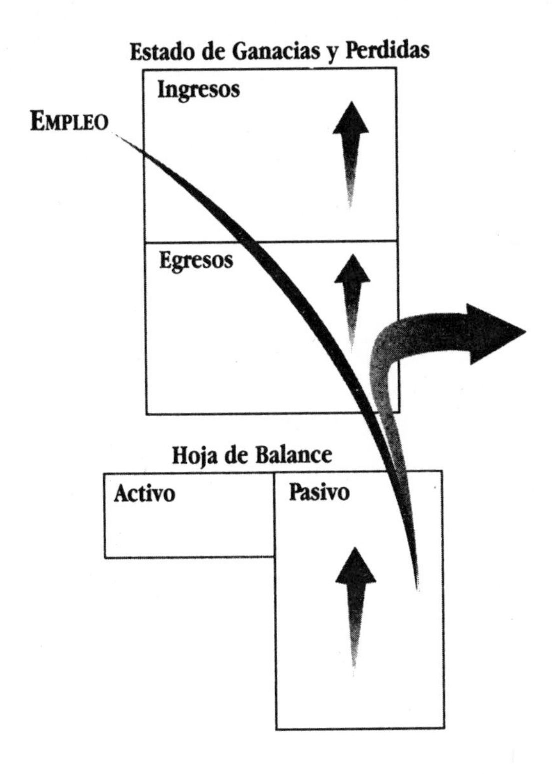

Estas son las personas que muy frecuentemente dicen, "Invertir es riesgoso." Para ellos esa afirmación es verdadera –pero no porque invertir sea riesgoso. Lo riesgoso es su falta de entrenamiento y conocimiento financiero formal.

CAPACITACIÓN FINANCIERA

En *Padre Rico Padre Pobre*, narré la historia de cómo mi padre rico me impulsó a que me instruyera financieramente.

Capacitación financiera es simplemente mirar los números con sus ojos, pero también es su mente entrenada que le permite discernir cómo está fluyendo el dinero. Padre rico decía a menudo, "La dirección del flujo de dinero es todo."

De ahí que una casa podría ser un activo o un pasivo dependiendo de la dirección que tome el flujo de dinero. Si el dinero fluye hacia su bolsillo, es un activo, y si fluye hacia fuera de su bolsillo, es un pasivo.

INTELIGENCIA FINANCIERA

Padre rico tenía muchas definiciones para "inteligencia financiera", por ejemplo, "habilidad para convertir el dinero o el trabajo en activos que generen flujo de dinero."

Pero una de sus definiciones preferidas era, "¿Quién es más inteligente? ¿Usted o su dinero?"

Para mi padre rico, pasar la vida trabajando con tanto esfuerzo por dinero, sólo para que luego éste salga tan rápido como entra, no es un signo de gran inteligencia. Si usted revé los modelos de flujo de dinero de una persona pobre, una de clase media y de una persona rica según fueran presentados en el Capítulo 10, verá que una persona rica enfoca sus esfuerzos en adquirir activos, no en trabajar más.

Debido a la falta de inteligencia financiera, muchas personas instruidas pueden exponerse a situaciones de alto riesgo financiero. Padre rico lo llamaba "línea roja financiera", queriendo decir que los ingresos y los egresos son prácticamente iguales todos los meses. Estas son las personas que se aferran desesperadamente a la seguridad laboral, son incapaces de cambiar cuando cambia la economía, y frecuentemente destruyen su salud por el estrés y la preocupación. Y a menudo, son las mismas personas que dicen: "Hacer negocios e invertir es riesgoso."

Según creo, los negocios y las inversiones no son riesgosos. Lo es estar poco capacitado. De la misma forma, estar desinformado es riesgoso, y confiar en un "empleo estable y seguro" es el mayor riesgo que alguien pueda correr. Adquirir activos no es riesgoso. Comprar pasivos que alguien le ha dicho que son activos es riesgoso. Ocuparse de su propio negocio no es riesgoso. Ocuparse de los negocios de todos los demás y pagarles a ellos primero sí lo es.

Entonces, el paso 3 es conocer la diferencia entre riesgo y riesgoso.

ENTRE EN ACCIÓN

1) Defina riesgo en sus propias palabras.
   - a) Confiar en un sueldo, ¿es riesgoso para usted?
   - b) Tener deudas mensuales que pagar, ¿es riesgoso para usted?
   - c) Tener un activo que genera todos los meses flujo de dinero hacia su bolsillo, ¿es riesgoso para usted?
   - d) Dedicar tiempo para aprender educación financiera, ¿es riesgoso para usted?
   - e) Dedicar tiempo para aprender acerca de los distintos tipos de inversión, ¿es riesgoso para usted?

2) Comprometa 5 horas de su tiempo cada semana para hacer una o más de las siguientes actividades:

   a) Leer la página financiera de su diario y del *Wall Street Journal*.
   b) Escuchar las noticias sobre finanzas en televisión y en radio.
   c) Escuchar cassettes educativos sobre inversión y capacitación financiera.
   d) Leer revistas y boletines informativos financieros.
   e) Jugar *CASHFLOW*.

CAPÍTULO 14

PASO 4: Decida qué clase de inversionista quiere ser

¿Alguna vez se ha preguntado por qué algunos inversionistas ganan más dinero con mucho menos riesgo que otros?

La mayoría de las personas luchan financieramente porque eluden los problemas financieros. Uno de los más grandes secretos que mi padre rico me confió fue éste: "Si quieres lograr riqueza en forma rápida, asume grandes problemas financieros."

En la Sección I de este libro, describí los 7 niveles de inversionistas. Me .gustaría agregar una distinción adicional que define a tres clases de inversionistas:

Clase A: Inversionistas que buscan problemas.

Clase B: Inversionistas que buscan respuestas.

Clase C: Inversionistas tipo Sargento Schultz: "No sé nada."

INVERSIONISTAS CLASE C

El nombre Sargento Schultz proviene del encantador personaje de la serie de televisión *Hogan's Heroes* (*Los Héroes de Hogan*). En el programa, el Sargento Schultz es un guardia en un campo alemán de prisioneros de guerra, y sabe que los prisioneros están intentando escapar o sabotear el esfuerzo bélico Alemán.

Cuando se entera de que algo anda mal, todo lo que Schultz dice es, "Yo no sé nada." La mayoría de las personas, cuando se trata de invertir, adoptan la misma actitud.

No obstante, ¿pueden los inversionistas tipo Sargento Schultz lograr una gran riqueza? La respuesta es sí. Pueden obtener un empleo con el gobierno federal, casarse con alguien rico, o ganar la lotería.

INVERSIONISTAS CLASE B

Los inversionistas clase B a menudo formulan preguntas como las que siguen:
"¿En qué me recomienda invertir?"
"¿Cree que debería comprar bienes inmuebles?"
"¿Qué fondos de inversión son adecuados para mí?"
"Hablé con mi corredor de bolsa y me recomendó diversificar."
"Mis padres me dieron unas pocas acciones. ¿Debería venderlas?"

Los inversionistas clase B deberían entrevistarse de inmediato con varios planificadores financieros, elegir uno y comenzar a seguir su consejo. Los planificadores financieros, si son buenos, brindan un excelente conocimiento tecnológico y a menudo pueden ayudarlo a establecer un plan de acción financiero para su vida.

La razón por la cual yo no ofrezco un asesoramiento financiero específico en mis libros, se debe a que la posición financiera de cada uno es diferente. Un planificador financiero puede evaluar mejor dónde está usted hoy, y luego darle orientación sobre cómo llegar a ser un inversionista Nivel 4.

Una aclaración al margen interesante: encuentro a menudo que muchos "E" y "A" encuadran en la categoría de inversionista clase B porque tienen poco tiempo disponible para buscar oportunidades de inversión. Debido a que están tan ocupados, suelen tener poco tiempo para aprender acerca del lado derecho del *Cuadrante*. De ahí que ellos busquen respuestas en lugar de conocimiento. Por eso este grupo compra a menudo lo que los inversionistas clase A denominan "inversiones minoristas", que son paquetes de inversión previstos para ser vendidos a las masas.

INVERSIONISTAS CLASE A

Los inversionistas clase A buscan problemas. Específicamente, buscan los problemas que ocasionan aquellos que tienen dificultades financieras. Los inversionistas que son buenos para resolver problemas, esperan obtener sobre su dinero retornos que van desde un 25 por ciento hasta el infinito. Ellos son inversionistas Nivel 5 y Nivel 6 típicos, que tienen una base financiera sólida. Poseen las aptitudes necesarias para tener éxito como empresarios e inversores, y utilizan tales aptitudes para resolver los problemas que ocasionan las personas que no las tienen.

Por ejemplo, cuando por primera vez comencé a invertir, todo lo que buscaba eran pequeños condominios y casas que estuvieran en juicio hipotecario. Comencé con un problema valuado en u$s 18.000 generado por inversores que, al no saber administrar su flujo de dinero, se quedaron sin él.

Luego de unos pocos años, aún seguía buscando problemas, pero esta vez, los números eran mayores. Hace tres años, estuve considerando la adquisición de una compañía minera en Perú, valuada en u$s 30 millones. Si bien el problema y los números eran mayores, el proceso era el mismo.

CÓMO INGRESAR MAS RÁPIDO EN LA VÍA RÁPIDA

La lección es comenzar de a poco y aprender a solucionar problemas, y eventualmente podrá obtener una inmensa riqueza producto de su perfeccionamiento en la solución de problemas.

Para aquellos que deseen adquirir activos más rápidamente, enfatizo una vez más la necesidad de aprender primero las aptitudes del lado "D" e "I" del *Cuadrante*. Recomiendo aprender en primer lugar a construir un negocio, porque dicho proceso le proporciona experiencia educativa vital, mejora las habilidades personales, proporciona flujo de dinero para suavizar las alzas y bajas del mercado, y proporciona tiempo libre. Fue el flujo de dinero de mi negocio lo que me proporcionó el tiempo libre para comenzar a buscar problemas para resolver.

¿PUEDE SER USTED LAS TRES CLASES DE INVERSIONISTA?

En realidad, yo opero en las tres modalidades inversoras. Soy un Sargento Schultz, o inversor Clase C, cuando se trata de fondos de inversión o compra de acciones. Cuando me preguntan, "¿Qué fondo de inversión recomienda?" o "¿Qué acciones va a comprar?" me convierto en el Sargento Schultz y respondo "No sé nada."

Tengo unos pocos fondos de inversión, pero en realidad no paso mucho tiempo estudiándolos. Puedo lograr mejores resultados con mis casas de apartamentos que con mis fondos. Como un inversor clase B, busco respuestas profesionales a mis problemas financieros. Busco respuestas de planificadores financieros, corredores de bolsa, banqueros y agentes de bienes raíces. Si son buenos, estos profesionales aportan una información muy valiosa que personalmente no tengo tiempo de adquirir. Ellos están más cerca del mercado y confío en que estén más actualizados respecto a los cambios en las leyes y los mercados.

El consejo de mi planificadora financiera es inestimable, sencillamente porque ella sabe de fideicomisos, legados y seguros mucho más de lo que alguna vez yo pueda llegar a saber. Todos deberían tener un plan de inversión, y por tal razón existe una profesión de planificación financiera. Invertir es mucho más que tan sólo comprar y vender.

También les entrego mi dinero a otros inversores para que inviertan por mí. Dicho de otra forma, conozco a otros inversionistas nivel 5 y nivel 6 que buscan socios para sus inversiones. Son individuos que conozco personalmente y en quienes confío. Si eligen invertir en un área de la cual no sé nada, como por ejemplo viviendas para los de bajo ingreso o grandes bloques de oficinas, puedo elegir darles mi dinero porque sé que son buenos en lo que hacen y confío en su conocimiento.

POR QUÉ DEBERÍA COMENZAR PRONTO

Una de las razones principales por las que le recomiendo a la gente que encuentre pronto su propia vía rápida financiera es que en Estados Unidos, y en gran parte del mundo, hay dos conjuntos de reglas, uno para los ricos y otro para el resto. Muchas leyes están escritas en contra de las personas atrapadas en la carrera de ratas financiera. En el mundo de los negocios y las inversiones, que es con el que yo estoy más familiarizado, veo aterrorizado lo poco que sabe la clase media sobre el destino de sus aportes impositivos. Si bien las recaudaciones por impuestos se destinan a muchas causas valiosas, muchos de los créditos fiscales, incentivos y pagos más importantes van a los ricos, mientras que la clase media es la que paga por ellos.

Por ejemplo, en Estados Unidos, la vivienda para la gente de bajos recursos es un gran problema y, en lo político, es una papa caliente. Para ayudar a resolver este problema, la ciudad, el estado y los gobiernos federales ofrecen substanciales créditos impositivos, créditos fiscales y rentas subsidiadas para la gente que financia y construye viviendas para estos grupos. Tan sólo por el hecho de conocer las leyes, financistas y constructores se hacen más ricos recibiendo subsidios de los contribuyentes, por sus inversiones en viviendas de este tipo.

POR QUÉ ES INJUSTO

De modo que, la mayoría de la gente en el lado izquierdo del *Cuadrante del FLUJO de DINERO* no sólo paga más por impuesto a las ganancias, sino que a menudo no puede participar en inversiones con ventajas impositivas. Esta puede ser una de las fuentes del dicho "los ricos se hacen más ricos."

Sé que es injusto, y comprendo ambos lados de la historia. He conocido gente que protesta y escribe cartas al editor de su diario. Algunos intentan cambiar el sistema proponiéndose para cargos del gobierno. Yo digo que sencillamente es mucho más fácil idear su propio negocio, controlar el flujo de su dinero, encontrar su propia vía rápida financiera y hacerse rico. Sostengo que es más fácil cambiarse a uno mismo que cambiar el sistema político.

LOS PROBLEMAS CONDUCEN A LAS OPORTUNIDADES

Hace años, mi padre rico me animó a que desarrollara mis habilidades como empresario e inversionista. También dijo, "Luego adquiere práctica en solucionar problemas."

Durante años, eso es todo lo que he hecho. Resuelvo problemas de negocios e inversiones. Algunos prefieren llamarlos desafíos, sin embargo a mí me gusta denominarlos problemas, porque eso es lo que son, para la mayoría.

Creo que a la gente le gusta más la palabra "desafío" que "problema" porque piensan que una suena más positiva que la otra. Sin embargo, para mí, la palabra "problema" tiene un significado positivo, porque sé que dentro de cada problema yace una "oportunidad", y son oportunidades lo que buscan los inversores de verdad. Y con cada problema de negocios o financiero del que me hago cargo, más allá de si lo resuelvo o no, finalmente aprendo algo. Puedo aprender algo nuevo sobre finanzas, marketing, personas o asuntos legales. A menudo conozco personas nuevas que se tornan recursos indispensables para otros proyectos. Muchos se convierten en amigos para toda la vida, lo cual es un adicional invalorable.

ENCUENTRE SU VÍA RÁPIDA

Entonces, a todos aquellos que quieran encontrar su vía rápida financiera, les recomiendo comenzar por:

1. Idear su negocio propio.
2. Tomar el control del flujo de su dinero en efectivo.
3. Comprender la diferencia entre riesgo y riesgoso.
4. Saber la diferencia entre un inversionista Clase A, B y C, y elegir ser los tres.

Para entrar a la vía rápida financiera, hágase experto en la solución de un determinado tipo de problemas. No "diversifique", que es lo que se les aconseja a los inversionistas clase B. Conviértase en un experto en solucionar dicha clase de problemas, y la gente vendrá a usted con dinero para invertir. Luego, si usted es bueno y fiable, alcanzará su vía rápida financiera más pronto. Aquí van unos pocos ejemplos:

Bill Gates es un experto en resolver problemas de marketing de software. Es tan bueno en ello que el gobierno federal está tras él. Donald Trump es un experto en resolver problemas de bienes inmuebles. Warren Buffet es un experto en resolver problemas de negocios y del mercado bursátil, lo que le permite a su vez comprar acciones y administrar una cartera de inversiones exitosa. George Soros es un experto en resolver problemas provenientes de la volatilidad del mercado. Eso es lo que lo hace un excelente administrador de fondos de cobertura. Rupert Murdock es un experto en solucionar los problemas de negocios de las redes de televisión global.

Mi esposa y yo somos muy buenos en solucionar problemas referidos a casas de apartamentos, y eventualmente esto nos brinda ingreso pasivo. Es poco lo que conocemos fuera del ámbito del mercado de las casas de apartamentos pequeñas y medianas, que es en lo que principalmente invertimos, y no diversificamos. Si elijo invertir en áreas fuera de este rubro, lo hago como inversionista clase B, lo que implica que doy mi dinero a personas que poseen un excelente perfil en el manejo de esa especialidad.

Tengo un objetivo básico, y es "ocuparme de mi propio negocio." Aunque mi esposa y yo trabajamos gratuitamente y ayudamos a otras personas en sus esfuerzos, nunca perdemos de vista la importancia de atender nuestro propio negocio y sumar continuamente a nuestra columna de activo.

Entonces, a fin de hacerse rico más rápidamente, conviértase en un estudiante de las habilidades necesarias para ser empresario e inversionista, y busque solucionar problemas mayores... porque dentro de los grandes problemas aparecen las grandes oportunidades financieras. Por eso es que recomiendo ser un "D" en primer lugar, antes de ser un "I". Si usted es un experto en resolver problemas de negocios, tendrá excedentes de efectivo y su conocimiento de negocios lo convertirá en un inversor mucho más inteligente. Lo he dicho antes muchas veces, sin embargo vale la pena volver a repetirlo: muchas personas vienen al cuadrante "I" con la esperanza de que invertir les solucionará sus problemas financieros. En la mayoría de los casos, esto no ocurre. Si ellos aún no son empresarios sólidos, invertir sólo empeora sus problemas financieros.

No hay escasez de problemas financieros. En realidad, hay uno justo a la vuelta de su esquina, esperando a que usted lo resuelva.

ENTRE EN ACCIÓN

CAPACÍTESE EN INVERSIÓN:

Una vez más, les recomiendo que desarrollen eficiencia como inversionistas nivel 4 antes de intentar convertirse en un inversionista nivel 5 ó 6. Comience poco a poco y continúe su capacitación.

Cada semana haga por lo menos dos de las siguientes cosas:

1. Concurra a seminarios y clases de finanzas. (Atribuyo mucho de mi éxito a un curso de bienes raíces que hice cuando era joven y que me costó u$s 385. Me permitió ganar millones a lo largo de los años porque entré en acción.)

2. Busque anuncios de "en venta" en su zona. Llame a tres o cuatro por semana y pida al vendedor que le cuente sobre la propiedad. Haga preguntas como: ¿Es una propiedad para invertir?

Si lo es: ¿Está alquilada? ¿Cuál es el alquiler? ¿Cuál es el índice de desocupación? ¿Qué alquiler promedio se cobra en esa zona? ¿Cuáles son los costos de mantenimiento? ¿Existe algún mantenimiento pendiente? ¿Está dispuesto el dueño a financiar? ¿Qué tipos de financiación están disponibles?

Practique calculando la declaración del flujo mensual de efectivo de cada propiedad, y luego revíselo con el vendedor de la propiedad para ver qué olvidó. Cada propiedad es un sistema de negocios en particular y debe analizarse en forma individual.

3. Reúnase con varios corredores de bolsa y escuche qué compañías recomiendan para comprar acciones. Luego investigue esas compañías en la biblioteca o a través de Internet. Llame a las compañías y pídales su informe anual.

4. Suscríbase a los boletines informativos de inversiones y estúdielos.

5. Continúe leyendo, escuche cintas de audio y videos, mire programas financieros en televisión, y juegue *CASHFLOW*.

CAPACÍTESE EN NEGOCIOS:

1. Reúnase con varios corredores de bolsa para ver qué negocios están en venta en su zona. Es impresionante la terminología que puede aprender tan sólo haciendo preguntas y escuchando.

2. Concurra a un seminario de *network marketing* para aprender acerca de sus sistemas empresariales. (Recomiendo investigar por lo menos tres compañías distintas de *network marketing*.)

3. Concurra a convenciones empresariales o exposiciones comerciales en su zona para ver qué franquicias o sistemas empresariales hay disponibles.

4. Suscríbase a diarios y revistas de negocios.

CAPÍTULO 15

PASO 5: Busque mentores

¿Quién lo guía hacia lugares en los que nunca antes ha estado? Un mentor es alguien que le dice qué es importante y qué no lo es.

LOS MENTORES NOS INDICAN QUÉ ES IMPORTANTE

La que sigue es la hoja de puntaje de mi juego de mesa educativo, *CASHFLOW*. Éste fue creado para que funcionara como mentor, ya que entrena a la gente a pensar tal como mi padre rico pensaba y señala lo que él pensaba que era importante financieramente.

Salario
Padre Pobre pensaba que esta sección de un estado financiero era importante.

Ingreso Pasivo
Padre Rico me enseñó que estas secciones son importantes si uno quiere ser rico.

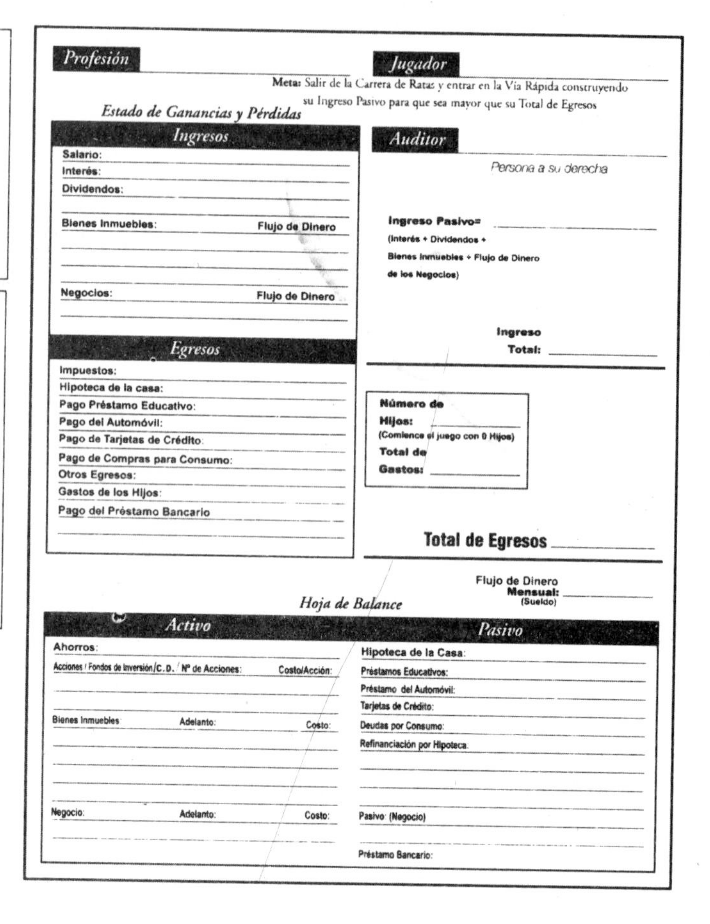

Profesión

Jugador

Meta: Salir de la Carrera de Ratas y entrar en la Vía Rápida construyendo su Ingreso Pasivo para que sea mayor que su Total de Egresos

Estado de Ganancias y Pérdidas

Ingresos

Salario:
Interés:
Dividendos:
Bienes Inmuebles: Flujo de Dinero
Negocios: Flujo de Dinero

Auditor

Persona a su derecha

Ingreso Pasivo=
(Interés + Dividendos + Bienes Inmuebles + Flujo de Dinero de los Negocios)

Ingreso Total:

Egresos

Impuestos:
Hipoteca de la casa:
Pago Préstamo Educativo:
Pago del Automóvil:
Pago de Tarjetas de Crédito:
Pago de Compras para Consumo:
Otros Egresos:
Gastos de los Hijos:
Pago del Préstamo Bancario

Número de Hijos:
(Comience el juego con 0 Hijos)
Total de Gastos:

Total de Egresos

Flujo de Dinero Mensual:
(Sueldo)

Hoja de Balance

Activo

Ahorros:
Acciones / Fondos de Inversión/C. D.: Nº de Acciones: Costo/Acción:
Bienes Inmuebles: Adelanto: Costo:
Negocio: Adelanto: Costo:

Pasivo

Hipoteca de la Casa:
Préstamos Educativos:
Préstamo del Automóvil:
Tarjetas de Crédito:
Deudas por Consumo:
Refinanciación por Hipoteca:
Pasivo: (Negocio)
Préstamo Bancario:

Mi padre pobre pero altamente instruido pensaba que un empleo con un buen sueldo era importante, y que también lo era comprar la casa de nuestros sueños. Así mismo, creía que se debían pagar las cuentas en primer lugar y vivir por debajo de las posibilidades de cada uno.

Mi padre rico, en cambio, me enseñó a enfocarme en el ingreso pasivo y dedicar mi tiempo a adquirir los activos que proporcionaran ingreso residual pasivo en el largo plazo. El no creía en vivir por debajo de las posibilidades. Solía decirnos, "En lugar de vivir por debajo de sus posibilidades, enfóquense en aumentarlas."

Para lograrlo, él nos recomendaba que nos enfocáramos en construir la columna del activo y aumentar el ingreso pasivo proveniente de ganancias de capital, dividendos, ingresos residuales de negocios, ingresos por renta de propiedades inmuebles, y regalías.

Durante mi crecimiento, ambos padres fueron para mí grandes mentores. El hecho de que eligiera seguir el consejo financiero de mi padre rico no disminuía la influencia que mi padre pobre pero instruido también tenía sobre mí. Hoy no sería quien soy sin la fuerte influencia de estos dos hombres.

MODELOS INVERSOS

Así como hay mentores que son excelentes modelos a imitar, existen también personas que son modelos inversos. En la mayoría de los casos, todos tenemos de ambos.

Por ejemplo, tengo un amigo que ha logrado personalmente más de u$s 800 millones a lo largo de su vida. Actualmente, mientras escribo este libro, está en bancarrota. Otros amigos me han preguntado por qué continúo pasando el tiempo con él. La respuesta a esa pregunta es: porque él es tanto un modelo a imitar, como también un modelo inverso. Puedo aprender de ambos modelos.

MODELOS ESPIRITUALES

Ambos padres eran hombres espirituales, sin embargo, en lo referente a dinero y espiritualidad, tenían puntos de vista diferentes. Por ejemplo, interpretaban de distinta forma el dicho "el amor por el dinero es la raíz de todos los males."

Mi padre pobre pero altamente instruido sentía que cualquier deseo de tener más dinero o de mejorar su posición financiera era incorrecto.

Por otra parte, mi padre rico interpretaba esta cita de forma muy distinta. Él sentía que la tentación, codicia e ignorancia financiera eran incorrectas.

Dicho de otra forma, papá rico pensaba que el dinero en sí mismo no era malo. Él creía que trabajar toda la vida como un esclavo del dinero es malo, y que estar esclavizado por deudas personales, es igual de malo.

Mi padre rico solía tener una forma de convertir las enseñanzas religiosas en lecciones financieras, y me gustaría compartir ahora con ustedes una de esas lecciones.

EL PODER DE LA TENTACIÓN

Padre rico creía que los individuos que trabajaban mucho, estaban eternamente endeudados y vivían más allá de sus posibilidades, eran pobres modelos a imitar por sus hijos. No sólo los veía como pobres modelos, sino que también sentía que las personas endeudadas habían caído en la tentación y en la codicia.

Solía dibujar un diagrama como el que sigue diciendo:

"Perdónanos nuestras deudas."

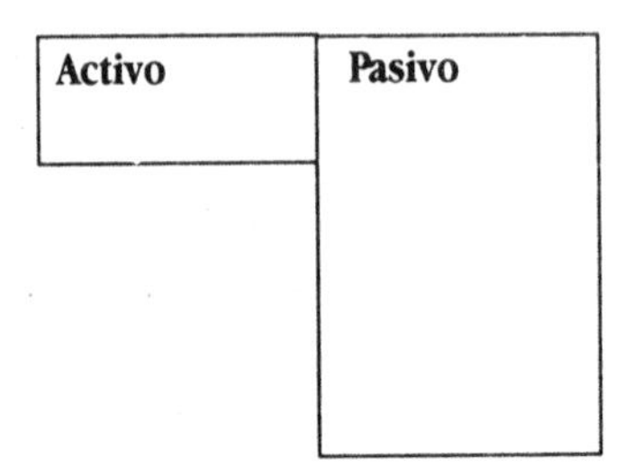

Padre rico creía que muchos de los problemas financieros provenían del deseo de poseer cosas de escaso valor. Cuando aparecieron las tarjetas de crédito, él previó que millones de personas se endeudarían y que la deuda eventualmente controlaría sus vidas. Hoy vemos personas que se endeudan en exceso al adquirir casas, muebles, ropa, vacaciones y automóviles, debido a que perdieron el control sobre esa emoción humana llamada "tentación". Actualmente la gente trabaja más y más, comprando cosas que suponen son activos, pero sus hábitos de gasto nunca les permitirán adquirir activos verdaderos.

Luego señalaba a la columna del activo que sigue y decía:

"Y líbranos del mal."

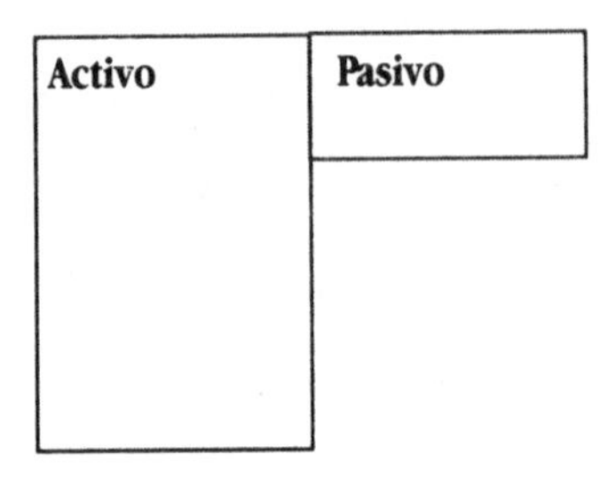

Esta era la forma en que papá rico decía que postergar la gratificación (un signo de inteligencia emocional), idear su propio negocio, y construir su columna del activo en primer lugar, lo ayudaría a evitar la degradación del espíritu humano causada por la tentación, la carencia de capacitación financiera y la influencia de pobres modelos a imitar.

Para aquellos de ustedes que estén buscando su propia vía rápida financiera, sólo puedo prevenirlos para que sean cuidadosos respecto de la gente de la que se rodean a diario. Pregúntese: ¿Son buenos modelos a seguir? Si la respuesta es no, sugiero que se oriente en forma conciente a pasar más tiempo con la gente que se dirige hacia la misma dirección que usted.

Si no puede encontrarlos durante sus horas de trabajo, los puede encontrar en clubes de inversionistas, grupos de ***network marketing*** y otras asociaciones de negocios.

ENCUENTRE A ALGUIEN QUE YA HAYA ESTADO AHÍ

Elija sabiamente a sus mentores. Sea cuidadoso al elegir sus consejeros. Si quiere ir a algún lado, lo mejor es encontrar a alguien que ya haya estado ahí.

Por ejemplo, si decide ir a escalar el Monte Everest el año próximo, es obvio que debería buscar asesoramiento por parte de alguien que ya lo haya escalado antes. Sin embargo, cuando se trata de trepar montañas financieras, la mayoría de la gente pide consejo a personas que están estancadas en pantanos financieros, al igual que ellos.

La parte difícil de encontrar mentores que sean "D" e "I" es que la mayoría de las personas que dan consejos acerca de dichos cuadrantes, y acerca del dinero, son personas que en realidad provienen del lado "E-A" del *Cuadrante*.

Padre rico me alentaba para que siempre tuviera un entrenador o mentor. Decía constantemente, "Los profesionales tienen entrenadores. Los amateurs no."

Por ejemplo, juego golf y tomo lecciones, pero no tengo un entrenador a tiempo completo. Por eso probablemente pago dinero por jugar golf en vez de que me paguen por hacerlo. Sin embargo, cuando se trata del juego de los negocios e inversión, tengo entrenadores, varios entrenadores. ¿Por qué los tengo? Porque me pagan para jugar tales juegos.

Por eso elija a sus mentores de manera inteligente. Es una de las cosas más importantes que puede hacer.

ENTRE EN ACCIÓN

1) Busque mentores – Busque individuos que, tanto en las áreas de inversión como de negocios, puedan actuar como mentores para usted.
   a) Busque modelos a imitar. Aprenda de ellos.
   b) Busque modelos inversos. Aprenda de ellos.
2) SU FUTURO DEPENDE DE CON QUIÉN PASE SU TIEMPO
   a) Anote las seis personas con las que pasa la mayor parte del tiempo. Todos sus hijos cuentan como una persona. Recuerde que califican aquellos con quienes pasa la mayor parte del tiempo, no la clase de relación. (NO SIGA LEYENDO HASTA QUE NO HAYA ANOTADO LOS SEIS NOMBRES.)

   Estaba en un seminario unos quince años atrás cuando el instructor nos pidió que hiciéramos lo mismo. Anoté mis seis nombres.

Luego nos pidió que mirásemos los nombres que habíamos escrito y anunció, "Están mirando su futuro. Las seis personas con quienes pasan la mayor parte de su tiempo son su futuro."

Las seis personas con las que pasa la mayor parte de su tiempo puede que no sean necesariamente amigos personales. Para muchos de ustedes pueden ser sus compañeros de trabajo, esposa e hijos, o miembros de la iglesia o caridad. Mi lista contenía compañeros de trabajo, socios comerciales, y jugadores de rugby. La lista resultó bastante reveladora una vez que comencé a analizarla en profundidad. Obtuve percepciones acerca de mí mismo que me gustaban, pero aún más que no me gustaban.

El instructor hizo que nos moviéramos por el salón y nos juntáramos con otras personas para discutir nuestras listas. Después de un rato, el ejercicio comenzó a cobrar cada vez mayor relevancia. Cuanto más discutía mi lista con otras personas, y cuanto más los escuchaba, más me daba cuenta de que necesitaba hacer algunos cambios. Este ejercicio tenía poco que ver con las personas con las cuales pasaba mi tiempo. Tenía que ver con el rumbo hacia donde yo me dirigía y con lo que estaba haciendo con mi vida.

Quince años después, las personas con las que paso la mayor parte de mi tiempo son todas diferentes, excepto una. Las otras cinco de mi primera lista siguen siendo amigos queridos, pero nos vemos raramente. Son maravillosas personas, y están felices con sus vidas. Mi cambio solamente tuvo que ver con mi persona. Yo quería cambiar mi futuro. Y para hacerlo en forma exitosa debía cambiar mis pensamientos, y en consecuencia, la gente con la que pasaba el tiempo.

b) Ahora que ya tiene su lista de 6 personas, el paso siguiente es:

1) Después del nombre de cada persona haga una lista con los cuadrantes desde donde operan.

¿Son un "E, A, D, o I?" Un recordatorio: el cuadrante refleja la forma en la cual una persona genera la mayor parte de su ingreso. Si son desocupados o jubilados, anote los cuadrantes en los que generaron sus ingresos. Deje un espacio para los jóvenes y estudiantes.

Nota: Una persona puede tener más de una designación. Por ejemplo, mi esposa Kim, tendría una "D" y una "I" al lado de su nombre dado que ella genera el 50% de su ingreso a partir de cada uno de dichos cuadrantes.

De manera que mi lista tendría a Kim en primer lugar ya que ella y yo pasamos juntos la mayor parte del tiempo.

NOMBRE	CUADRANTE
1. Kim Kiyosaki	D – I
2.	
3.	
4.	
5.	
6.	

c) El próximo paso es hacer una lista con el nivel de cada persona como inversionista. Tenga a bien remitirse al capítulo 5 y a los 7 Niveles de Inversionistas. Kim es inversionista nível 6.
Si usted no conoce el nivel de inversionista de una persona, tan sólo haga su mejor intento y adivínelo lo mejor posible.

Es decir que un nombre estaría completo en la lista, si tiene identificado el cuadrante y el nivel de inversionista.

NOMBRE	CUADRANTE	NIVEL DE INVERSIONISTA
1. Kim Kiyosaki	D – I	6
2.		
3.		
4.		
5.		
6.		

ALGUNAS PERSONAS SE ENOJAN

He recibido respuestas diversas al hacer este ejercicio. Algunos se enojan mucho. He oído, "¿Cómo se atreve a pedirme que clasifique a las personas a mi alrededor?" Por lo que si este ejercicio les ha causado cualquier molestia emocional, por favor acepten mis disculpas. Este ejercicio no pretende ofender a nadie. Fue tan sólo diseñado para encender una tenue luz en la vida de un individuo. Lo hace en algunos, pero no en todos.

Cuando hice este ejercicio casi 15 años atrás, me di cuenta de que estaba viviendo en forma segura y oculta. No era feliz donde estaba y usaba a la gente con la que trabajaba, como excusa de por qué no estaba progresando en mi vida. Había dos personas en particular con las que discutía en forma constante, culpándolos por el estancamiento de la compañía. Mi rutina diaria en el trabajo era encontrar sus faltas, señalárselas y luego culparlos por los problemas que teníamos como organización.

Después de completar este ejercicio, me di cuenta de que las dos personas con las que chocaba estaban felices donde estaban. Yo era el que quería cambiar. Entonces en vez de cambiarme a mí mismo, pretendía que cambiaran ellos. Después de hacer este ejercicio, tomé conciencia de que estaba proyectando mis expectativas personales en otros. Quería que ellos hicieran lo que yo no quería hacer. También pensaba que ellos deberían querer y tener las mismas cosas que yo. No era una relación saludable. Una vez que me di cuenta de lo que pasaba, pude dar los pasos para producir mi cambio.

d) Mire al *Cuadrante del FLUJO de DINERO* y ubique las iniciales de las personas con las que pasa su tiempo, en el cuadrante apropiado.

   Luego ponga sus iniciales en el cuadrante en el que usted se encuentra hoy. A continuación ponga sus iniciales en el cuadrante en el que espera operar en el futuro. Si básicamente están en el mismo cuadrante, las posibilidades existen, usted es una persona feliz. Está rodeado por personas de mentalidad similar. Si los cuadrantes no coinciden, tal vez deba considerar hacer algunos cambios en su vida.

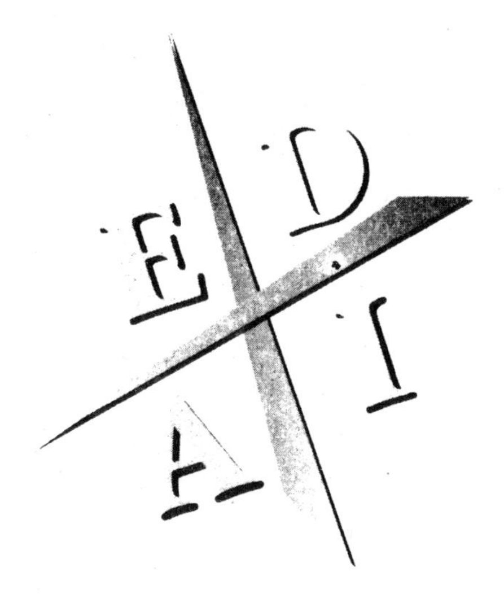
E
D
A
I

CAPÍTULO 16

PASO 6: *Haga de la desilusión su fortaleza*

¿En quién se convierte cuando las cosas no ocurren cómo usted quiere?

Cuando salí del Cuerpo de Marina, papá rico me recomendó que consiguiera un empleo en el cual aprendiera a vender. Él sabía que yo era tímido. Aprender a vender era lo último que quería hacer en este mundo.

Durante dos años fui el peor vendedor de mi compañía. No era capaz de venderle un salvavidas a un ahogado. Mi timidez resultaba penosa no sólo para mí sino para los clientes a los que les intentaba vender. Durante aquellos dos años estuve varias veces a prueba, lo que significaba que siempre estaba al borde del despido.

A menudo culpaba a la economía o al producto que estaba vendiendo, o inclusive a los clientes, como las causas de mi falta de éxito. Padre rico tenía una óptica distinta de la cuestión. Él decía, "Cuando alguien es cojo, ama culpar a otro."

Esto significa que el dolor emocional producto de la desilusión es tan fuerte, que ese individuo dolorido quiere transferir a alguien más ese dolor a través de la culpa. Para aprender a vender, tenía que enfrentarme cara a cara con el dolor de la desilusión. En el proceso de aprender a vender, hallé una lección valiosísima: cómo convertir la desilusión en un activo en lugar de un pasivo.

Cada vez que encuentro gente que tiene miedo de "intentar" algo nuevo, en la mayoría de los casos la razón yace en el temor a desilusionarse. Temen que puedan cometer un error, o ser rechazados. Si está preparado para embarcarse en su viaje para encontrar su propia vía financiera rápida, me gustaría ofrecerle los mismos consejos y el mismo aliento que padre rico me brindaba cuando estaba aprendiendo algo nuevo:

"Prepárate para desilusionarte."

Lo decía en un sentido positivo, no negativo. Su razonamiento era que si uno está preparado para la desilusión, tiene una oportunidad de convertir esa desilusión en un activo. La mayoría de las personas convierten la desilusión en un pasivo –uno a largo plazo. Y uno sabe que es a largo plazo cuando escucha a alguien decir, "Nunca volveré a hacerlo." O: "Debería haber sabido que fracasaría."

Así como casi en todo problema yace una oportunidad... dentro de cada desilusión yace una gema única de sabiduría.

Cuando escucho a alguien decir, "Nunca más volveré a hacerlo," sé que estoy escuchando a alguien que ha dejado de aprender. Han permitido que la desilusión los detenga. La desilusión se ha convertido en un muro levantado a su alrededor, en vez de un cimiento desde el cual crecer hacia las alturas.

Mi padre rico me ayudó a aprender cómo tratar las desilusiones emocionales profundas. Padre rico decía a menudo, "La razón por la que hay tan pocos hombres ricos que han llegado a su posición actual mediante sus propios esfuerzos, es que muy pocos individuos pueden tolerar la desilusión. En lugar de aprender a enfrentarla, pasan sus vidas evitándola."

También decía, "En lugar de evitarla, prepárate para enfrentarla. La desilusión es una parte importante del aprendizaje. Así como aprendemos de nuestros errores, fortalecemos el carácter a partir de nuestras desilusiones." Los que siguen son consejos que me dio a lo largo de los años:

1. **Espere desilusionarse**. Padre rico decía a menudo, "Sólo los tontos esperan que todo salga como ellos quieren. Esperar desilusionarse no significa tener una actitud pasiva o ser un perdedor frustrado. Esperar desilusionarse es una forma de prepararse uno mismo mental y emocionalmente para estar listo a recibir sorpresas no deseadas. Al estar emocionalmente preparado, puedes actuar con calma y dignidad cuando las cosas no resultan como quieres. Si conservas la calma, puedes pensar mejor."

Muchas veces he visto gente con grandes ideas sobre nuevos negocios. Su entusiasmo dura alrededor de un mes; luego la desilusión comienza a desgastarlos. Pronto, su entusiasmo disminuye, y todo lo que se les escucha decir es, "Fue una gran idea, pero no funcionó."
No es la idea lo que no funcionó. Fue que la desilusión logró imponerse. Permitieron que su impaciencia se convirtiera en desilusión y luego permitieron que la desilusión los derrotara. Muchas veces esta impaciencia es el resultado de no haber recibido una recompensa financiera inmediata. A veces, empresarios e inversionistas esperan años para ver el flujo de dinero de un negocio o inversión, pero lo hacen a sabiendas de que el éxito puede llevar tiempo. También saben que cuando se logra el éxito, la recompensa financiera habrá merecido por demás la espera.

2. **Tenga cerca un mentor**. Al comienzo de su agenda están las listas de los números de hospitales, del departamento de bomberos y del de policía. Yo tengo la misma lista de números para emergencias financieras, sólo que son los números de teléfonos de mis mentores.

A menudo, antes de cerrar un trato o un negocio, llamo a uno de mis amigos y le explico lo que estoy por hacer y lo que intento llevar a cabo. Muchas veces les pido que estén cerca por si las cosas se me van de las manos, algo que a menudo sucede.

Hace poco, estaba negociando una propiedad inmueble muy importante. El vendedor hizo una jugada fuerte y cambió las condiciones sobre el cierre. Él sabía que yo quería la propiedad, y estaba intentando a toda costa sacarme más dinero en el último minuto. Por mi temperamento fuerte, perdí el control de mis emociones. En lugar de mandar al diablo el negocio con gritos y alaridos, lo cual es mi inclinación natural, simplemente pregunté si podía usar el teléfono para llamar a mi socio.

Luego de hablar con tres de mis amigos, a quienes pude ubicar, y de escuchar sus consejos sobre cómo manejar la situación, me calmé y aprendí tres formas nuevas de negociar que no conocía hasta ese momento. El negocio nunca se realizó, pero aún hoy utilizo aquellas tres técnicas de negociación –técnicas que nunca hubiera aprendido si no hubiese intentado aquel negocio. Ese conocimiento es valioso.

El punto es, nunca podemos saber todo de antemano, y a menudo sólo aprendemos las cosas cuando necesitamos aprenderlas. Por eso es que les recomiendo que intenten cosas nuevas y que esperen desilusionarse, pero tengan siempre un mentor cerca para que los entrene a través de la experiencia. Muchas personas nunca comienzan proyectos por la sencilla razón de que no tienen todas las respuestas. Usted nunca tendrá todas las respuestas, pero igualmente comience. Como dice siempre mi amigo Keith Cunningham, "Muchas personas no cruzarán la calle hasta que todas las luces estén verdes. Esa es la razón por la que no van a ninguna parte."

3. **Sea amable con usted mismo**. Uno de los aspectos más dolorosos acerca de cometer errores y desilusionarse o de fracasar en algo, no es lo que otras personas digan acerca de nosotros. Es qué tan duros somos con nosotros mismos. La mayoría de las personas que cometen errores suelen castigarse mucho más a sí mismas de lo que otros lo harían. Ellos deberían entregarse a sí mismos a la policía por abuso emocional personal.

   Me he dado cuenta de que las personas que son duras consigo mismas mental y emocionalmente, son cautas a menudo cuando se trata de correr riesgos, o adoptar nuevas ideas, o intentar algo nuevo. Es difícil aprender algo nuevo si uno se castiga a sí mismo o culpa a alguien más por sus desilusiones personales.

4. **Diga la verdad**. Uno de los peores castigos que alguna vez recibiera de niño fue el día en que accidentalmente rompí un diente frontal de mi hermana. Corrió a casa a decírselo a papá, y yo corrí a esconderme. Cuando mi padre me encontró, se hallaba muy enojado.

   Él me increpó: "La razón por la que te estoy castigando no es porque rompiste el diente de tu hermana... sino porque te escapaste."

   Financieramente hubo muchas veces en las cuales pude haber escapado de mis errores. Escaparse es fácil, pero las palabras de mi papá me han servido mucho durante toda mi vida.

   En síntesis, todos cometemos errores. Todos nos sentimos mal y desilusionados cuando las cosas no salen como queremos. Sin embargo, la diferencia está en cómo procesamos la desilusión en nuestro interior. Padre Rico lo resumió de esta forma. Dijo, "El tamaño de tu éxito se mide por la fuerza de tu deseo; el tamaño de tu sueño; y cómo manejas la desilusión a lo largo del camino."

En los próximos años, vamos a presenciar cambios financieros que pondrán a prueba nuestro valor. En los años venideros, serán las personas que mejor controlen sus emociones, quienes no se dejen retener por ellas; y serán aquellos que tengan la madurez emocional para aprender nuevas habilidades financieras quienes progresen.

Como cantaba Bob Dylan, "Los tiempos son un... cambio."

Y el futuro pertenece a aquellos que puedan cambiar con los tiempos y utilizar las desilusiones personales como piezas para construir el futuro.

ENTRE EN ACCIÓN

1) Cometa errores. Por esta razón es que recomiendo que comience con pasos de bebé. Recuerde que perder es parte del proceso de ganar. Los "E" y "A" fueron entrenados con la idea de que cometer errores no era aceptable. Los "D" y los "I" saben que cometiendo errores es como se aprende.

2) Reserve algo de dinero. Comience poco a poco. Si encuentra una inversión en la que quiere invertir, ponga ahí ese poco de dinero. Es increíble lo rápido que aumenta su inteligencia cuando tiene algo de dinero en la línea. No apueste el rancho, su pago de la hipoteca, o la educación universitaria de su hijo. Simplemente aparte algo de dinero... y luego preste atención y aprenda.

3) ¡La clave para el paso entre en acción es ENTRAR EN ACCIÓN!

   Leer, observar y escuchar es crucial para su educación. Pero también debe comenzar "HACIENDO". Haga ofertas en pequeños negocios de propiedad inmueble que generen flujo de dinero positivo, únase a una compañía de *network marketing* y aprenda sobre ella desde adentro, invierta en algunas acciones después de investigar la compañía. Busque asesoramiento de su mentor, o de un asesor financiero o impositivo si lo necesita. Pero como dice Nike, "¡Simplemente hágalo!"

CAPÍTULO 17

PASO 7: El poder de la fe

¿Cuál es su temor más profundo?

Ya próximos a graduarnos del ciclo secundario, el hijo de papá rico y yo fuimos puestos ante un grupo pequeño de estudiantes compuesto básicamente por los mejores de la clase. Nuestra guía consejera se dirigió a nosotros diciendo, "Ustedes dos nunca van a llegar a nada."

Se escucharon algunas risitas de algunos de los alumnos presentes, mientras la consejera continuaba. "A partir de este momento, no voy a gastar más tiempo en ninguno de ustedes dos. Sólo voy a dedicar mi tiempo a estos estudiantes que son los mejores de la clase. Ustedes dos son los payasos del aula con malas calificaciones, y nunca llegarán a nada. Ahora salgan de aquí."

EL MÁS GRANDE DE LOS FAVORES

Aquella consejera nos hizo a Mike y a mí el más grande de los favores. Si bien en muchos aspectos lo que ella decía era cierto y sus palabras nos hirieron en lo más profundo. también nos inspiró a ambos para esforzarnos aún más. Sus palabras nos impulsaron a terminar la universidad y a desarrollar nuestros propios negocios

REUNIÓN DE EX-ALUMNOS

Hace unos pocos años, Mike y yo tuvimos nuestra reunión de ex-alumnos, una experiencia siempre interesante. Fue agradable encontrarse con personas con quienes habíamos pasado tres años en un tiempo en el que ninguno de nosotros sabía realmente quién era. Fue también muy interesante observar que la mayoría de los así llamados "mejores de la clase" no habían alcanzado el éxito en los años posteriores al ciclo secundario. .

Cuento esta historia porque Mike y yo no fuimos niños prodigio. No éramos ni genios financieros ni estrellas en atletismo. Mayormente, éramos estudiantes de nivel bajo a medio. No éramos los mejores de nuestra clase. Según creo, no teníamos el don natural de nuestros padres. Sin embargo fueron las palabras punzantes de nuestra consejera y las risitas de nuestros compañeros lo que nos encendió el fuego para continuar trabajando afanosamente, aprender de nuestros errores, y seguir adelante tanto en los buenos como en los malos momentos.

Pero sólo porque uno no haya hecho una buena carrera, no haya sido popular, ni bueno en matemáticas, o porque haya sido rico o pobre, o tenga otras razones que no hacen a una imagen inmediata de ganador, nada de eso cuenta en el largo plazo. Todos estos supuestos defectos cuentan sólo si uno cree que cuentan.

Todos aquellos que estén considerando embarcarse en su propia vía financiera rápida, puede ser que tengan algunas dudas sobre sus capacidades. Todo lo que puedo decir es que confíen en que tienen todo lo que necesitan en este momento para tener éxito en lo financiero. Todo lo que se requiere para sacar a relucir los dones que Dios le ha dado son su deseo, determinación y una fe profunda de que posee un talento y un don que son únicos.

MÍRESE EN EL ESPEJO Y ESCUCHE LAS PALABRAS

Un espejo refleja algo más que una imagen visual. Un espejo refleja nuestros pensamientos. Cuántas veces hemos visto a la gente mirarse en el espejo y decir cosas como:

"Oh, me veo horrible."

"¿No estoy pesando de más?"

"Estoy envejeciendo."

O

"¡Epa,epa,epa! Soy increíblemente bien parecido. Soy un regalo de Dios para las mujeres."

LOS PENSAMIENTOS SON REFLEJOS

Como acabo de decir, los espejos reflejan mucho más que lo que los ojos ven. Los espejos también reflejan nuestros pensamientos, a menudo nuestras opiniones acerca de nosotros mismos. Estos pensamientos u opiniones son mucho más importantes que nuestra apariencia exterior.

Muchos de nosotros hemos conocido personas con un aspecto exterior atractivo, pero en su interior ellos se ven a sí mismos horribles. O personas que son muy queridas por otros, pero no pueden quererse a sí mismas. Nuestros pensamientos más profundos son a menudo reflejos de nuestras almas. Los pensamientos son un reflejo de nuestro amor por nosotros mismos, de nuestro ego, nuestro desagrado por lo que somos, de cómo nos tratamos, y de nuestra opinión general acerca de nosotros mismos.

EL DINERO NO SE QUEDA CON LAS PERSONAS QUE NO CONFÍAN EN SÍ MISMAS

Las verdades personales surgen a menudo en momentos de picos de emoción.

Después de explicar *El Cuadrante del FLUJO DE DINERO* a una clase o a un individuo, doy un momento para que decidan cuál será su próximo paso. Primero determinan en qué cuadrante están, lo cuál es fácil porque es simplemente el cuadrante en el cual generan la mayor parte de su dinero. En segundo lugar, les pregunto, a qué cuadrante les gustaría trasladarse, si necesitan hacerlo.

Entonces miran el *Cuadrante* y hacen su elección.

Algunos miran y dicen, "Soy feliz exactamente donde estoy."

Otros dicen, "No soy feliz donde estoy, pero no tengo ganas de cambiar o moverme en este momento."

Y luego hay personas que no son felices donde están, y que saben que necesitan hacer algo de inmediato. Las personas en esta condición suelen hablar en forma más clara sobre sus verdades personales. Utilizan palabras que reflejan sus opiniones sobre ellos mismos, palabras que reflejan sus almas. Y por eso digo, "Las verdades personales surgen en momentos de picos de emoción."

En esos momentos de sinceridad suelo escuchar:

"No puedo hacer eso. No puedo moverme de 'A' a 'D'. ¿Está loco? Tengo una esposa y tres hijos que alimentar."

"No puedo hacer eso. No puedo esperar cinco años hasta obtener el próximo sueldo."

"¿Invertir? Quiere que pierda todo mi dinero ¿No?"

"No tengo dinero para invertir."

"Necesito más información antes de hacer algo."

"Ya lo intenté antes. Nunca va a funcionar."

"No necesito saber cómo leer estados financieros. Puedo arreglármelas."

"No tengo que preocuparme. Todavía soy joven."

"No soy lo suficientemente inteligente."

"Lo haría si pudiera encontrar la gente apropiada para que lo haga conmigo."

"Mi marido nunca lo hará."

"Mi esposa nunca comprendería."

"¿Qué dirían mis amigos?"

"Lo haría si fuese más joven."

"Es demasiado tarde para mí."

"No vale la pena."

"No lo merezco."

TODAS LAS PALABRAS SON ESPEJOS

Las verdades personales surgen a menudo en momentos de picos de emoción. Todas las palabras son espejos porque reflejan algo íntimo de lo que las personas piensan sobre sí mismas, aunque puedan estar hablando acerca de algún otro.

MI MEJOR CONSEJO

Para todos aquellos que estén listos para moverse de un cuadrante a otro, el consejo más importante que sé que puedo darles es que sean muy cuidadosos con sus palabras. Especialmente tengan cuidado con las palabras que provienen de su corazón, su estómago y su alma. Si va a hacer un cambio, debe tener cuidado con las palabras y pensamientos generados por sus emociones. Si no puede cuidarse en el momento en que sus emociones producen sus pensamientos, nunca va a sobrevivir al viaje. Usted mismo va a detenerse. Incluso cuando esté hablando de una tercera persona, diciendo por ejemplo, "Mi esposa/o nunca comprenderá." En realidad está diciendo algo más sobre usted. Puede que usted esté utilizando a su esposa como excusa de su propia inacción, o en realidad podría querer decir, "No tengo el coraje o la capacidad de comunicación para expresarle estas ideas nuevas a mi esposa/o." Todas las palabras son espejos que proporcionan oportunidades para mirar dentro del alma.

O podría decir,

"No puedo dejar de trabajar y comenzar mi propio negocio. Tengo una hipoteca y una familia en que pensar."

También podría estar diciendo:

"Estoy cansado. No quiero hacer nada más."

O,

"No quiero aprender nada más."

Estas son verdades personales.

LAS VERDADES PERSONALES SON TAMBIÉN MENTIRAS PERSONALES

Estas son verdades y también son mentiras. Si se miente a sí mismo, le diría que no va a poder completar el viaje. Por eso mi mejor consejo es que escuche sus dudas, temores y pensamientos restrictivos, y luego indague en lo más hondo para buscar la verdad más profunda.

Al decir por ejemplo "Estoy cansado, no quiero aprender algo nuevo," puede ser una verdad pero también ser una mentira. Aún más cierto podría ser "Si no aprendo algo nuevo, estaré más cansado aún." Y una verdad todavía más profunda sería, "En realidad, me encanta aprender cosas nuevas y estar entusiasmado con la vida nuevamente. Tal vez nuevos mundos se abrirían para mí." Una vez que pueda alcanzar ese punto, lo más profundo de la verdad, podrá entonces descubrir una parte de usted lo suficientemente poderosa como para ayudarlo a cambiar.

NUESTRO VIAJE

Kim y yo tuvimos que estar dispuestos a convivir con las opiniones y críticas que teníamos cada uno sobre nosotros mismos antes de dar el paso adelante. Tuvimos que estar dispuestos a vivir con los pensamientos personales que nos hacían sentir pequeños, sin permitirles que nos detuvieran. En ocasiones la presión alcanzaba el punto de ebullición y nuestra autocrítica nos hacía pelear; entonces yo culpaba a Kim por mis propias dudas y ella a mí por las suyas. Sin embargo ambos sabíamos, antes de comenzar este viaje, que en última instancia, lo único que tendríamos que enfrentar eran nuestras propias dudas personales, críticas e imperfecciones. Nuestra verdadera tarea como marido y mujer, socios comerciales, y almas gemelas a lo largo de este viaje, era mantenernos recordándonos mutuamente que cada uno de nosotros era mucho más poderoso que nuestras dudas individuales, mezquindades e imperfecciones. En ese proceso, aprendimos a confiar más en nosotros mismos. Nuestra meta más importante era más que el simple hecho de hacernos ricos; era aprender a ser dignos de confianza ante nosotros mismos así como con el dinero.

Recuerde que usted es la única persona que determina los pensamientos que elige acerca de si mismo. De manera que la recompensa del viaje no es sólo la libertad que compra el dinero sino la confianza que se obtiene sobre si mismo... porque en realidad son la misma cosa. El mejor consejo que le puedo dar es que se prepare a diario para engrandecerse, y no para ser más pequeño. Creo que la razón por la que la mayoría de las personas se detiene y da la espalda a sus sueños, es que el ser diminuto que habita en nuestro interior vence a esa otra persona más grande que llevamos dentro.

Aunque usted no sea especialmente bueno en todo lo que hace, tómese el tiempo para desarrollar lo que necesita aprender y su mundo cambiará rápidamente. Nunca eluda lo que usted sabe que necesita aprender. Enfrente sus temores y dudas, y nuevos mundos se abrirán ante usted.

ENTRE EN ACCIÓN

¡Crea en usted mismo y comience hoy!

CAPÍTULO ***18***

En síntesis

Estos son los siete pasos que mi esposa y yo utilizamos para pasar de no tener vivienda a ser libres financieramente, en unos pocos años. Estos siete pasos nos ayudaron a encontrar nuestra vía rápida financiera, y hasta el día de hoy continuamos utilizándolos. Confío en que puedan servirle para trazar su propio rumbo hacia la libertad financiera.

Al hacerlo, le recomiendo ser sincero consigo mismo. Si usted aún no es un inversionista a largo plazo, trate de llegar a serlo tan rápido como pueda. ¿Qué significa esto? Siéntese y trace un plan para controlar sus hábitos de gastar. Minimice su deuda y pasivos. Viva dentro de sus posibilidades, y luego auméntelos. Defina: cuánto dinero invertido por mes, durante cuántos meses, y a qué tasa realista de retorno, necesita mensualmente para alcanzar sus metas. Metas tales como: ¿A qué edad planea dejar de trabajar? ¿Cuánto dinero necesitará por mes para vivir al nivel que desea?

El simple hecho de tener un plan a largo plazo que reduzca su deuda de consumo mientras ahorra una pequeña suma de dinero regularmente, le dará una ventaja si comienza lo suficientemente temprano y está atento a lo que está haciendo.

En este nivel, manténgalo simple. No lo complique.

La razón por la cual yo le presento El CUADRANTE del Flujo de DINERO,

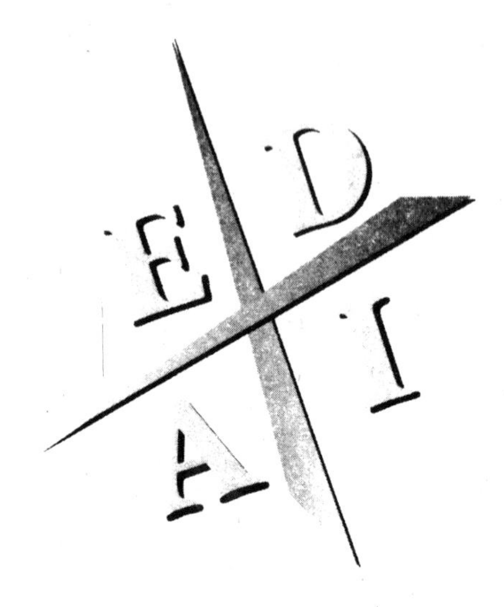

los 7 Niveles de Inversionistas y mis tres tipos de inversiones, es para ofrecerle diversos indicios de quién es usted, cuáles pueden ser sus intereses y en quién quiere convertirse en última instancia. Me gusta creer que todos pueden encontrar su propio y único camino hacia la vía rápida financiera, sin importar desde qué cuadrante operen. Pero, en última instancia, encontrarlo depende de cada uno.

Recuerde lo que le dije en un capítulo anterior: "El trabajo de su jefe es darle a usted un trabajo. Es su propio trabajo hacerse rico usted mismo."

¿Está listo para dejar de acarrear los baldes de agua y comenzar a construir cañerías de flujo de dinero para mantenerse y mantener a su familia y estilo de vida?

Ocuparse de sus propios negocios puede ser difícil y algunas veces confuso, especialmente al principio. Hay mucho para aprender, sin importar cuánto sepa ya. Es un proceso de toda una vida. Pero la buena noticia es que la parte más difícil del proceso está en el inicio. Una vez que usted asuma el compromiso, la vida realmente se hace cada vez más fácil.

Hacerse cargo de su propio negocio no es difícil. Sólo se trata de sentido común.

La Guía Rápida de Referencia Hacia la Riqueza

Por Alan Jacques*, inspirado por Robert Kiyosaki

	Masas sin dinero
1. Quién	Empleados
2. Educación	Egresado de la secundaria o universidad
3. Meta financiera principal	Sobrevivir hasta el próximo día de cobro
4. Enfoque	Sueldo o paga por hora
5. Administración del Flujo de Dinero (AFD)	"¿Cuánto tengo en mi billetera?"
6. Definición de un activo	Un paquete de 6 bebidas en la heladera
7. Casa	Le gustaría poseer una
8. Medios de inversión	• Jubilación estatal • Loterías
9. Fuentes de inversión	El gobierno
10. Sistemas de inversión	• Esperanza
11. Porcentaje esperado de ganancias	Enriquecerse rápido
12. Riesgo	No tiene idea de cómo evaluarlo
13. Lo que funciona	Si no funciona continúe haciéndolo
14. Horizonte de tiempo	Próximo día de pago
15. Bienes inmuebles	Le gustaría tener algunos
16. El recurso más valioso	Sueldo
17. ¿Para qué trabaja?	Trabaja para el fin de semana
18. Asesores	Amigos & familia sin dinero
19. Recursos	Televisión
20. Indicador clave	ahorros con u$s 100
21. Preguntas & respuestas	Realmente no entiende la diferencia
22. Delegar	"Si lo quiere bien hecho, hágalo usted mismo"

*Alan Jacques es presidente de una exitosa compañía consultora de Canadá. Es un gran maestro del dinero, la riqueza y asuntos empresariales.

nversor Exitoso de Clase Media	Rico
npleados y trabajadores independientes	Dueños de empresas e inversionistas
Valora la educación, a menudo graduado Asiste a cursos y seminarios de inversión	Valora sólo la "educación de la calle", universitario a menudo adquirida de suspares, y/o autodidacta.
ɔgrar un valor neto significativo para la edad de 55 – 65	Libertad
lor neto	Flujo de Dinero
ɔmprende el valor de AFD	Comprende que AFD es la base de toda riqueza
ɔdo lo que tenga valor de mercado	Algo que produzca flujo de dinero positivo
'no de sus activos más importantes	Una casa es un pasivo, no un activo
fondos de inversión acciones de compañías de primer nivel bienes inmuebles: condominios, casas y dúplex	• acciones: participaciones como inversionistas (ofertas públicas iniciales) y / o accionistas claves • bienes inmuebles: proyectos más amplios • negocios
vierte en productos financieros creados por otros	Crea productos y servicios para vender a la clase media y a las masas
En base al promedio del costo del dólar Sistemas de bienes inmuebles de bajo rendimiento	• Crea el propio y / o modifica otros • A menudo aprende de otros inversionistas ricos, que son sus pares
2% al 30%	50% a 500% +++
cepta riesgos moderados	La mayoría de las inversiones son de bajo o muy bajo riesgo
prende algo que funcione y se mantiene aciéndolo sin importarle qué es	Se mantiene aprendiendo e innovando, innovando, innovando
argo plazo	Adaptado para cada meta y / o inversión
ompra y mantiene, espera a que aumente el valor	"Usted gana dinero cuando compra, no cuando vende"
nversiones	Tiempo
rabaja por el dinero del cual un 10–20% va a inversiones	El dinero trabaja, así que ellos no necesitan hacerlo
lanificadores financieros, contadores	Ellos mismos, unos a otros, entrenadores, profesionales seleccionados
• El Millonario De Al Lado • El Peluquero Rico	Padre Rico Padre Pobre El CUADRANTE del Flujo de DINERO CASHFLOW (el juego) Juego de conferencias grabadas de Robert Kiyosaki
ı$s 1 millón en valor neto	Ingreso pasivo excede los gastos
Pregunta y busca la respuesta correcta	Sabe que hay muchas respuestas
'Usted puede delegar lo que no sabe"	"Si usted no conoce los fundamentos, lo pueden despedazar"

Acerca de los autores

Robert Kiyosaki

"La principal razón por la cual las personas luchan financieramente, es porque han pasado años en colegios, pero no aprendieron nada acerca del dinero. El resultado es que aprenden a trabajar por el dinero... pero nunca aprenden a tener dinero trabajando para ellos," dice Robert.

Nacido y criado en Hawai, Robert pertenece a una cuarta generación de japoneses-norteamericanos. Proviene de una prominente familia de educadores. Su padre era la cabeza del área de educación en el Estado de Hawai. Luego del ciclo superior, Robert fue formado en Nueva York y, después de graduarse, se unió al Cuerpo de Infantería de Marina y partió a Vietnam como oficial y piloto de helicópteros de guerra.

A su regreso, dio inicio a su carrera de negocios. En 1977 fundó una compañía que trajo al mercado la primera billetera de nylon con Velcro para surfistas, la cual creció hasta convertirse en un producto multimillonario mundial. El y sus productos fueron publicados en *Runner's World*, *Gentleman's Quarterly*, *Success Magazine*, *Newsweek*, e incluso *Playboy*.

Dejando atrás el mundo de los negocios, en 1985 fue el cofundador de una compañía internacional de educación, que operaba en siete países, enseñando acerca de negocios e inversiones a decenas de miles de graduados.

Jubilado a la edad de 47 años, Robert hace lo que más le gusta... invertir. Preocupado por la creciente brecha entre quienes tienen y quienes no, creó el juego de mesa *CASHFLOW*, que enseña "el juego del dinero", previamente dominado tan sólo por los ricos. Aunque el negocio de Robert son los bienes raíces y el desarrollo de pequeñas empresas, su verdadera pasión y amor es la enseñanza. El ha compartido el escenario disertando conjuntamente con grandes tales como Og Mandino, Zig Ziglar, y Anthony Robbins. El mensaje de Robert Kiyosaki es claro. "Asuma la responsabilidad de sus finanzas o reciba órdenes de por vida. Usted es el amo del dinero, o un esclavo de él." Robert encabeza clases que duran de una hora a tres días, enseñando a personas los secretos de los ricos. Si bien sus temas abarcan tanto inversiones de alto retorno y bajo riesgo, la forma de enseñar a sus hijos sobre cómo hacerse ricos y cómo iniciar compañías y venderlas, él tiene un sólido mensaje que sacude la tierra. Y ese mensaje es: "Despierte el genio financiero que está dentro de usted. Su genio está esperando para salir."

Esto es lo que el famoso autor y orador Anthony Robbins dice del trabajo de Robert:

"El trabajo de Robert Kiyosaki en la educación, es poderoso, profundo, y toca vidas. Doy reconocimiento a sus esfuerzos y lo recomiendo enormemente."

Durante este tiempo de grandes transformaciones económicas, el mensaje de Robert es inestimable.

Sharon L. Lechter

Casada y madre de tres hijos, Contadora Pública Certificada (*CPA*), directora y consultora profesional de la industria de juguetes y publicaciones, Sharon Lechter ha volcado sus esfuerzos profesionales al campo de la educación.

Egresó de la Universidad del Estado de la Florida con honores, obteniendo una licenciatura en contabilidad. Pasó a ser una de las primeras mujeres en unirse a las filas de lo que era entonces una de las ocho firmas contables más grandes; alta ejecutiva de una compañía innovadora perteneciente a la industria de las computadoras; directora de impuestos para una compañía nacional de seguros, y fundadora y editora asociada de la primera revista regional para mujeres de Wisconsin; mientras tanto desarrollaba sus actividades profesionales como *CPA*.

Su enfoque cambió rápidamente hacia la educación al observar a sus tres hijos crecer. Era una lucha lograr que leyeran. Preferían mirar televisión.

De manera que ella aunó esfuerzos con el inventor del primer "libro electrónico parlante", ayudando a la industria del libro electrónico a expandirse al mercado multimillonario en que se encuentra actualmente. Es pionera en el desarrollo de nuevas tecnologías para llevar el libro nuevamente a la vida del niño.

A medida que sus propios hijo crecían, se involucró activamente en su educación. Se convirtió en activista, disertando en las áreas de educación en matemáticas, computación, lectura y escritura.

"Nuestro sistema educacional vigente, no ha sido capaz de mantenerse al ritmo de los cambios tecnológicos globales del mundo actual. Debemos enseñar a nuestros jóvenes las habilidades, tanto escolares como financieras, que necesitarán no sólo para sobrevivir sino también para poder florecer en el mundo que enfrentan."

Como coautora de *Padre Rico, Padre Pobre*, y *El Cuadrante del Flujo del Dinero de Padre rico*, actualmente enfoca sus esfuerzos en ayudar a crear herramientas educacionales para todos aquellos que estén interesados en mejorar su propia educación financiera.

Edumercial de Robert Kiyosaki

Un comercial educativo

Los tres ingresos

En el mundo de la contabilidad, existen tres diferentes tipos de ingresos. Estos son:

1. Ingreso ganado.
2. Ingreso pasivo.
3. Ingreso de portafolio o cartera de inversiones.

Cuando mi padre verdadero me decía, "ve a la universidad, obtén buenas calificaciones, y busca un trabajo estable y seguro", él me estaba recomendando que trabajara para obtener ingreso ganado. Cuando mi padre rico decía, "los ricos no trabajan por el dinero, ellos ponen al dinero a trabajar para ellos", él estaba hablando acerca de ingreso pasivo e ingreso de cartera de inversiones. El ingreso pasivo, en la mayoría de los casos, proviene de inversiones en bienes raíces. El ingreso de portafolio, proviene de inversiones en valores... valores tales como acciones, bonos, y fondos comunes. El ingreso de cartera o portafolio es el que hace que Bill Gates sea el hombre más rico del mundo —y no es por el ingreso que gana.

Padre rico solía decir, "la clave para hacerse rico es la habilidad de convertir ingreso ganado en ingreso pasivo o de portafolio lo más rápidamente posible". El decía, "los impuestos sobre el ingreso ganado son los más altos. El ingreso menos gravado es el ingreso pasivo. Esa es otra razón por la cual uno prefiere tener el dinero trabajando intensamente para uno mismo. El gobierno aplica mayor cantidad de impuestos sobre el dinero por el cual tú trabajas esforzadamente, que sobre el dinero que pones a trabajar intensamente para ti."

En mi segundo libro, *Cuadrante del flujo del dinero de Padre Rico*, explico los cuatro tipos diferentes de personas que cubren el mundo de los negocios. Estos cuatro tipos son: E - empleado, A - auto-empleados, D - dueño de negocio, e I - inversor. La mayoría de las personas asisten a la universidad para aprender a ser "E" o "A". *Cuadrante del flujo del dinero de Padre Rico* fue escrito considerando las diferencias fundamentales entre los cuatro tipos diferentes de personas, y la forma en que alguien puede realizar un cambio de cuadrante. En realidad, la mayoría de nuestros productos están creados para las personas pertenecientes a los cuadrantes "D" e "I".

En *Guía de Padre Rico para invertir*, el libro Nº 3 de esta serie de Padre Rico, me vuelco detalladamente a describir la importancia de convertir ingreso ganado en ingreso pasivo y/o de portafolio. Padre rico solía decir, "todo lo que hace un verdadero inversor es convertir ingreso ganado en ingreso pasivo e ingreso de cartera; si tú sabes lo que estás haciendo, invertir no es riesgoso. Se trata de sentido común".

La clave para la libertad financiera

La clave de la libertad financiera y la gran riqueza, reside en la habilidad o aptitud de la persona para transformar ingreso ganado en ingreso pasivo y/o de portafolio. Esa es la aptitud a la cual papá rico dedicó muchísimo tiempo, a fin de enseñárnosla a Mike y a mí. El tener esa habilidad es la razón por la cual mi esposa Kim y yo somos financieramente libres, y ya no necesitaríamos trabajar nunca más. Continuamos trabajando porque así lo elegimos. Actualmente, obtenemos ingreso pasivo de una compañía inversora de bienes raíces de la cual somos dueños, y participamos de colocaciones privadas y lanzamiento de ofertas públicas de acciones para la obtención de ingreso a partir de nuestra cartera de inversiones.

Además, hemos vuelto a trabajar con nuestra socia Sharon Lechter, para construir esta empresa de educación financiera, con el objetivo de crear y publicar libros, cassettes y juegos. Todos nuestros productos educacionales fueron diseñados para enseñar las mismas habilidades que mi padre rico me enseñó. Las habilidades para convertir dinero ganado en dinero pasivo y de portafolio.

Los tres juegos de mesa que creamos son importantes porque enseñan lo que los libros no pueden enseñar. Por ejemplo, usted no puede aprender a andar en bicicleta tan sólo leyendo un libro. Nuestros juegos financieros educativos, *CASHFLOW 101*, un sofisticado juego para adultos, y *CASHFLOW para niños*, están diseñados para enseñar a los jugadores las habilidades inversoras básicas de cómo convertir ingreso ganado en ingreso pasivo e ingreso de portafolio. También enseñan los principios de contabilidad y alfabetización financiera. Estos juegos son los únicos productos educacionales en el mundo que enseñan a la gente todas estas habilidades simultáneamente.

CASHFLOW 202 es la versión avanzada de *CASHFLOW 101* y requiere del tablero de juego del 101, así como de su plena comprensión, previo a jugarlo. *CASHFLOW 101* y *CASHFLOW para niños*, enseñan los principios de las inversiones fundamentales. *CASHFLOW 202* enseña los principios de las inversiones técnicas. Las inversiones técnicas involucran técnicas de comercio avanzadas tales como: venta rápida, opciones de compra, opciones de venta, y también operaciones combinadas. Una persona que entienda estas técnicas avanzadas, podrá ganar dinero tanto cuando el mercado suba como cuando baje. Como decía mi padre rico, "un verdadero inversor gana dinero tanto en un mercado en alza como en baja. Esa es la razón por la que ganan tanto dinero". Una de las razones por las cuales ganan más dinero es simplemente porque tienen una mayor confianza en sí mismos. Papá rico decía, "ellos tienen una mayor confianza en sí mismos porque están menos temerosos de perder". En otras palabras, el inversor promedio no gana tanto dinero porque se halla muy temeroso de perderlo. El inversor promedio no conoce la manera de protegerse de las pérdidas, y eso es lo que enseña *CASHFLOW 202*.

El inversor promedio piensa que invertir es riesgoso porque no ha recibido entrenamiento formal para ser inversor profesional. Como dice Warren Buffet, el mayor inversor de los Estados Unidos, "el riesgo proviene de no saber lo que se está haciendo". Mis juegos de mesa enseñan las bases simples de inversiones fundamentales y técnicas, mientras las personas se divierten.

Ocasionalmente escucho a alguien decir, "sus juegos educacionales son caros". (En Estados Unidos, *CASHFLOW 101* cuesta u$s 195, *CASHFLOW 202* cuesta u$s 145, y *CASHFLOW para niños* cuesta u$s 79.) Todos nuestros productos educacionales son programas completos de entrenamiento e incluyen cassettes de audio y video, y/o libros. (Una de las razones de nuestros precios es que solamente producimos una cantidad limitada por año.) Yo asiento con mi cabeza y replico, "sí, son caros... especialmente si se los compara con juegos de mesa recreativos". Y entonces me digo a mí mismo en silencio, "pero mis juegos no son tan caros como la educación universitaria, trabajar esforzadamente durante toda la vida para obtener ingreso ganado, pagar impuestos excesivos, y luego vivir con el terror de perder todo el dinero en los mercados de inversiones".

Y mientras esa persona circunstancial se aleja mascullando sobre el precio, puedo oír a papá rico diciendo, "si deseas ser rico, tienes que saber por qué clase de ingreso debes trabajar esforzadamente, la manera de mantenerlo, y cómo protegerlo de las pérdidas. Esa es la clave de una gran riqueza". Decía asimismo, "si no conoces esas diferencias entre los tres ingresos y no aprendes las habilidades de cómo adquirir y proteger esos ingresos, es probable que pases tu vida ganando menos de lo que podrías, y trabajando más arduamente de lo que deberías".

Y mi padre pobre pensaba que una buena educación, un buen empleo, y años de intenso trabajo era todo lo que se necesitaba para ser exitoso. Mi padre rico pensaba que una buena educación era importante, pero para él, también era importante que Mike y yo conociéramos las diferencias entre los tres ingresos, y por cuál de ellos trabajar más intensamente. Para él, ésa era la educación financiera básica. Conocer las diferencias entre los tres ingresos y aprender las habilidades inversoras de cómo adquirirlos, es educación básica para cualquiera que aspire a adquirir gran riqueza y a lograr libertad financiera... una clase especial de libertad que solamente unos pocos conocerán. Como papá rico afirma en la lección Nº 1, "los ricos no trabajan por el dinero. Ellos conocen la manera de tener dinero trabajando realmente para ellos". El dijo: "el ingreso ganado es dinero por el cual tú trabajas; y el ingreso pasivo y de cartera, es dinero que trabaja para ti". Y conocer esa pequeña diferencia entre los distintos ingresos, ha sido significativo en mi vida. O como finaliza el poema de Robert Frost, "y eso hizo toda la diferencia".

¿Cuál es la manera más fácil y mejor de aprender?

En 1994, luego de convertirme en financieramente independiente, estuve buscando una manera de enseñar a otros lo que me había enseñado papá rico. Tan sólo mediante la lectura, usted no podría aprender tanto. Usted no puede aprender a andar en bicicleta leyendo un libro. Descubrí que papá rico me enseñó por repetición. Por eso comencé a crear juegos de mesa educacionales. En mi opinión, resultan la mejor y más sencilla manera de aprender estos temas relativamente complejos.

Si usted está listo para aprender cómo adquirir mayor ingreso pa-

sivo y de cartera, los juegos *CASHFLOW* pueden ser un importante primer paso. Si usted se halla listo para mejorar su educación financiera, permítase la oportunidad de probar nuestros productos para jugar por 90 días sin riesgo. Todo lo que pido es que luego de adquirir el juego, usted lo juegue con amigos hasta completarlo, por lo menos seis veces en esos 90 días. Si siente que no ha aprendido nada o que los juegos le resultan demasiado difíciles, devuélvalos en buenas condiciones, y estaremos complacidos de devolverle su dinero.

Es necesario jugar al menos dos veces, para tan sólo entender las reglas y estrategias. Luego de la segunda vez los juegos se hacen más fáciles de jugar, usted se divertirá más, y su aprendizaje aumentará rápidamente. Si usted adquiere un juego *CASHFLOW* y no lo juega, entonces sí le resultará caro. Si usted los juega al menos seis veces, creo que los encontrará invalorables.

CASHFLOW Technologies, Inc.

Robert Kiyosaki, Kim Kiyosaki y Sharon Lechter han aunado esfuerzos como cabezas de *CASHFLOW Technologies, Inc.*, para producir innovadores productos de educación financiera.

La declaración de la misión de la compañía expresa:
"Elevar el bienestar financiero de la humanidad."

CASHFLOW Technologies, Inc., presenta las enseñanzas de Robert a través de productos tales como *Padre Rico, Padre Pobre, El cuadrante del flujo del dinero de Padre Rico,* el juego de mesa patentado *CASHFLOW* (patente número 5.826.878), y *CASHFLOW para niños,* con patente en trámite. Otros productos adicionales se encuentran disponibles o en desarrollo, dirigidos a personas en búsqueda de educación en finanzas, a quienes guiarán en su camino hacia la libertad financiera.

"Guía Para Invertir de Padre Rico"

¿En qué invierten los ricos, que las clases media y pobre no?

Por ***Robert T. Kiyosaki***
Con ***Sharon L. Lechter***, C.P.A.
Autores de ***Padre Rico Padre Pobre***

A menudo me preguntan, "Tengo un poco de dinero para invertir. ¿Qué me recomendaría hacer?"Hasta ahora, no he sido capaz de contestar esa pregunta en forma adecuada. La razón es que hay distintas estrategias de inversión para los diversos cuadrantes. Por ejemplo, una persona en el cuadrante "E" necesita invertir de forma diferente que otra en el cuadrante "D" o "A". También hay distintas estrategias de inversión para la gente pobre, los ricos y la clase media.

Mi próximo libro, ***Guía Para Invertir de Padre Rico***, alias ***Padre Rico Padre Pobre Parte III***, está escrito específicamente para las personas que planean llegar a ser muy ricas en su vida. Está escrito para personas que operan o planean operar desde los cuadrantes "D" e "I".

Hay muchos libros sobre inversión escritos para la clase media. Pero este es el primer libro escrito para gente que planea ser muy rica. El primer capítulo se titula "**Porqué los Ricos no Compran Fondos Comunes de Inversión**" y el libro se desarrolla a partir de allí. Como se espera, está escrito en forma de relato sencillo, aún cuando la información es radicalmente diferente de los consejos acerca de invertir que se encuentran en otros libros. Creo que lo más interesante para el lector es cómo mi padre rico me enseñó a minimizar los riesgos, y aún así obtener altísimos retornos. Después de completar la lectura de ***Guía Para Invertir de Padre Rico***, la mayoría de la gente tendrá la certeza de que una gran riqueza se encuentra al alcance de su mano.

PRÓXIMA APARICIÓN

"Hijo Rico Hijo Inteligente, de Padre Rico"
Por ***Robert T. Kiyosaki***
con ***Sharon L. Lechter***, C.P.A.
Autores de ***Padre Rico Padre Pobre***

DAR A SU HIJO UN PUNTO DE PARTIDA FINANCIERO

Hijo Rico Hijo Inteligente, de Padre Rico, está escrito para padres que valoran la educación, desean dar a sus hijos un punto de partida financiero y académico para sus vidas, y están deseosos de tener una participación activa para concretar esto.

En la Era de la Información, una buena educación se torna más importante que nunca. Pero el sistema de educación vigente no provee toda la información que su hijo pueda necesitar.

Este libro fue diseñado para cubrir las brechas: ayudarlo a dar a su hijo el mismo conocimiento financiero práctico e inspirador que "padre rico" le diera a Robert Kiyosaki.

Hijo Rico Hijo Inteligente le mostrará cómo despertar en su hijo la pasión por aprender, utilizando los mismos métodos que sabiamente empleó el padre de Robert para lograr que él completara sus estudios, aunque sus notas no eran buenas y a menudo intentaba abandonar. Y también, *Hijo Rico Hijo Inteligente* le abrirá puertas que usted ni siquiera sabía que existían, dándole la posibilidad de transmitir habilidades y conocimientos que su hijo usará por el resto de su vida.

Hijo Rico Hijo Inteligente, de Padre Rico, responde a las siguientes preguntas:

- El colegio, ¿prepara a su hijo para el mundo real?
- Como padre, se ha preguntado a sí mismo...

- ¿el colegio le enseña a mi hijo cómo sobrevivir financieramente y salir adelante en el mundo de hoy –y de mañana?

- ¿qué puedo hacer si... a mi hijo no le gusta estudiar... sus calificaciones no son buenas... lo han etiquetado con alguna dificultad de aprendizaje... quiere abandonar los estudios?

- ¿de qué manera puedo asegurarme de que mi hijo recibe la guía que necesita para el mundo real?

PRÓXIMA APARICIÓN

IMPERIO
DE LIBERTAD

La historia de Amway y lo que significa para usted

James W. Robinson

La primera exploración completa y actualizada del "*fenómeno Amway*".

En este libro descubrirá:

La increíble historia que hay detrás del explosivo éxito de Amway.

Cómo personas de diferentes estilos de vida alrededor del mundo han transformado su vida personal y profesional con Amway.

Los avances tecnológicos que permiten hacer de Amway la más excitante oportunidad de negocios para el siglo XXI.

Los secretos del éxito de los líderes top de Amway.

Historias de gente de todo el mundo que han vencido la adversidad para lograr el éxito.

También, cómo ellos han logrado la libertad en el trabajo y en la vida.

Cómo Amway es realmente un "asunto familiar".

¡Y mucho más!

IMPÉRIO DE
LIBERDADE

A Historia da Amway e o seu significado para Você

EN IDIOMA PORTUGUÉS

OLA 3
La Nueva era en Network Marketing
Richard Poe

Impulsadas por la nueva tecnología e innovadoras ideas de marketing, las compañías de network marketing de avanzada han establecido las bases para cambiar la forma en que las personas viven y trabajan. Para el mundo corporativo, estas compañías brindan una fórmula secreta para un crecimiento vertiginoso y alcance global. Para las personas como usted, ofrecen la oportunidad de iniciar un negocio a un costo mínimo, trabajando cómodamente desde su hogar, y —para algunos afortunados— alcanzar riqueza más allá de sus sueños más ambiciosos. Las ideas son revolucionarias, y en esta etapa de cambio del nuevo siglo, el movimiento que han iniciado estas compañías nos alcanzará a todos. Este fenómeno se llama Revolución de la ***Ola 3.***

En la organización actual de la ***Ola 3***, los empresarios del marketing de redes, se apoyan en una red de sistemas de última generación, procedimientos, medios y tecnología, que simplifica, estandariza, e incluso automatiza los aspectos más complejos del negocio. Richard Poe explica todo lo que usted requerirá saber sobre el network marketing, y cómo se podría comenzar a recorrer apropiadamente este excitante camino hacia la independencia financiera.
Los capítulos incluyen:

- Qué es la Revolución de la ***Ola 3.***
- Cómo detectar una compañía de la ***Ola 3.***
- Contactar y prospectar al estilo ***Ola 3.***
- Auspiciar en la ***Ola 3.***
- Cómo obtener el beneficio de una quinta fuente de ingresos.
- Virtudes que se forjan, trampas a evitar, e ideas inspiradoras que motivan para desarrollar exitosamente está actividad.

Y mucho más...

Equipado con la información contenida en ***Ola 3***: ***La Nueva Era en Network Marketing***, usted podrá aprender lo sencillo que es formar parte de lo que podría ser su mayor esperanza para alcanzar libertad financiera en la economía de hoy. Este libro —un clásico del networking— marcará un antes y un después en su organización multinivel.

Una Vida Emprendedora
Una Autobiografía
Jay Van Andel

"... Este libro es más que la historia de ***Amway****. Ya se ha escrito mucho sobre el éxito único de nuestra empresa y sobre la gente que ha logrado mayor seguridad financiera y realización personal gracias a ella. Aunque les contaré muchas historias que no escuchamos antes, este libro es en realidad sobre ideas, los principios que permiten que esfuerzos empresariales como* ***Amway*** *florezcan. Si lo único que rescato de este libro son los hechos de mi vida y la historia de Amway, usted no habrá captado el sentido. Para mi es menos importante que usted sepa lo que hice, que por qué lo hice".*

"...Una historia sobre el potencial de cada ser humano que tiene la fortuna de vivir en libertad, que está dispuesto a trabajar duro, que no tiene miedo al fracaso, que permite que Dios lo guíe y que tiene la suficiente humildad para aceptar una mano que lo ayude. En pocas palabras, esa es la historia de éxito verdadero. Es posible que no siempre termine en riqueza material, pero siempre traerá felicidad y paz interior".

Jay Van Andel

" No contento con ser un brillante empresario, estadiasta económico, visionario global y deboto hombre de familia, Jay Van Andel ahora nos da una gran historia americana: la historia de un hombre de negocios que hace mucho descubrió que el verdadero significado del éxito se debe encontrar en los negocios de humanidad. Apropiadamente para un hombre de fe, las memorias de Jay son un legado al liderazgo que tiene inspiración y es inspirador. Los lectores se sentirán conmovidos, entretenidos y elevados".

Gerald R. Ford, trigésimo octavo presidente de los EE.UU.

" La visión de negocios de Jay Van Andel ha abierto oportunidades para millones de emprendedores y sus familias en todo el mundo. Además de eso la devoción de Jay por su familia, sus amigos, su pais y su Dios, nos da a todos nosotros una lección inspiradora. Y su coraje para enfrentar los desafíos intimatorios del pasado y del presente ilustran el verdadero caracter de un hombre destacable. Pocos han vivido una vida como la de ***Jay Van Andael*** *y solo uno puede contar de verdad la historia. Jay ha hecho algo tan hermoso de este libro!.."*

Thomas J. Donahue, presidente y CEO de la cámara de comercio de los EE.UU.

Su Primer Año en el
Network Marketing
¡Supere sus miedos, alcance el éxito y logre sus sueños!
Mark y Rene Yarnell

Cómo mantener vivo el sueño...

El network marketing es una de las oportunidades de negocios de más rápido crecimiento en los Estados Unidos, expandiéndose a todo el mundo. Millones de personas como usted han dejado trabajos sin futuro por esta verdadera chance de lograr el sueño de establecer su propio negocio. Lo que muchos de ellos han encontrado, es que el primer año en el marketing multinivel puede resultar el más desafiante y, para muchos, el más desanimante.

En este libro, los autores, dos de los profesionales más respetados de la industria, le ofrecen a usted las estrategias que los ayudaron a superar esos obstáculos, comunes a todos en el inicio de la actividad. A través de motivadoras historias, y un análisis profesional de cada situación, los autores le dirán cómo:

- Sobreponerse al rechazo
- Permanecer enfocado
- Mantenerse entusiasmado
- Conducir exitosamente sus reuniones hogareñas
- Contactar, auspiciar y entrenar
- Porqué debe evitar gerenciar a sus asociados
- El valor de mantener la unión y fidelidad a la línea de auspicio
- Evitar expectativas irreales
- Lograr dejar cualquier actividad que no lo satisface anímica ni monetariamente, gracias a esta posibilidad ilimitada
- ¡Y posicionarse para el éxito de por vida!

"En este libro no encontrará fórmulas simples para hacerse rico rápidamente. La fórmula de los Yarnell demanda trabajo arduo y persistencia sobrehumana. Pero, para aquellos que la siguen, ofrece la esperanza realista de libertad económica genuina." Richard Poe – Destacado periodista especializado en marketing multinivel, autor de los *best sellers* ***"OLA 3"*** y ***"OLA 4"***.

"Esta será la Biblia del marketing multinivel." *Doug Wead – ex asistente del Presidente Bush, y líder exitoso de una de las más grandes compañías de MLM.*

...usted se debe a sí mismo leer este libro inspirador ...!

OLA 4
el Network Marketing
en el Siglo XXI
Richard Poe

En su innovador libro ***"OLA 3"***, Richard Poe nos reveló de qué manera el nuevo mundo de la informática liberó al marketing multinivel de sus humildes comienzos, para llevarlo a poder ofrecer una oportunidad profesional sin precedentes, que permite a las personas obtener independencia financiera.

Ahora en ***"OLA 4"***, Poe muestra cómo la conjunción de Internet y el contacto de persona a persona acelerarán el crecimiento de esta actividad.

El autor predice que esta corriente, guiada por las nuevas tecnologías, impulsará a millones de personas a considerar al marketing multinivel como una opción más que interesante. Además, explica cómo Internet y el cálido toque humano siempre vigente revolucionarán la venta directa, y de qué manera la demanda de nuevos productos y servicios se expandirá más allá de toda frontera, a través de estos sistemas de comercialización.

Vivimos en una época excitante. Millones de personas alrededor del mundo están soñando con iniciar su propio negocio. ***"OLA 4"*** les mostrará cómo el MLM en el siglo XXI los podrá ayudar a alcanzar enormes logros financieros, pero con la posibilidad de tener tiempo libre para disfrutarlos.

"Espléndida lectura, no sólo para networkers, sino también para todos aquellos deseosos de introducirse y triunfar en esta nueva posibilidad de la economía, con base en los hogares."
***Dr. Stephen R. Covey, autor de* "Los 7 hábitos de la gente altamente efectiva"**

Sobre el autor: ***Richard Poe es un periodista reconocido y autor, entre otros libros, del*** **best seller "Ola 3, la Nueva Era en Network Marketing".** ***Ex director editorial de la revista*** Succes, ***y columnista de*** Network Marketing Lifestyles.